L'accordeur de piano

Daniel Mason

L'accordeur de piano

Roman

Traduit de l'anglais (Etats-Unis)
par Marie-Claire Pasquier

Plon

Titre original

The Piano Tuner

Pour ma grand-mère, Halina

« *Frères, dis-je, ô vous qui ayant bravé*
cent mille dangers, atteignez l'occident,
à ce bref laps de temps éveillé qui est accordé
à vos sens, vous ne devez pas refuser
l'expérience de ce qui gît au-delà
du soleil, ni du vaste monde qui est inhabité. »

DANTE, *L'Enfer*, chant XXVI

« La musique, pour créer l'harmonie, doit
explorer la discordance. »

PLUTARQUE

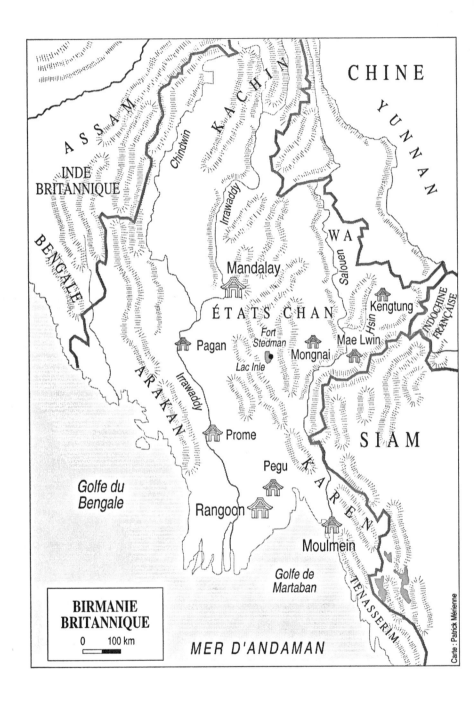

CHINE

ASSAM

INDE
BRITANNIQUE

BENGALE

Chindwin

KACHIN

YUNNAN

Irrawaddy

WA

Salouen

Mandalay

Hsin

ÉTATS CHAN

Kengtung

INDOCHINE
FRANÇAISE

Pagan

Fort
Stedman

Mae Lwin

Mongnai

Lac Inle

Irrawaddy

ARAKAN

Prome

SIAM

Pegu

KAREN

Golfe du
Bengale

Rangoon

Moulmein

Golfe de
Martaban

TENASSERIM

Carte : Patrick Mérienne

**BIRMANIE
BRITANNIQUE**

0   100 km

MER D'ANDAMAN

Dans les secondes fugaces de l'ultime souvenir, l'image de la Birmanie, pour lui ce sera le soleil et un parasol de femme. Quelles visions en gardera-t-il ? Les eaux de la Salouen, couleur de café, roulant après un orage, les palissades couvertes de filets de pêche à l'aube, les reflets mordorés du curcuma moulu, les lianes pleureuses de la jungle. Pendant des mois les images avaient tremblé au fond de ses yeux, clignotant comme des flammes de bougies, parfois s'imposant, ou encore défilant simplement telles les roulottes d'un cirque ambulant qu'on aperçoit sur la route : chacune d'elles étant un récit qui défie la vraisemblance, non par la faute du scénario, mais parce que la Nature ne saurait autoriser une telle condensation des couleurs sans que ce soit dérobé aux autres parties du monde.

Pourtant, au-dessus de ces visions le soleil se lève, torride, se déversant sur elles comme de la peinture blanche ruisselante. Le Bedin-saya, qui interprète les rêves dans les coins ombragés des marchés aux odeurs aromatiques, lui a raconté une légende selon laquelle le soleil qui se lève en Birmanie n'est pas le même que celui qui se lève dans le reste du monde. Il lui suffisait de regarder le ciel pour le savoir. De voir comme il inondait les rues, s'immisçant dans les fissures et les ombres, anéantissant les perspectives et les textures. De voir comme il brûlait, scintillait, s'embrasait, et le bord de l'horizon était comme un daguerréotype qui prend feu, surexposé, avec les bords qui se recroquevil-

lent. Comme il liquéfiait le ciel, les banians, l'air épais, son propre souffle, sa gorge, son sang. Comme les mirages s'approchaient pour lui tordre les mains du fin fond des routes lointaines. Comme sa peau pelait, se craquelait.

Maintenant ce soleil est suspendu au-dessus d'une route desséchée. Sous le soleil une femme, seule, marche sous un parasol, sa robe de coton léger tremble dans la brise, ses pieds nus la transportent jusqu'à la limite où l'on cesse presque de la voir. Il la regarde, il la voit s'approcher du soleil, seule. Il voudrait l'appeler, mais il ne peut pas parler.

La femme s'avance et pénètre dans un mirage, dans le reflet fantomatique de lumière et d'eau que les Birmans appellent than hlat. *Autour d'elle, l'air vacille, tournoie, désintégrant son corps, le faisant voler en éclats. Et alors elle disparaît elle aussi. Il ne reste plus que le soleil et le parasol.*

Ministère de la Guerre
Londres
le 24 octobre 1886

Cher Monsieur Drake,

Le ministère a sollicité notre collaboration au service de Sa Majesté, mais j'apprends que l'on ne vous a pas précisé la nature de votre mission. Cette lettre a donc pour but de vous en expliquer l'importance et l'urgence. Vous voudrez bien ensuite vous présenter au ministère de la Guerre, où le colonel Killian, chef des opérations de la Division birmane, ainsi que moi-même, vous donnerons des instructions plus complètes.

Un bref rappel historique. Comme vous le savez sûrement, depuis l'annexion des Etats de la région côtière de la Birmanie, il y a soixante ans, jusqu'à récemment celle de Mandalay et de la Birmanie du Nord, Sa Majesté a toujours considéré que l'occupation et la pacification du territoire étaient essentielles à la sécurité de notre Empire dans l'ensemble de l'Asie. Malgré nos victoires militaires, plusieurs événements viennent mettre sérieusement en danger nos possessions birmanes. Selon un rapport de nos services de renseignements, des troupes françaises sont rassemblées le long du Mékong en Indochine, cependant qu'à l'intérieur de la Birmanie des révoltes locales menacent notre autorité sur les régions les plus éloignées du pays.

13

L'accordeur de piano

En 1869, lors du règne du roi birman Mindon Min, nous avons envoyé en Birmanie un médecin-major du nom d'Anthony Carroll, diplômé de l'Hôpital universitaire de Londres. En 1874, il a été nommé dans un poste éloigné des Etats Chan, près des frontières orientales de la colonie. Depuis son arrivée, le médecin-major s'est rendu indispensable à l'armée, bien au-delà de ses obligations strictement médicales. Il a réussi à former des alliances avec des princes locaux, et, bien qu'éloigné de nos postes de commandement, son camp fournit un accès crucial au plateau Chan du sud et permet le déploiement rapide de troupes jusqu'à la frontière du Siam. Les activités menées par Carroll sont assez inhabituelles, vous aurez toutes les informations nécessaires lorsque vous vous présenterez au ministère. Ce qui inquiète la Couronne aujourd'hui, c'est une note assez étrange envoyée le mois dernier par le médecin-major, la plus récente d'une série de lettres passablement déconcertantes, à propos d'un piano et de l'importance qu'il attache à cet instrument.

Voici ce qui nous préoccupe : bien que nous soyons habitués à recevoir du médecin-major des demandes insolites concernant ses recherches médicales, nous sommes tombés des nues en recevant en décembre dernier une lettre qui réclamait l'achat et l'envoi immédiats d'un piano à queue Erard. Nos agents de Mandalay ont commencé par se montrer sceptiques, mais ils ont reçu deux jours plus tard, par coursier, un second message envoyé confirmant le sérieux de la requête : comme si Carroll, avec perspicacité, avait deviné la perplexité de nos services. Nous avons répondu que l'envoi d'un piano à queue était impossible d'un simple point de vue logistique, si bien qu'une semaine plus tard, arriva un nouveau messager, hors d'haleine, porteur d'une simple note dont le contenu mérite d'être reproduit ici *in extenso*.

Messieurs,

Avec tout le respect que je dois à vos services, je me permets de réitérer ma demande. Je sais l'importance de mon poste pour la sécurité de la région. Au cas où vous vous méprendriez sur l'urgence de ma requête, sachez que je vous remettrai ma démis-

sion si je n'ai pas reçu le piano dans un délai de trois mois. Je connais mes droits, et je sais que, vu mon rang et mes états de service, je peux prétendre à une pension et à toutes les indemnités d'usage, au cas où je rentrerais en Angleterre.

Médecin-major Anthony J. Carroll,
Mae Lwin, Etats Chan.

Comme vous pouvez l'imaginer, cette lettre a semé la consternation parmi nous. Le médecin-major avait été un serviteur irréprochable de la Couronne avec des états de service exemplaires. En même temps, il savait bien que nous dépendions de lui et de ses alliances avec les princes locaux, et à quel point de telles alliances sont cruciales pour une puissance européenne. Après discussion, nous avons cédé et un Erard de 1840 a été expédié d'Angleterre. Il est arrivé à Mandalay au début de février, a été transporté jusqu'au camp à dos d'éléphant, puis à pied par Carroll lui-même. Même si toute cette aventure a été source de contrariété pour une partie de notre personnel en Birmanie, on peut dire que la mission a été un succès. Au cours des mois suivants, Carroll a continué à rendre d'excellents services, à repérer de mieux en mieux les itinéraires d'approvisionnement des troupes à travers le plateau Chan. Et puis le mois dernier, nous avons reçu une autre requête. Il semblerait que l'humidité ait gonflé le bois de l'Erard, maintenant désaccordé, et que tous les efforts locaux pour le réparer aient échoué.

Nous en arrivons donc à l'objet de cette correspondance. Dans sa lettre, Carroll réclame expressément un accordeur spécialisé dans les pianos à queue Erard. Nous avons répliqué qu'il y avait peut-être des moyens moins compliqués de réparer le piano, mais il est resté inflexible. Nous avons fini par donner notre accord et, en examinant le répertoire des accordeurs de piano de Londres, nous avons relevé plusieurs noms d'excellents spécialistes. Comme vous le savez sûrement, les gens qui pratiquent votre profession sont pour la plupart relativement âgés et peu aptes à voyager dans des conditions difficiles. Nous en avons donc retenu deux : vous-même et M. Claude Hastings de Poultry, dans la Cité. Etant donné que vous apparaissez comme expert en pianos Erard, il nous a paru approprié de

15

solliciter vos services. Au cas où vous refuseriez, nous nous adresserions à M. Hastings. La Couronne est prête à vous verser, pour trois mois de service, un salaire équivalant à un an de travail.

Votre compétence et votre expérience vous qualifient pleinement pour cette mission d'une extrême importance. Nous vous prions instamment de bien vouloir prendre contact avec nos services dans les meilleurs délais pour discuter de cette question.

Avec mes sentiments respectueux,

Colonel George Fitzgerald,
Sous-directeur des Opérations militaires
Division de la Birmanie et des Indes orientales

C'était la fin de l'après-midi. Le soleil passant à travers une petite fenêtre éclairait une pièce remplie de cadres de pianos. Edgar Drake, accordeur, expert en pianos Erard, posa la lettre sur son bureau. Un piano à queue de 1840, c'est une beauté, se dit-il. Il plia délicatement la lettre, la glissa dans la poche de sa veste. Et la Birmanie, c'est loin.

LIVRE UN

Fugue (du latin *fuga*, *fugere*, fuir). **1.** Composition musicale polyphonique, répétant un ou plusieurs thèmes, dans le respect des règles du contrepoint. **2.** *Psych.* Trouble pathologique consistant à fuir sa propre identité.

1

C'est l'après-midi. Dans le bureau du colonel Killian, chef des opérations de la Division birmane de l'armée britannique, Edgar Drake est assis près de deux conduites de chauffage noirâtres qui donnent des coups de bélier ; il regarde par la fenêtre tomber la pluie battante. A l'autre bout de la pièce se tient le colonel, un homme massif au teint hâlé, avec un toupet de cheveux roux et une moustache imposante, bien lissée, qui souligne l'éclat tranchant de ses yeux verts. Au mur, derrière son bureau, sont accrochés une longue lance bantoue et un bouclier peint qui exhibe ses cicatrices. Le colonel porte un uniforme écarlate à galons noirs. Drake garderait en mémoire les épaulettes qui évoquaient pour lui les zébrures d'un tigre, et l'écarlate qui renforçait le vert des yeux.

Le colonel était entré dans la pièce, avait tiré une chaise derrière le bureau d'acajou poli aux sombres reflets et s'était mis à feuilleter des dossiers. Plusieurs minutes s'écoulèrent. Il finit par lever les yeux. De sa moustache sortit une voix puissante de baryton. « Excusez-moi de vous avoir fait attendre, monsieur Drake. J'avais une affaire urgente à régler. »

L'accordeur de piano quitta la fenêtre des yeux. « Je vous en prie, colonel. » Il fit tourner entre ses doigts son chapeau posé sur ses genoux.

« Si vous voulez bien, nous irons droit au fait. Et d'abord, bienvenue au ministère de la Guerre. C'est la première fois, j'imagine, que vous venez ici ? » Il ne laissa pas à l'accordeur le temps de répondre. « Au nom de mon personnel et de mes supérieurs, je vous remercie de bien vouloir vous intéresser à cette affaire que nous estimons très importante. Nous avons préparé un dossier sur l'ensemble de la situation. Si vous le permettez, le plus simple sera que je vous en donne un résumé. Quand vous le connaîtrez, nous discuterons des questions que vous souhaiterez poser.

— Merci, colonel, répondit l'accordeur sur un ton respectueux. Je reconnais que votre requête m'a déconcerté. Elle est plutôt insolite. »

De l'autre côté du bureau, la moustache eut un frémissement. « Insolite en effet. Il y a beaucoup à dire sur cette affaire. Comme vous l'avez sans doute compris, il s'agit autant d'un homme que d'un piano. C'est pourquoi je vais commencer par parler du médecin-major Carroll lui-même. »

L'accordeur fit un signe d'assentiment.

« Je passerai sur les détails de la jeunesse de Carroll. En fait, son passé est assez mystérieux, nous n'en savons pas grand-chose. Il est né en 1833, d'ascendance irlandaise ; son père était Thomas Carroll, professeur de littérature grecque dans un collège de l'Oxfordshire. Même si sa famille n'a jamais été fortunée, l'intérêt du père pour les études s'est transmis au fils, qui fut un excellent élève et partit de chez lui faire sa médecine à l'Hôpital universitaire de Londres. Une fois diplômé, plutôt que d'ouvrir un cabinet privé comme la plupart de ses condisciples, il a demandé un poste en province dans un hôpital pour les pauvres. Nous n'avons pas non plus beaucoup de renseignements sur cette période de sa vie, sinon qu'il est resté cinq ans en province et s'est marié avec une jeune fille de la région. Le mariage a été de courte durée. Sa femme est morte en couches, ainsi que leur enfant, et Carroll ne s'est jamais remarié. »

Le colonel s'éclaircit la voix, manipula machinalement un document et poursuivit : « Après la mort de sa femme,

Carroll est retourné à Londres où il a postulé à l'asile des déshérités de l'East End pendant l'épidémie de choléra. Il n'y est resté que deux ans. En 1863, il a obtenu une charge de médecin militaire dans le cadre de l'armée.

« À partir de là nous avons davantage d'informations. Carroll a été nommé médecin au 28e d'infanterie de Bristol, mais, quatre mois seulement après, il a demandé à partir servir dans les colonies. Sa candidature a été immédiatement acceptée et il a été nommé sous-directeur de l'hôpital militaire de Saharanpur, en Inde. Il s'y est très vite acquis une réputation d'excellent médecin, un peu de tête brûlée aussi. Il accompagnait souvent des expéditions au Pendjab et au Cachemire, missions rendues dangereuses non seulement à cause des tribus locales, mais aussi des forces russes, puisque le tsar conteste nos conquêtes territoriales. De plus, Carroll passe pour être un homme de lettres, sans que cela explique la... disons, la ferveur avec laquelle il a réclamé un piano.

« D'après plusieurs de ses supérieurs, il lui arrive de sauter son tour de garde pour aller lire de la poésie dans les jardins de l'hôpital. On a fini par admettre cette pratique parce qu'un jour, paraît-il, Carroll aurait lu un poème de Shelley — "Ozymandias", je crois — à un chef de tribu qu'on soignait à l'hôpital. L'homme, qui malgré la signature d'un traité de coopération refusait d'engager des troupes, revint à l'hôpital une semaine plus tard et demanda à voir Carroll, et non le commandant. Il amenait trois cents de ses hommes qu'il voulait mettre au service du "soldat-poète" — ce fut son expression. »

Le colonel leva les yeux et, croyant apercevoir l'ombre d'un sourire sur le visage de l'accordeur de piano, il observa : « Récit étonnant, je sais.

— C'est un très beau poème.

— Oui, mais cet épisode fut sans doute regrettable.

— Regrettable ?

— N'anticipons pas, monsieur Drake, mais j'ai le sentiment que ce piano a quelque chose à voir avec le désir du "soldat" de devenir de plus en plus "poète". Le choix

d'un piano — c'est seulement mon opinion personnelle — représente, comment dire, une sorte de faux raisonnement. Si le Dr Carroll croit sincèrement
qu'introduire de la musique en ces lieux peut hâter la
paix, j'espère seulement qu'il aura assez de militaires en
armes pour la défendre.» Comme l'accordeur demeurait
muet, le colonel bougea sur sa chaise. «Vous admettrez
avec moi, monsieur Drake, qu'impressionner un notable
local en lui récitant des vers, c'est une chose. Mais que
réclamer l'expédition d'un piano à queue jusqu'à l'un de
nos postes les plus reculés en est une autre.

— Je ne m'y connais pas bien en affaires militaires»,
répondit Edgar.

Le colonel lui jeta un bref coup d'œil et fit mine de
replonger dans ses papiers. Ce n'est pas le genre d'homme
qui fera face au climat et aux problèmes de la Birmanie,
pensait-il. Grand, maigre, des mèches de cheveux grison-
nants tombant sur ses lunettes cerclées de fer, l'accordeur
ressemblait davantage à un maître d'école qu'à un homme
capable d'assumer des responsabilités militaires. Il avait
des sourcils bruns, des favoris soulignaient ses joues. Il
paraissait plus âgé que ses quarante et un ans. Les petites
rides qui s'étaient formées au coin de ses yeux clairs
n'étaient pas dues au sourire. Il portait une veste en
velours côtelé, un nœud papillon et un pantalon de laine
un peu râpé. L'ensemble aurait dégagé une impression de
tristesse si ses lèvres, des lèvres plus pleines que celles de
la plupart des Anglais, n'avaient donné à son visage une
douceur et une sérénité dont le colonel ne savait que penser. Il remarqua que l'accordeur pétrissait sans cesse ses
mains, et que ses poignets se perdaient dans la profondeur
des manches. Ce n'était pas le genre de mains auxquelles
il était habitué, trop délicates pour un homme ; pourtant,
lorsqu'ils s'étaient salués, le colonel avait senti en elles
une vigueur, une force, comme si, sous l'épiderme rude,
se cachait une armature de fer.

Killian reprit son récit : « Carroll resta cinq ans à Saharanpur. Pendant cette période, il participa à dix-sept missions et passa davantage de temps sur le terrain qu'à son poste. » Compulsant les rapports d'expédition, il entreprit de lire à voix haute : septembre 1866, repérage pour une voie de chemin de fer le long de la rivière Sutlej. Décembre, expédition topographique du corps des eaux et forêts dans le Pendjab. Février 1867, rapport sur les accouchements et les maladies obstétriques en Afghanistan oriental. Mai, infections vétérinaires du bétail dans les montagnes du Cachemire et risques de contamination pour les humains. Septembre, exploration de la flore des hauts plateaux du Sikkim par la Royal Society. Le colonel en perdait le souffle, au point que les veines de son cou se gonflaient, évoquant les montagnes du Cachemire — c'est du moins la réflexion que se fit Edgar, qui n'y avait jamais mis les pieds mais commençait à s'impatienter de n'entendre jamais parler de piano dans toute cette histoire.

« A la fin de l'année 1868, le sous-directeur de notre hôpital militaire de Rangoon, alors le seul grand hôpital de Birmanie, mourut brusquement d'une attaque de dysenterie. Pour le remplacer, le directeur médical de Calcutta recommanda Carroll, qui arriva à Rangoon en février 1869. Il y travailla trois ans, et comme ses activités étaient principalement d'ordre médical, nous avons peu d'informations sur cette période. Tout laisse à penser qu'il se consacra à ses responsabilités hospitalières. »

Le colonel toussota. « Voici une photographie de Carroll au Bengale. » Il fit glisser un classeur sur le bureau.

Edgar hésita un bref instant, puis se pencha pour l'atteindre et, ce faisant, fit tomber son chapeau. « Excusez-moi », marmonna-t-il. Il ouvrit le classeur sur ses genoux et y trouva une photo à l'envers. Il la retourna lentement. Elle montrait un homme grand, sûr de lui, à la moustache sombre et aux cheveux soigneusement peignés, vêtu de kaki, debout près du lit d'un patient au teint foncé, peut-être un Indien. A l'arrière-plan on distinguait d'autres lits, d'autres patients. Un hôpital, supposa l'accordeur, qui se concentra de nouveau sur le visage du médecin. Contrairement aux malades, ce visage était curieusement flou, comme si le médecin ne parvenait pas à tenir en place. Edgar essaya d'établir un rapprochement entre l'homme et le récit qu'il entendait, mais la photo ne lui révélait pas grand-chose. Il la reposa sur le bureau du colonel.

« En 1871, Carroll demanda son transfert à un poste plus éloigné, en Birmanie centrale. Sa requête fut acceptée, car elle tombait à un moment où se développaient les activités dans la vallée de l'Irrawaddy, au sud de Mandalay. Là comme en Inde, Carroll participa à de fréquentes expéditions de prospection qui l'amenèrent souvent dans le sud du plateau Chan. Comment s'y prit-il, vu le poids de ses responsabilités ? Il trouva quand même le temps d'apprendre la langue Chan. Selon les uns, avec un moine, grâce à une maîtresse, selon les autres.

« En tout cas, moine ou maîtresse, en 1873 nous parvint une nouvelle désastreuse : après des années de valse-hésitation, les Birmans venaient de signer un accord commercial avec la France. Vous connaissez peut-être cet épisode ; on en a parlé abondamment dans les journaux. Même si les troupes françaises stationnaient toujours en Indochine et n'avaient pas encore franchi le Mékong, leur présence laissait présager d'autres accords franco-birmans ainsi qu'une menace directe pour l'Inde. Nous entreprîmes immédiatement des préparatifs pour occuper les Etats de Birmanie du Nord. De nombreux princes Chan manifestaient depuis longtemps leur hostilité au trône birman et... » Hors d'haleine, le colonel interrompit son monologue et vit que l'accordeur de piano regardait par la fenêtre. « Monsieur Drake, vous m'écoutez ? »

Edgar se retourna, embarrassé. « Oui... oui, bien sûr.

— Bien, en ce cas, je continue. »

L'accordeur l'interrompit : « Si vous permettez, colonel, avec tout le respect que je vous dois, cette histoire est extrêmement complexe et fort intéressante, mais je ne comprends pas, je l'avoue, en quoi je peux vous être utile. Est-ce que vous m'autorisez à vous poser une question ?

— Je vous écoute.

— Eh bien... à parler franchement, j'attends de savoir quel est le problème du piano.

— Pardon ?

— Le piano. On m'a demandé de venir accorder un piano. Vous m'avez fait un rapport très complet sur l'homme, mais je ne pense pas que je sois chargé de sa personne. »

Le colonel rougit. « Comme je vous l'ai dit au début, monsieur Drake, le contexte est de toute importance.

— Je suis d'accord, colonel, mais je ne sais toujours rien sur l'état du piano, je ne sais même pas si je serai en mesure ou non de le réparer. Vous me comprenez, j'espère.

— Oui, oui, bien sûr. » Killian serra les mâchoires. Il s'apprêtait à raconter le retrait du président de Mandalay en 1879, la bataille de Myingyan, le siège de la garnison de Maymyo — un de ses récits favoris. Il attendit.

Edgar Drake baissa les yeux sur ses mains. « Je vous fais mes excuses, continuez, je vous en prie, dit-il. C'est seulement que je dois repartir bientôt, car j'habite loin d'ici, et je m'intéresse vraiment beaucoup à ce piano à queue Erard. » Malgré sa gêne, il profitait intérieurement de cette brève interruption. Il n'avait jamais aimé les militaires et commençait à trouver de plus en plus attachant le personnage de Carroll. En vérité, il souhaitait entendre les détails de son histoire, mais l'heure tournait et le colonel ne faisait pas mine de s'arrêter.

Justement, il reprit la parole : « Très bien, monsieur Drake, je serai bref. En 1874, nous commencions à disposer de quelques avant-postes dans les territoires Chan, l'un près de Hispaw, un autre près de Taunggyi, et un autre encore — le plus avancé de tous — dans un petit village du nom de Mae Lwin, sur les bords de la Salouen. Vous ne trouverez Mae Lwin sur aucune carte et, tant que vous n'aurez pas accepté votre mission, je ne pourrai pas vous dire où se trouve cet endroit. C'est là que nous avons envoyé Carroll. »

Le soir tombait. Le colonel alluma une petite lampe de bureau dont la lumière vacillante promenait l'ombre de ses moustaches sur ses pommettes. « Monsieur Drake, je ne veux pas vous retenir, je sauterai donc les détails de la vie de Carroll pendant ses douze années passées à Mae Lwin. Si vous acceptez la mission, je vous fournirai les rapports militaires. A moins que vous vouliez les voir tout de suite.

— Si cela ne vous fait rien, j'aimerais des renseignements sur le piano.

— Oui, oui, le piano. » Killian soupira. « Que souhaitez-vous savoir ? Je crois que la lettre du colonel Fitzgerald vous a informé de l'essentiel.

— Je sais que Carroll réclamait un piano. L'armée a fait l'acquisition d'un Erard de 1840 et le lui a expédié. Pourriez-vous m'en dire un peu plus ?

— Pas vraiment. On suppose qu'il pensait rééditer le coup qu'il avait réussi avec le poème de Shelley. Sinon, pourquoi vouloir ce piano ?

— Pourquoi ? » L'accordeur de piano se mit à rire, d'un rire sonore qui surprenait chez un homme aussi frêle. « Combien de fois je me suis posé la question à propos de mes autres clients ! Pourquoi une dame de la bonne bourgeoisie qui ne sait pas reconnaître Haendel de Haydn achète-t-elle un Broadwood de 1820 et demande-t-elle à le faire accorder une fois par semaine alors que personne n'en joue ? Pourquoi un juge de paix fait-il réviser le sien tous les deux mois — ce qui, je m'empresse de le dire, est excellent pour mes affaires, même si c'est totalement inutile ? Et pourquoi le même homme refuse-t-il de donner l'autorisation requise pour les représentations publiques des lauréats du concours annuel de piano ?

« Excusez-moi, mais je ne trouve pas que le Dr Carroll soit si bizarre. Avez-vous déjà entendu, colonel, les *Inventions* de Bach ? »

Le colonel hésita : « Je crois... oui, sûrement, mais, sans vouloir vous offenser, monsieur Drake, je ne vois pas le rapport avec...

— La pensée de passer huit années dans la jungle sans la musique de Bach m'épouvante. » L'accordeur ajouta : « Sur un Erard de 1840, c'est magnifique.

— Peut-être, mais pour l'instant nos soldats se battent. »

Edgar respira à fond. Il sentait son cœur s'accélérer. « Excusez-moi. Je ne voudrais pas vous paraître prétentieux. En fait, votre récit me passionne de plus en plus. Mais je ne comprends pas : si vous pensez tellement de mal de votre pianiste, pourquoi suis-je ici ? Colonel, vous êtes un homme très important. Ce n'est pas courant pour quelqu'un de votre rang de consacrer tant de temps à un civil, je ne l'ignore pas. Je suppose que le ministère de la Guerre a investi une somme considérable pour expédier ce piano en Birmanie, sans même parler du prix d'achat. Et vous m'avez fait une offre des plus généreuse — de mon point de vue justifiée, mais vraiment généreuse. Et pourtant, vous semblez douter de ma mission. »

Le colonel se renversa sur son siège, bras croisés sur la poitrine. « Très bien. Il est important que nous abordions cette question. Je ne cacherai pas ma désapprobation mais, je vous en prie, n'y voyez pas un manque de respect. Le médecin-major est un militaire extrêmement efficace, excentrique peut-être, mais irremplaçable. Il y a ici même, dans ce service, des gens très haut placés qui s'intéressent énormément à son travail.

— Mais pas vous.

— Disons que certains sont sensibles à une rhétorique selon laquelle le destin de notre empire n'est pas de conquérir des terres et des biens matériels, mais de répandre la culture et la civilisation. Je ne dis pas qu'ils ont tort, mais ce n'est pas la mission du ministère de la Guerre.

— Pourtant vous le soutenez ? »

Le colonel marqua un temps. « Si je ne mâche pas mes

mots, monsieur Drake, c'est que vous devez comprendre la position du ministère de la Guerre. Les Etats Chan sont anarchiques. A l'exception de Mae Lwin. Carroll a fait plus et mieux à lui tout seul que plusieurs bataillons. C'est un homme indispensable, à la tête de l'un des postes les plus dangereux et les plus importants de nos colonies. Les Etats Chan sont essentiels pour assurer la sécurité de notre frontière orientale contre une invasion des Français ou même des Siamois. S'il faut un piano pour maintenir Carroll en place, ce n'est pas trop cher payé. Mais son poste est un poste militaire, pas un salon de musique. Notre espoir c'est qu'une fois son piano accordé, il retournera à ses obligations. Vous devez comprendre une chose : c'est à *notre* service que vous serez, pas au sien. Ses idées peuvent être... séduisantes. »

Vous n'avez pas confiance en lui, pensa Edgar. « C'est donc une concession, comme les cigarettes, dit-il.

— Non, ce n'est pas la même chose, vous le comprenez sûrement.

— Vous ne voulez sans doute pas m'entendre dire que c'est *à cause* du piano qu'il est indispensable ?

— Cela, nous le saurons quand l'instrument aura été accordé. N'est-ce pas ? »

A ces mots, Drake esquissa un sourire. « Peut-être. »

Le colonel se pencha. « Vous avez d'autres questions ?

— Une seule.

— Laquelle ? »

Edgar regarda ses mains, puis releva les yeux. « Ce piano, qu'est-ce qu'il a exactement ? »

Le colonel se figea. « Nous avons déjà discuté de ce point.

— Colonel, reprit Edgar fermement, je vous demande l'état exact du piano Erard de 1840, planté quelque part au fin fond de la jungle, où vous me priez d'aller. Pardon, mais vos services ne m'ont pas dit grand-chose sur ce piano, à part le fait qu'il est désaccordé, ce qui, naturellement, est dû au fait que le bois de la table d'harmonie a joué. Pas le corps du piano, comme vous l'indiquiez dans

28

votre lettre. Je suis fort étonné que vous n'ayez pas prévu ce problème. L'humidité a des effets désastreux.

— Je vous rappelle, monsieur Drake, que nous avons cédé au désir du médecin-major Carroll. C'est à lui qu'il faudra poser ces questions d'ordre philosophique. »

Edgar Drake soupira. « En ce cas, puis-je vous demander ce que je suis censé réparer ? »

Le colonel toussa. « On ne nous a pas fourni ce genre de détails.

— Le médecin a bien dû parler du piano dans une lettre.

— Nous avons reçu de lui un mot bizarre, fort bref, ce qui est surprenant de sa part, car il est plutôt disert. Du coup, nous nous sommes mis à douter du bien-fondé de sa requête, jusqu'au moment où il l'a assortie d'une menace de démission.

— Puis-je la lire ? »

Le colonel hésita, puis il lui tendit un petit morceau de papier brun. « C'est du papier Chan, dit-il. Apparemment, c'est leur spécialité. Etrangement, le Dr Carroll ne s'en était jamais servi jusqu'ici pour sa correspondance. » Le papier était souple, visiblement fait à la main, avec des fibres apparentes, portant des lignes d'une encre foncée.

Messieurs,

Le piano à queue Erard est devenu injouable. Il doit être accordé et réparé, tâche à laquelle je me suis employé sans succès. Il faut envoyer d'urgence à Mae Lwin un accordeur spécialiste des Erard. Je pense que cela ne posera pas de problème. On déplace beaucoup plus facilement un homme qu'un piano.

Médecin-major Anthony J. Carroll,
Mae Lwin, Etats Chan.

« C'est bref, pour justifier la nécessité d'expédier un homme à l'autre bout du monde.

— Monsieur Drake, dit le colonel, votre réputation

d'accordeur de pianos Erard est bien connue de ceux qui, à Londres, s'intéressent à la musique. Nous estimons que votre voyage ne dépassera pas trois mois en tout, entre votre départ et votre retour en Angleterre. Comme vous le savez, vous serez généreusement rétribué.

— Je dois partir seul.

— Les besoins de votre femme seront assurés en votre absence. »

Killian se cala dans son siège.

« Avez-vous d'autres questions ?

— Non, je crois que je comprends », dit doucement l'accordeur, comme se parlant à lui-même.

Le colonel rangea ses papiers « Acceptez-vous d'aller à Mae Lwin ? »

Edgar se tourna vers la fenêtre. Le jour s'obscurcissait, le vent jouait avec la pluie en crescendos et diminuendos. J'ai pris ma décision bien avant de venir ici, se dit-il.

Il se tourna vers le colonel et fit un signe d'assentiment.

Les deux hommes se serrèrent la main. Killian insista pour emmener Drake dans le bureau du colonel Fitzgerald, où il annonça la nouvelle. Il y eut encore des paroles échangées, mais Edgar n'écoutait plus. Il avait l'impression d'être dans un rêve, la réalité de la décision flottait encore au-dessus de lui. Intérieurement, il recommençait son simple signe d'assentiment, comme pour donner une réalité à sa décision et concilier l'insignifiance de ce geste avec sa véritable signification.

Il y avait des papiers à signer, des dates à fixer, des copies de documents à établir pour qu'il puisse « les étudier à loisir ». Le Dr Carroll, expliqua Killian, avait demandé que le ministère fournisse à l'accordeur une documentation complète : des récits, des études d'anthropologie, de géologie, d'histoire naturelle. « A votre place, je ne me casserais pas la tête, dit le colonel, mais le médecin a exigé que l'on vous remette tout ça. Je crois que je vous ai exposé ce que vous avez besoin de savoir. »

L'accordeur partit, poursuivi par une phrase de Carroll

comme la trace légère d'une cigarette flottant après un concert dans un salon. *On déplace beaucoup plus facilement un homme qu'un piano.* Ce médecin allait lui plaire. Ce n'est pas tous les jours qu'on trouve des phrases aussi poétiques dans les lettres des militaires. Edgar Drake avait le plus grand respect pour ceux dont le sens du devoir se transforme en musique.

2

Lorsque Edgar quitta le ministère de la Guerre, un épais brouillard se répandait sur Pall Mall. Il suivit deux jeunes porteurs de torche dans une brume si dense que les enfants vêtus de lourdes guenilles semblaient coupés de leurs mains qui tenaient les lumières dansantes. « Vous voulez un fiacre, monsieur ? demanda l'un des enfants.

— Oui, pour Fitzroy Square, dit-il, puis il changea d'avis. Emmenez-moi jusqu'aux quais. »

Ils se frayèrent un chemin à travers la foule, traversèrent les austères arcades de marbre de Whitehall puis ressortirent, au milieu d'un désordre de voitures remplies d'habits noirs et chapeaux hauts de forme, émaillées d'accents patriciens et de fumée de cigares. « Un grand dîner aura lieu dans un club ce soir », annonça l'un des enfants, et Edgar hocha la tête. Dans les immeubles autour d'eux, de vastes fenêtres laissaient voir des murs couverts de tableaux éclairés par des lustres suspendus à de hauts plafonds. Il connaissait certains de ces clubs, il avait accordé un Pleyel au Boodle's trois ans plus tôt, et un Erard au Brooks's, un instrument magnifique tout en marqueterie en provenance d'ateliers parisiens.

Ils dépassèrent un groupe d'individus bien habillés, aux visages rougis par le froid et le brandy ; les hommes riaient sous leurs sombres moustaches, les femmes, comprimées par les baleines de leurs corsets, soulevaient l'ourlet de leurs jupes pour franchir la chaussée trempée et couverte de crottin de cheval. De l'autre côté de la rue, une voiture vide les attendait, un vieil Indien enturbanné tenait la portière ouverte. Edgar se détourna. Peut-être a-t-il vu ce que je vais voir, se dit-il, et il dut réprimer le désir de lui adresser la parole. Les hommes et les femmes s'égaillaient ; ayant perdu de vue les porteurs de torche, Edgar trébucha. « Attention où tu mets les pieds, mon gars ! » s'écria un homme, et une femme : « Ah, ces poivrots. » Le groupe se mit à rire, et Edgar vit les yeux du vieil Indien s'éclairer, sans qu'il se permette pourtant de partager la plaisanterie avec ses clients.

Les gamins l'attendaient près du mur bas qui longeait le quai. « Où voulez-vous aller ? — Ici c'est bien, merci, » dit-il en leur lançant une pièce. Les deux gamins sautèrent en même temps pour l'attraper, la laissèrent tomber, la pièce rebondit sur les pavés irréguliers et disparut sous une grille d'aération. Les gamins se mirent à genoux. Tiens les torches ! Non, tu vas en profiter pour la prendre, tu partages jamais. C'est toi qui partages pas, d'abord elle est à moi, c'est moi qui lui ai parlé... Embarrassé, Edgar fouilla dans sa poche, en sortit deux autres pièces. « Désolé, tenez, prenez ça. » Il s'éloigna ; les gamins restaient à discuter près de la grille d'aération. Bientôt, Edgar ne vit plus que la lueur de leurs torches. Il s'arrêta et regarda la Tamise.

Il entendit du mouvement sur le fleuve. Des mariniers peut-être, et il se demanda où ils allaient, d'où ils venaient. Il pensa à un autre fleuve, lointain, au nom inconnu pour lui, prononcé comme si une troisième syllabe, douce, cachée, venait se glisser entre le l et le ou. Salouen. Il le murmura tout haut, puis, confus, tourna vivement la tête pour vérifier qu'il était seul. Il écouta le bruit que faisaient les mariniers et les vagues qui venaient battre contre la berge. Le brouillard était moins épais sur le fleuve. Il n'y avait pas de lune, à la lueur des lanternes qui se balançaient sur les remorqueurs il apercevait vaguement le rivage, toute une architecture monumentale entassée près du fleuve. Comme des animaux près d'un point d'eau, se dit-il. La comparaison lui plut : Il faudra que je dise ça à Katherine. Puis il pensa : Je suis en retard.

Il longea le quai, passa devant un groupe de clochards, trois hommes en haillons serrés autour d'un maigre feu. Ils le regardèrent distraitement, et il leur fit un petit signe gêné. L'un des hommes leva les yeux et fit un grand sourire de sa bouche édentée. « Bien le bonjour, 'pitaine », dit-il de sa voix cockney, alourdie de whisky. Les autres se turent et se retournèrent vers le feu.

Il traversa la rue et quitta le fleuve, se frayant un chemin parmi la foule rassemblée devant le Métropole, suivant Northumberland Avenue jusqu'à Trafalgar Square, où des masses de gens s'agglutinaient autour des voitures et des omnibus, et où des policiers essayaient de faire circuler la foule, où des cochers guettaient le client, où des fouets claquaient et des chevaux chiaient, où l'on voyait des pancartes brandies qui proclamaient :

LES CORSETS SWANBILL
POUR LA SILHOUETTE DU TROISIÈME TYPE

LES CIGARES DE JOY : UNE DE CES CIGARETTES PROCURE
LE SOULAGEMENT INSTANTANÉ DES PIRES CRISES D'ASTHME,
DE TOUX, DE BRONCHITE ET D'ESSOUFFLEMENT

TISANE DE HOUBLON TISANE DE HOUBLON

CE NOËL, POUR FÊTER LE DIVIN ENFANT,
OFFREZ-VOUS POUR CADEAU LE TEMPS
LES MONTRES DE QUALITÉ ROBINSON

Sous les fontaines illuminées de la Colonne de Nelson, il s'arrêta pour regarder un homme en train de jouer de l'orgue de Barbarie, un Italien accompagné d'un singe coiffé d'un bicorne de Napoléon qui sautillait de-ci, de-là cependant que son maître tournait la manivelle. En cercle autour d'eux, un groupe d'enfants applaudissaient, des petits porteurs de torches et des petits ramoneurs, des chiffonniers, et les enfants des marchands des quatre saisons. Un policier s'approcha, faisant tournoyer son bâton. « Rentrez tous chez vous, et enlevez-moi cette sale bête d'ici ! Allez jouer votre musique à Lambeth, ici c'est un endroit convenable. » Le groupe se dispersa lentement, en protestant. Edgar se retourna. Un autre singe, immense, grimaçant, s'épouillait devant un miroir orné de bijoux, LE SAVON LE SINGE DE BROOKE : LE CHAINON MANQUANT DE LA PROPRETE DOMESTIQUE. La réclame était placardée sur un omnibus de passage. Le receveur haranguait les clients, Fitzroy Square, en voiture pour Fitzroy Square. Et voilà ma ville, se dit Edgar Drake en regardant l'omnibus.

Il quitta Trafalgar Square et poursuivit son chemin dans la cohue des marchands et des véhicules, prit Cockspur Street pour venir déboucher sur l'animation bruyante de Haymarket. Il avait maintenant les mains au fond de ses poches et regrettait de n'être pas monté dans l'omnibus. En haut de la rue, les immeubles se resserraient, devenaient plus sombres, il entra dans les Narrows.

Il marchait, ne sachant pas exactement où il se trouvait, avec seulement un vague sens de la direction suivie, il croisa des maisons de brique et des murs peints délavés, des toits mansardés, doubla des silhouettes emmitouflées de gens qui se hâtaient de rentrer chez eux. Les zones d'ombre succédaient aux zones d'ombre avec, de temps en temps, un bref éclair de lumière dans les ruisselets entre les pavés, ou la lueur clignotante d'une lanterne qui projetait des ombres agrandies et déformées de toiles d'araignée. Il avançait toujours, dans le noir, les rues devenaient plus étroites, il rentrait la tête dans les épaules.

Les Narrows débouchaient dans Oxford Street, bien éclairée, où Edgar se retrouvait en pays de connaissance. Il arriva devant Oxford Music Hall et tourna dans les rues Newman, Cleveland, Howland, puis il aboutit dans une rue si petite qu'on avait oublié de la dessiner sur la dernière carte de Londres, au grand déplaisir de ses résidents.

Le numéro 14 de Franklin Mews était la quatrième maison de la rangée. Une maison de brique pratiquement identique à celle de M. Lillypenny, le fleuriste qui habitait au numéro 12, et à celle de M. Bennett-Edwards, le tapissier, au numéro 16 : elles partageaient toutes un mur commun et une même façade. L'entrée était de plain-pied avec la rue. Derrière une grille en fer, une petite allée séparait la porte d'entrée de la rue. Un escalier de fer descendait au sous-sol où Edgar avait son atelier. Des pots de fleurs étaient suspendus à la grille et aux fenêtres. Dans certains se trouvaient des chrysanthèmes un peu fanés, qui avaient fleuri malgré le froid de l'automne. D'autres pots étaient vides, à moitié remplis de terre, recouverts d'une buée où se reflétait la lueur tremblotante de la lanterne devant la porte. Katherine a dû oublier de l'éteindre, se dit-il.

Au seuil de la porte, il joua avec ses clefs, retardant volontairement le moment de rentrer chez lui. Il jeta un dernier regard sur la rue. Il faisait nuit. La conversation qu'il avait eue au ministère de la Guerre lui semblait aussi lointaine qu'un rêve, et l'espace d'un instant il se dit qu'elle s'effacerait elle aussi comme un rêve ; il ne pouvait pas encore en parler à Katherine, tant qu'il n'était pas sûr qu'elle avait vraiment eu lieu. Il eut un petit mouvement de nuque involontaire, un hochement de la tête. Ce signe, voilà tout ce que j'ai ramené de cette réunion.

Il ouvrit la porte et trouva Katherine qui l'attendait dans le salon, elle lisait un journal à la lueur d'une lampe unique. Il faisait froid dans la pièce et elle avait autour des épaules un châle de fine laine blanche brodée. Il referma doucement la porte, s'arrêta, accrocha son chapeau et sa veste au portemanteau, sans rien dire. Inutile d'annoncer son arrivée tardive en fanfare, mieux valait se glisser sans bruit. Peut-être que j'arriverai à lui faire croire que je suis là depuis un moment, se dit-il sans conviction et sachant parfaitement qu'elle avait cessé de lire.

A l'autre bout de la pièce, Katherine gardait les yeux posés sur le journal qu'elle tenait dans les mains, l'*Illustrated London News*, et plus tard elle raconterait à Edgar qu'elle était en train de lire « Réception au Métropole », où l'on décrivait la musique jouée sur un nouveau piano, sans faire mention de la marque, ni bien sûr de son accordeur. Pendant une minute, elle continua à tourner les pages. Elle se taisait, c'était une femme qui savait parfaitement se maîtriser, ce qui est la meilleure manière d'accueillir un mari en retard. Beaucoup de ses amies voyaient les choses autrement. Tu es trop accommodante avec lui, disaient-elles souvent, mais elle les laissait dire. Le jour où il rentrera à la maison en empestant le gin ou le parfum bon marché, là je me mettrai en colère. Edgar est en retard parce qu'il est absorbé par son travail, ou parce qu'il se perd en rentrant d'un quartier qu'il ne connaît pas.

« Bonsoir, Katherine, dit-il.

— Bonsoir. Tu as presque deux heures de retard. »

Il était habitué à ce rituel, les innocentes excuses, les vagues explications. Je sais, mon ange, je suis désolé, il a fallu que je finisse toutes les cordes pour pouvoir les réaccorder demain, ou bien : C'est un travail très urgent, on me paye un supplément, ou bien : Je me suis perdu en rentrant, le client habite près de Westminster, j'ai pris le mauvais tram, ou bien : Je tenais à l'essayer, c'est un Erard très rare, de 1835, une petite merveille, il appartient à la famille de Vincento, le ténor italien, ou bien : Il appartient à Lady Neville, c'est une pièce unique, de 1827, j'aimerais tant que tu puisses venir l'essayer toi aussi. S'il lui arrivait de mentir, c'était seulement en remplaçant une excuse par une autre. Que c'était une commande urgente, alors qu'en réalité il s'était arrêté pour regarder des musiciens de rue. Qu'il s'était trompé de tram, alors qu'il s'était attardé à jouer sur le piano du ténor italien. « Je sais, je suis désolé, je n'ai pas fini le travail pour Farrell », et il n'y avait rien à ajouter. Il la vit refermer l'*Illustrated London News*, et il traversa la pièce pour venir s'asseoir à ses côtés, le cœur battant. Elle sait qu'il se passe quelque chose. Il essaya de l'embrasser, mais elle le repoussa, cachant un demi-sourire. « Edgar, tu es en retard, la viande est trop cuite, arrête, ne crois pas que tu peux arriver à cette heure-ci et te faire pardonner en me faisant des chatteries. » Elle lui tourna le dos et il lui glissa les bras autour de la taille.

« Je pensais que c'était terminé, ce contrat, dit-elle.

— Non, le piano est dans un état lamentable, et Mme Farrell insiste pour que je le transforme en "instrument de concert". »

Il avait élevé la voix d'un octave pour imiter celle de la bonne dame.

Katherine se mit à rire et il l'embrassa dans le cou.

« Elle dit que son petit Roland sera le prochain Mozart.

— Je sais, elle me l'a redit aujourd'hui, elle m'a fait écouter le petit monstre. »

Katherine se retourna vers son mari. « Mon pauvre ami. Je n'arrive pas à t'en vouloir bien longtemps. » Edgar sourit, se détendant un peu, tandis qu'elle s'efforçait de prendre, pour rire, un air sévère. Elle est encore bien jolie, se dit-il. Les boucles dorées qui l'avaient tant charmé quand il l'avait rencontrée avaient perdu de leur éclat, mais elle portait toujours ses cheveux dénoués, qui retrouvaient leur couleur lorsqu'ils allaient au soleil. Ils s'étaient connus lorsque, en tant qu'apprenti accordeur, il avait réparé le Broadwood droit de sa famille. Le piano ne lui avait pas fait forte impression — il était de construction assez sommaire — mais les mains qui jouaient dessus, oui, ainsi que la douceur de la silhouette assise à ses côtés devant le clavier, une présence qui aujourd'hui lui remuait toujours le cœur. Il se pencha vers elle, à nouveau pour l'embrasser, elle eut un petit rire aigu : « Arrête, pas maintenant, et fais attention au canapé, c'est de la soie toute neuve. »

Edgar se redressa. Elle est de bonne humeur, se dit-il. Ce serait peut-être le moment de lui parler. « J'ai une nouvelle commande, dit-il.

— Tu devrais lire cet article, Edgar, fit Katherine, en défroissant sa robe et en tendant la main vers le *News*.

— Un Erard de 1840. Apparemment, il est bien mal en point. Ça devrait me rapporter gros.

— Ah bon ? » Elle se dirigeait vers la salle à manger. Elle ne demanda pas à qui appartenait le piano ni où il se trouvait. Elle posait rarement ce genre de question, car depuis dix-huit ans la réponse qu'elle obtenait était : La vieille madame Une telle dans telle ou telle rue de Londres. Edgar fut content qu'elle ne la pose pas ; le reste viendrait bientôt, c'était un homme patient qui savait attendre son heure, faute de quoi on se retrouvait avec des pianos trop tendus et des épouses en colère. En plus, il venait de jeter un coup d'œil à l'*Illustrated London News* où, juste au-dessous de l'article sur la réception au Métropole, figurait un article sur « Les atrocités des dacoits » écrit par un officier du « 3ᵉ régiment de Gurkhas ». Le texte, bref, décrivait un accrochage avec des bandits qui avaient pillé un village ami, ce qui était souvent la récompense des efforts de pacification dans les colonies, et il ne l'aurait pas remarqué s'il n'avait été frappé par le titre : « Impressions de Birmanie ». Il connaissait cette chronique — le plus souvent hebdomadaire — mais il y avait rarement prêté attention. Jusqu'à aujourd'hui. Il déchira la page et fourra le journal sous une pile de revues sur la petite table. Il ne fallait pas qu'elle voie ça. De la salle à manger lui parvinrent le tintement des couverts et une odeur de pommes de terre à l'eau.

Le lendemain matin, Edgar était assis à une petite table où le couvert était mis pour deux, tandis que Katherine préparait le thé et les toasts, les pots de beurre et de confiture. Il ne disait rien, et elle, tout en vaquant dans la cuisine, meublait le silence en parlant de la pluie qui n'en finissait pas, de la politique, des faits divers. « Tu es au courant de l'accident d'omnibus qui a eu lieu hier ? Et de la réception donnée en l'honneur du baron allemand ? Et de la jeune mère de l'East End qui a été arrêtée pour le meurtre de ses enfants ?

— Non », répondit-il. Il avait l'esprit ailleurs. « Raconte.

— Horrible, une histoire horrible. Le mari, un charbonnier, je crois, a trouvé les enfants, deux petits garçons et une petite fille, serrés les uns contre les autres dans leur lit, il l'a dit à un agent de police et on a arrêté sa femme. Les pauvres. Le malheureux mari, il ne croyait pas qu'elle était coupable — imagine un peu, perdre à la fois sa femme et ses enfants. Elle prétend qu'elle leur avait seulement donné un sirop pour dormir. Moi je trouve qu'on devrait arrêter le fabricant de sirop. Je crois ce qu'elle dit, pas toi ?

— Tu as raison. » Il porta sa tasse à ses lèvres et inhala la vapeur.

« Tu ne m'écoutes pas.

— Mais si, mais si : c'est affreux. »

Et il avait écouté l'histoire, il croyait voir l'image des trois enfants, tout pâles, comme des souriceaux aux yeux fermés.

« Je sais bien que je ne devrais pas lire ce genre d'histoires, dit-elle, ça me bouleverse trop. Parlons d'autre chose. Tu penses finir le contrat Farrell aujourd'hui ?

— Non, je crois que j'irai plus tard dans la semaine. A dix heures j'ai rendez-vous chez un député dans Mayfair. Un piano à queue Broadwood, je ne sais pas ce qu'il a. Et avant de partir, j'ai du travail à finir à l'atelier.

— Essaie de rentrer à l'heure ce soir. Tu sais que j'ai horreur d'attendre.

— Je sais. » Il tendit le bras et prit sa main dans la sienne. Il en fait un peu trop, se dit-elle, mais ce fut une pensée fugitive.

Leur domestique, une jeune fille de Whitechapel, était rentrée chez elle pour s'occuper de sa mère qui souffrait de phtisie, aussi Katherine se leva-t-elle de table pour monter faire la chambre. Elle passait généralement la journée à la maison, à aider aux soins du ménage, à recevoir les clients d'Edgar, à prendre ses rendez-vous, tâche que son mari, qui avait toujours été plus à l'aise au milieu des cordes et des marteaux, était trop heureux de lui laisser. Ils n'avaient pas d'enfants, même si ce n'était pas faute d'avoir essayé. On peut même affirmer que leurs relations n'avaient rien perdu de leur ardeur, ce qui allait parfois jusqu'à étonner Katherine elle-même lorsqu'elle voyait son mari errer dans la maison, l'esprit ailleurs. Au début, cette absence d'enfant avérée, que déplorait la mère de Katherine, les avait attristés tous les deux, mais ils s'y étaient accoutumés. Katherine se demandait souvent si elle ne les avait pas en fait rapprochés. Et puis, comme le confiait parfois Katherine à ses amies avec un certain soulagement, j'ai assez à faire avec Edgar.

Quand elle eut quitté la table, il termina son thé et descendit par l'étroit escalier dans son atelier au sous-sol. Il travaillait rarement chez lui. Transporter un instrument dans les rues de Londres pouvait se révéler catastrophique ; il était beaucoup plus commode d'emmener tous ses outils sur place. Il réservait cet endroit principalement à ses propres travaux. Les rares fois où il avait rapporté un piano chez lui, il avait fallu le faire descendre par des cordes dans l'espace qui séparait sa maison de la rue. L'atelier lui-même était une pièce basse de plafond, un terrier qui abritait des carcasses poussiéreuses de pianos, des outils accrochés aux murs et au plafond comme des morceaux de viande chez le boucher, des schémas jaunis d'instruments et des portraits de pianistes cloués aux murs. La pièce était faiblement éclairée par une demi-fenêtre coincée sous le plafond. Des touches dépareillées s'alignaient sur les étagères comme des rangées de râteliers. Une fois Katherine l'avait appelé le « cimetière des éléphants » ; il lui avait demandé si c'était à cause des cages thoraciques des pianos à queue éviscérés ou à cause des rouleaux de feutre qui ressemblaient à de la peau de bête et elle avait répondu : Tu vas chercher trop loin, je disais seulement cela à cause de l'ivoire.

En descendant l'escalier, il faillit trébucher sur une mécanique posée contre le mur. Outre la difficulté de déplacer un piano, c'était l'une des raisons pour lesquelles il n'amenait pas ses clients dans son atelier. Pour des gens habitués à voir les pianos comme de beaux meubles à la surface polie dans des salons fleuris, cela faisait toujours un effet bizarre de voir un piano ouvert, et de se rendre compte que des sons aussi divins pouvaient être produits par une telle mécanique.

Il se dirigea vers un petit bureau et alluma une lampe. La veille au soir, il avait caché le paquet qu'on lui avait remis au ministère de la Guerre sous une pile poussiéreuse d'instructions sur l'accordage. Il ouvrit l'enveloppe, découvrit une copie de l'original de la lettre envoyée par le colonel, une carte et un contrat précisant sa mission. Il y avait aussi un dossier qu'on lui avait remis à la demande du Dr Carroll, intitulé en caractères gras HISTOIRE GENERALE DE LA BIRMANIE, CONCERNANT EN PARTICULIER LES GUERRES ANGLO-BIRMANES ET LES ANNEXIONS BRITANNIQUES. Il s'assit et se mit à lire.

C'est une histoire qu'il connaissait bien. Il avait entendu parler des guerres anglo-birmanes, conflits notoires à la fois par leur brièveté et par les gains territoriaux considérables arrachés aux rois birmans à la suite de chaque victoire : les Etats côtiers d'Arakan et de Tenasserim à la suite de la première guerre, Rangoon et la Birmanie du Sud à la suite de la deuxième, la Birmanie du Nord et les Etats Chan à la suite de la troisième. Ce qu'il savait des deux premières guerres, qui s'étaient terminées en 1826 et en 1853, il l'avait appris en classe. Quant à la troisième, on en avait parlé dans les journaux de l'année précédente, puisque ce n'était qu'à la fin du mois de janvier qu'on avait annoncé la dernière annexion. Mais s'il connaissait les grandes lignes, il ignorait la plupart des détails : le fait que le point de départ ostensible de la deuxième guerre avait été l'enlèvement de deux capitaines de navires anglais, et que la troisième était survenue en partie à cause des tensions nées du refus des émissaires anglais d'enlever leurs chaussures avant une audience avec le roi birman. D'autres chapitres concernaient l'histoire des rois, une généalogie compliquée par le grand nombre des épouses et la pratique apparemment assez courante d'assassiner tout parent qui eût pu être un éventuel prétendant au trône. Il se perdait au milieu de noms inconnus aux syllabes étranges qu'il ne savait pas prononcer. Il concentra donc son attention sur l'histoire du roi le plus récent, un certain Thibaw, qui avait été déposé et déporté en Inde après la prise de Mandalay par les troupes anglaises. Il avait la réputation dans l'armée d'un dirigeant faible et inefficace, manipulé par sa femme et par sa belle-mère. Son règne avait été marqué par une anarchie croissante dans les districts les plus éloignés, comme le prouvait le grand nombre d'attaques fomentées par des bandes armées de dacoits. Ce terme désignant les brigands, Edgar Drake le reconnut pour l'avoir lu dans l'article de l'*Illustrated London News* qu'il avait déchiré.

Là-haut, Edgar entendit les pas de Katherine et il s'interrompit, prêt à glisser bien vite les papiers dans leur enveloppe. Les pas s'arrêtèrent en haut de l'escalier.

« Edgar, il est presque dix heures, lança-t-elle.

— Ah bon ! Il faut que je parte ! » s'exclama-t-il. Il éteignit la lampe, fourra les papiers dans l'enveloppe et glissa le tout sous la pile, surpris lui-même de prendre tant de précautions. En haut de l'escalier, Katherine l'attendait avec son manteau et sa sacoche.

« Je te promets de ne pas être en retard ce soir », dit-il en enfilant les manches. Il l'embrassa sur la joue et sortit dans le froid.

Il passa le reste de la matinée à accorder le piano à queue Broadwood du député qui, dans la pièce d'à côté, fulminait à grands éclats de voix contre la construction d'un nouvel hôpital destiné aux aliénés de la grande bourgeoisie. Il termina de bonne heure. Il aurait pu passer davantage de temps à parfaire son travail, mais il avait l'impression que ce piano ne servait pas souvent. En outre, l'acoustique du salon était mauvaise et les positions du député très antipathiques.

Il partit donc au début de l'après-midi. Les rues étaient pleines de monde. De gros nuages s'amoncelaient dans un ciel bas, annonçant la pluie. Il se fraya un chemin à travers la foule et traversa la rue pour éviter une équipe de terrassiers qui arrachaient les pavés ronds à coups de pioche, bloquant la circulation. Autour des voitures en stationnement, on entendait les cris des vendeurs de journaux et des marchands ambulants, et deux gosses se lançaient un ballon à coups de pied au milieu de la foule, s'enfuyant quand le ballon heurtait une voiture. Il se mit à pleuvoter.

Il marcha plusieurs minutes, espérant trouver un omnibus, mais le crachin se transformait en pluie. Il s'abrita sous le porche d'un pub au nom gravé sur du verre dépoli. On apercevait, de dos, des messieurs en costume et des femmes poudrées de rose, silhouettes derrière les fenêtres. Il remonta son col et regarda la pluie tomber. Deux hommes lâchèrent la charrette qu'ils conduisaient et traversèrent la rue au pas de course en s'abritant sous leur veste. Edgar s'écarta pour les laisser passer. Ils entrèrent dans le pub et la porte en s'ouvrant fit surgir des effluves de parfum, de sueur et de gin renversé. Il entendait brailler des chansons par des voix ivres. La porte se referma. En regardant la rue, il repensa à son dossier.

A l'école, il ne s'était jamais beaucoup intéressé à l'histoire ni à la politique, il préférait les matières artistiques et, naturellement, la musique. Ses convictions politiques, pour autant qu'il en eût, penchaient du côté de Gladstone et du soutien des libéraux au Home Rule sans que ce fût de sa part un choix longuement mûri. Sa méfiance à l'égard des militaires était plus viscérale. Il n'aimait pas l'arrogance qu'ils montraient dans les colonies et lorsqu'ils en revenaient. Il n'aimait pas trop, non plus, cette façon de représenter les Orientaux comme des gens paresseux et inefficaces. Il suffisait de connaître l'histoire des pianos, disait-il à Katherine, pour savoir que c'était faux. Les mathématiques, base du tempérament égal, avaient fait réfléchir les savants depuis Galilée jusqu'au père Marin Mersenne, auteur de l'ouvrage classique *L'Harmonie universelle*. Mais Edgar avait appris que les chiffres corrects avaient été publiés pour la première fois par un prince chinois du nom de Tsaiyu, ce qui était troublant. D'après ce qu'il savait de la musique orientale, la musique chinoise, avec son manque de complexité harmonique, n'avait pas besoin techniquement du tempérament. Il en faisait bien sûr rarement état en public. Il n'aimait pas les discussions, et il avait assez d'expérience pour savoir que rares étaient ceux qui étaient capables d'apprécier la beauté technique d'une telle innovation.

La pluie se calmant un peu, il quitta l'abri du porche. Il atteignit bientôt une voie plus importante où passaient des omnibus et des fiacres. Il est tôt, se dit-il, Katherine sera contente.

Il monta dans un omnibus, calé entre un monsieur corpulent emmitouflé dans un manteau et une jeune femme au teint blafard qui n'arrêtait pas de tousser. L'omnibus démarra brutalement. Trop de monde l'empêchait de voir la vitre, il ne pouvait pas regarder défiler les rues.

Ce moment restera fixé dans sa mémoire.

Il est chez lui. Il ouvre la porte, elle est assise dans le coin du sofa, au bord d'un demi-cercle de soie damassée qui tombe sur les coussins. Comme hier, exactement, sauf que la lampe n'est pas allumée, la mèche est noire, il faudrait la moucher, mais la domestique est à Whitechapel. Seul un rai de lumière se glisse à travers les rideaux en dentelle de Nottingham et s'accroche aux particules de poussière en suspension. Elle regarde par la fenêtre, elle a dû voir sa silhouette passer dans la rue. Elle tient un mouchoir à la main, elle s'est essuyé les joues furtivement. Edgar voit les larmes, dont les traces ont été arrêtées net par le mouchoir.

Une pile de papiers est étalée sur la table en acajou, une enveloppe brune qui garde la forme des documents qu'elle contenait, encore entourée de ficelle, a été soigneusement ouverte d'un côté, comme si son contenu avait été examiné subrepticement. Les papiers éparpillés sont bien en évidence, tout comme les larmes, les yeux gonflés.

Ils ne bougent ni l'un ni l'autre, ne disent mot. Il a toujours sa veste à la main. Elle reste au bord du sofa, les doigts noués nerveusement dans son mouchoir. Il sait aussitôt pourquoi elle pleure, il sait qu'elle *sait*, et que même si elle ne sait pas, c'est dans l'ordre des choses, il faut partager la nouvelle avec elle. Peut-être aurait-il dû lui dire hier soir, il aurait dû se douter qu'ils viendraient chez lui, et maintenant il se rappelle qu'avant qu'il quitte le ministère le colonel l'en avait averti. S'il n'avait pas été tellement absorbé par l'importance de sa décision, il n'aurait pas oublié. Il aurait dû prévoir, la nouvelle aurait pu lui être annoncée avec plus de tact. Edgar a si peu de secrets que le peu qu'il a devient des mensonges.

Ses mains tremblent en accrochant sa veste. Il se retourne. Katherine, dit-il. Qu'est-ce que tu as ? manque-t-il de dire, par habitude, mais il connaît la réponse. Il la regarde, il y a des questions dont il ne connaît pas la réponse. Qui a apporté ce courrier ? Quand est-il arrivé ? Que disent ces documents ? Est-ce que tu m'en veux ?

Tu pleurais, dit-il.

Elle est silencieuse et voilà qu'elle se met à sangloter doucement. Elle a les cheveux dénoués sur les épaules.

Il ne bouge pas, ne sait pas s'il doit s'approcher d'elle, ce n'est pas comme hier soir, ce n'est pas le moment de faire des tendresses, Katherine, je voulais te le dire, hier soir j'ai essayé, mais je n'ai pas trouvé l'occasion...

Il traverse la pièce, se glisse entre le sofa et la table, s'assied près d'elle.

Mon ange... Il lui touche le bras, doucement, essayant de la tourner vers lui. Katherine, mon ange, je voulais te le dire, regarde-moi s'il te plaît, et lentement elle se retourne, le regarde, elle a les yeux rouges, elle pleure depuis longtemps. Il attend qu'elle parle, il ne sait pas ce qu'elle sait exactement, qui lui a remis les papiers, ni ce qu'on lui a dit. Qu'est-ce qui s'est passé ? Elle ne répond pas. Katherine, je t'en prie. Edgar, tu le sais, ce qui s'est passé. Oui et non. Qui a apporté ça ? C'est important ?

Katherine, mon ange, ne sois pas fâchée, je voulais t'en parler, je t'en prie...

Je ne suis pas fâchée, Edgar, dit-elle.

Il fouille dans sa poche et en sort un mouchoir. Regarde-moi. Il essuie doucement sa joue avec le mouchoir.

Ce matin, je t'en ai voulu, quand il est venu. Qui ça ? Un soldat, envoyé par le ministère. Il a demandé à te parler, il apportait ça. Elle montre les papiers. Et qu'est-ce qu'il a dit ? Très peu de chose, seulement que ces papiers étaient des documents dont tu aurais besoin, que je pouvais être fière, que tu fais quelque chose de très important, et quand il a dit ça, je ne savais toujours pas de quoi il parlait. Qu'est-ce que vous voulez dire ? Madame Drake, a-t-il dit, savez-vous que votre mari est un homme courageux ? J'ai été obligée de lui demander : Pourquoi ? J'avais l'air d'une idiote. Il a eu l'air surpris que je pose cette question, il a ri et il a seulement dit : Eh bien, c'est loin, la Birmanie. J'ai failli lui demander ce que cela signifiait, j'ai failli lui dire qu'il se trompait de maison, de mari, mais je l'ai seulement remercié et il est parti. Et tu les as lus. Pas en entier, mais suffisamment. Elle se taisait. Quand est-ce qu'il est venu ? Ce matin. Je sais que je ne devrais pas lire ton courrier, j'ai laissé le paquet sur la table, ce n'était pas à moi, je suis montée finir ma broderie pour notre dessus-de-lit, je n'arrivais pas à me concentrer, je me piquais avec l'aiguille, je repensais à ce qu'il avait dit, alors je suis redescendue, je suis restée là presque une heure, à me demander si je devais l'ouvrir ou pas, je me disais : Ce n'est rien, mais je savais bien que c'était faux, j'ai repensé à hier soir. Hier soir. Tu n'étais pas comme d'habitude. Tu savais. Sur le moment je n'ai pas compris, mais ce matin oui, je te connais trop bien, je crois.

Il lui prend les mains.

Ils restent longtemps assis comme ça, leurs genoux se touchant, ses mains à elle serrées dans les siennes à lui. Elle redit : Je ne suis pas fâchée. Tu pourrais. Au début oui, j'étais fâchée, mais plus maintenant, j'aurais seulement aimé que tu m'en parles, la Birmanie ça m'est égal, non, ce n'est pas vrai, la Birmanie ça ne m'est pas égal, c'est juste que... Je me suis demandé pourquoi tu ne m'en avais pas parlé, si peut-être tu t'étais dit que j'essaierais de t'empêcher, c'est ça qui m'a fait le plus mal, je suis fière de toi, Edgar.

Les mots restent en suspens devant eux. Il libère ses mains et elle se remet à pleurer. Elle s'essuie les yeux. Regarde, je me conduis comme une enfant. Je peux encore changer d'avis, dit Edgar.

Non, ce n'est pas ça, je ne veux pas que tu changes d'avis. Tu veux que j'y aille. Je ne veux pas que tu partes mais en même temps, je sais que tu dois le faire, je m'attendais à ça... Tu t'attendais à un Erard désaccordé en Birmanie ? Pas à la Birmanie, mais à ça, à quelque chose de nouveau, c'est une très belle idée de se servir de la musique pour apporter la paix, je me demande quels airs tu joueras là-bas. J'y vais seulement pour l'accorder, je ne suis pas pianiste, j'y vais parce que c'est une mission. Mais là c'est différent, et ce n'est pas seulement parce que tu t'en vas. Je ne te comprends pas. Différent, c'est quelque chose de différent de tes autres projets, une cause, quelque chose qui en vaut la peine.

Tu trouves que mon travail, d'habitude, n'en vaut pas la peine. Je n'ai pas dit ça. Enfin c'est tout comme. Je t'observe, Edgar, quelquefois c'est comme si tu étais mon enfant, je suis fière de toi, tu as un talent que les autres n'ont pas, tu sais entendre des sons que les autres n'entendent pas, tu connais la mécanique des choses, tu rends la musique plus belle, et c'est ça qui compte.

On dirait que non.

Edgar, je t'en prie, maintenant c'est toi qui te fâches. Je te demande seulement de m'expliquer, tu ne m'avais jamais dit ça. C'est une commande comme une autre, je suis toujours un artisan, ne confondons pas Turner qui peint les tableaux et l'homme qui fabrique ses pinceaux.

Maintenant, on dirait que tu ne sais plus si tu dois partir. Bien sûr que je n'en sais rien, mais voilà que ma femme me dit que je dois partir pour prouver quelque chose. Tu sais très bien que ce n'est pas ça que je dis. C'est un travail comme un autre, Katherine. Je sais que tu ne le penses pas. J'ai déjà eu des commandes bizarres. Oui, mais cette fois ce n'est pas pareil, c'est la première fois que tu ne m'en parles pas.

Dehors, le soleil descend lentement derrière les toits, il fait soudain sombre dans la pièce.

Je ne m'attendais pas à ça de ta part, Katherine. Tu t'attendais à quoi ? Je n'en sais rien, c'est la première fois qu'une chose pareille m'arrive. Tu pensais que j'allais pleurer comme je l'ai fait, te supplier de ne pas partir parce que c'est comme ça que les femmes réagissent quand elles perdent leur mari. Tu pensais que j'allais avoir peur de te savoir parti parce que tu ne serais plus là pour t'occuper de moi, que j'allais avoir peur de te perdre. Non, Katherine, c'est faux, ce n'est pas pour ça que je ne t'ai pas parlé. Tu pensais que j'allais m'affoler, tu as déchiré une page de l'*Illustrated London News* parce qu'il y avait un article sur la Birmanie.

Il y a un long silence. Je te demande pardon, tu sais que c'est tout nouveau pour moi. Je sais. Pour moi aussi.

Je pense qu'il faut que tu y ailles, Edgar. J'aimerais partir moi aussi, ça doit être merveilleux de voir le monde. Il faudra que tu me racontes quand tu reviendras.

C'est seulement un travail.

Tu n'arrêtes pas de dire ça, tu sais bien que ce n'est pas vrai.

Le bateau ne part pas avant un mois. Ça nous laisse du temps.

Il y a beaucoup de préparatifs à faire.

C'est loin, tu sais, Katherine.

Je sais.

Les jours suivants passèrent vite. Il termina la commande Farrell et en refusa une nouvelle, qui consistait à harmoniser un très beau piano à queue Streicher de 1870 avec une ancienne mécanique viennoise.

Il reçut la visite fréquente d'officiers du ministère qui lui apportaient chaque fois de nouveaux documents : instructions, horaires, listes d'articles à emporter en Birmanie. Après les larmes du premier jour, Katherine s'était mise à la tâche avec un véritable enthousiasme. Edgar s'en réjouissait, ayant craint qu'elle ne soit toujours triste. En outre, il n'avait jamais eu le sens de l'organisation. Katherine l'avait toujours taquiné sur ce point, disant qu'une exactitude minutieuse concernant les cordes de piano supposait un désordre extravagant dans tous les autres domaines. Le déroulement habituel des journées était le suivant : pendant qu'Edgar n'était pas là, un soldat venait chez eux déposer des documents. Katherine les prenait, les lisait, puis elle en faisait trois piles qu'elle disposait sur le bureau : les formulaires qu'il fallait remplir et renvoyer au ministère, les dossiers d'intérêt général et les documents concernant plus précisément la mission. Edgar rentrait chez lui et, en quelques instants, les piles étaient sens dessus dessous, comme s'il n'avait fait que les feuilleter à la recherche de quelque chose. Ce quelque chose, Katherine savait que c'était une information concernant le piano, mais il n'y en avait jamais, et au bout de trois ou quatre jours elle avait pris l'habitude de l'accueillir en lui disant : « Il est arrivé des papiers, plein de renseignements d'ordre militaire, toujours rien sur le piano. » Il avait l'air déçu, mais au moins la table n'était plus en désordre. Il prenait ce qui se trouvait sur le dessus de la pile et allait s'installer dans son fauteuil. Plus tard elle le retrouvait endormi, le dossier ouvert sur ses genoux.

Elle n'en revenait pas de la quantité de documentation qu'on lui fournissait, apparemment à la demande de Carroll, et elle lisait tout voracement, il lui arrivait même de recopier des passages d'une histoire des Chan rédigée par Carroll lui-même. Au début, elle pensait s'ennuyer, mais c'était plein de récits passionnants, et elle en éprouvait de la confiance envers l'homme à qui elle allait déléguer la tâche de veiller sur son mari. Elle en avait recommandé la lecture à Edgar, qui de son côté préférait attendre. J'aurai besoin de distractions quand je serai seul, avait-il dit. A part ça, elle parlait rarement de ses lectures avec lui. Les chroniques et les portraits la fascinaient, elle avait toujours aimé, depuis son enfance, les histoires concernant des pays lointains. Tous ces documents la faisaient rêver, mais elle était assez contente de ne pas partir elle-même. On dirait, avait-elle confié à une amie, un grand jeu de gosses pour garçons qui n'ont jamais grandi, ça fait penser aux feuilletons pour adolescents ou à ces illustrés sur les cow-boys qu'on importe d'Amérique. « Et tu laisses Edgar partir, avait dit l'amie. — Lui, il n'a jamais joué à ces jeux-là, peut-être qu'il n'est pas trop tard, avait-elle répondu. Et puis je ne l'ai jamais vu si content, si absorbé par un projet. Je retrouve le jeune homme qu'il a été. »

Quelques jours plus tard arrivèrent d'autres paquets, envoyés par le colonel Fitzgerald, à remettre au médecin-major Carroll. Ils semblaient contenir des partitions et Edgar commença à les ouvrir, mais Katherine lui en fit reproche. Elles étaient bien classées dans des chemises, et il allait sûrement tout mélanger. Heureusement, le nom des compositeurs étant inscrit sur la couverture, Edgar se contenta du plaisir de savoir que, s'il se trouvait échoué quelque part, il aurait au moins Liszt pour lui tenir compagnie. Cette preuve de bon goût, disait-il, lui donnait confiance dans sa mission.

La date du départ avait été fixée au 26 novembre, un mois jour pour jour après qu'Edgar eut donné son accord. Cette date se rapprochait comme un cyclone, pas tant, pensait Katherine, à cause de l'agitation fébrile des préparatifs que du calme qui suivrait. Tandis qu'Edgar passait ses journées à finir ses commandes et à ranger son atelier, elle faisait ses valises, apportant aux recommandations de l'armée les modifications que seule une femme d'accordeur d'Erard savait indispensables. C'est ainsi qu'à la liste fournie qui comportait des vêtements imperméables traités contre la moisissure, une tenue habillée, et un assortiment de pilules et de poudres « permettant de profiter au mieux du climat tropical », elle ajouta un onguent pour les doigts irrités par les cordes de piano et une paire de lunettes de rechange, étant donné que tous les trois mois environ Edgar ne manquait pas de s'asseoir sur les siennes. Elle mit un habit de soirée « au cas où on te demanderait de jouer », dit-elle, mais Edgar l'embrassa sur le front et retira l'habit. « Tu me flattes, mon amour, mais je ne suis pas pianiste, ne te fais pas des idées. »

Elle remit quand même le costume dans les bagages, habituée à ce genre de protestation. Dès son jeune âge, Edgar avait remarqué qu'il avait de l'oreille, mais malheureusement pas d'aptitude à la composition. Son père, un charpentier, passionné de musique, collectionnait et construisait des instruments de toutes sortes de formes et de sonorités, courant les brocanteurs pour y trouver des instruments populaires venus de l'étranger. Quand il s'était rendu compte que son fils était trop timide pour jouer devant des visiteurs, il avait reporté ses efforts sur la sœur d'Edgar, une fillette d'allure délicate. Cette sœur avait épousé un chanteur de la compagnie D'Oyly Carte, qui jouait dans les opérettes de Gilbert et Sullivan. Si bien que pendant que sa sœur prenait d'interminables leçons de piano, Edgar passait des heures avec son père, un homme dont il se rappelait principalement les grandes mains. Trop grandes pour le travail en finesse, disait-il souvent. C'est ainsi qu'Edgar avait été chargé de réparer les instruments de la collection sans cesse croissante de son père, pour la plupart en très mauvais état, ce qui faisait la joie du garçon. Plus tard, jeune homme, quand il avait rencontré Katherine et qu'il était tombé amoureux d'elle, il avait éprouvé une grande joie à l'entendre jouer et le lui avait dit quand il s'était déclaré. Ne me dis pas, tout de même, que tu me demandes de t'épouser juste pour que quelqu'un puisse tester les instruments que tu répares, avait-elle dit, la main posée, légère, sur son bras. Et lui, tout troublé de sentir ses doigts le frôler, avait répondu : Ne t'inquiète pas, tu pourras si tu le souhaites ne plus jamais toucher un instrument, la musique de ta voix me suffit.

Edgar s'occupa lui-même de ses outils. Etant donné que l'armée ne lui avait toujours rien précisé au sujet du piano, il se rendit dans la boutique qui l'avait vendu et discuta longuement avec le propriétaire des particularités de l'instrument : quelles parties avaient été restaurées, lesquelles étaient d'origine ? Disposant de peu d'espace, il ne pouvait emmener que les outils et les pièces de rechange qui convenaient à ce piano particulier, et qui occupaient quand même la moitié d'une malle.

Une semaine avant la date prévue pour le départ, Katherine organisa un petit thé d'adieu pour son mari. Ses quelques amis étaient pour la plupart accordeurs comme lui : M. Wiggers, spécialisé dans les Broadwood, M. d'Argences, le Français passionné de pianos droits viennois, et M. Poffy, qui n'était pas vraiment un accordeur de piano étant donné qu'il réparait surtout des orgues. C'est agréable d'avoir des amis qui ont des spécialités différentes, avait un jour expliqué Edgar à Katherine, même si les siens ne représentaient pas, et de loin, l'ensemble de la profession. Rien que dans l'annuaire de Londres, à la rubrique « Pianoforte », entre « Pédiatres » et « Pierres précieuses », on trouvait : Pianoforte — accordeurs, blanchisseurs d'ivoire, fabricants de barres de repos, de chevilles, de cordes de piano, de feutres pour marteaux et étouffoirs, de mécaniques, de petit matériel, fabricants de pianos, de sillets, de touches, polisseurs d'ivoire, recouvreurs de marteaux. Etait absent ce jour-là, délibérément, M. Hastings, lui aussi spécialiste des Erard, qui boudait Edgar depuis que celui-ci avait accroché à son portail une affichette portant la mention : « En Birmanie au service de Sa Majesté. Pour les travaux mineurs qui ne peuvent attendre mon retour, veuillez consulter M. Claude Hastings. »

Tous les invités se réjouirent de cette commande, et, jusque tard dans la soirée, ils se demandèrent quel pouvait bien être le problème posé par cet Erard, Katherine, qui commençait à s'ennuyer ferme, finit par se retirer dans sa chambre et elle se plongea dans *Les Birmans*, un merveilleux ouvrage d'ethnographie écrit par un journaliste récemment nommé au secrétariat d'Etat chargé de la Birmanie. L'auteur, un certain M. Scott, avait signé du pseudonyme birman de Shway Yoe, qui signifie Vérité d'or. Encore une preuve, aux yeux de Katherine, que cette guerre n'était qu'un jeu pour grands enfants. Mal à l'aise, elle pensa avant de s'endormir qu'il lui faudrait avertir Edgar de ne surtout pas revenir en arborant un nom aussi ridicule.

Le temps passait. Katherine s'était attendue à une activité fiévreuse de dernière minute mais, trois jours avant le départ, Edgar et elle se réveillèrent un matin en constatant qu'il ne restait aucun préparatif à faire. Les valises étaient bouclées, les outils fin prêts, l'atelier fermé.

Edgar emmena Katherine sur les bords de la Tamise, ils s'assirent sur le quai et regardèrent les bateaux passer. Le ciel était clair et lumineux, il sentait la main de sa femme dans la sienne. Pour que cet instant soit complet, se dit-il, il ne manque que la musique. Depuis qu'il était enfant, il avait l'habitude d'associer non seulement les sentiments à des airs de musique, mais les airs de musique à des sentiments. Katherine le savait depuis la lettre qu'il lui avait écrite, peu après être venu chez elle pour la première fois : il y décrivait ses émotions comme semblables « à l'*allegro con brio* de la sonate de Haydn n° 50 en *ré* majeur ». A l'époque, cette remarque l'avait fait rire et elle s'était demandé si c'était une plaisanterie pour apprentis accordeurs. Ses amies avaient jugé que c'était en effet une plaisanterie, assez bizarre, il fallait le reconnaître, et elle en était tombée d'accord. Jusqu'au jour où, ayant acheté la partition, elle avait joué cette sonate. Et du piano récemment accordé était sorti un chant de joyeuse attente, qui évoquait des papillons : pas ceux qui naissent au printemps, plutôt ces ombres pâles et voltigeantes logées au creux du ventre des jeunes amoureux.

Ils étaient toujours assis. Les fragments de mélodies se

bousculaient dans la tête d'Edgar, comme un orchestre qui s'accorde, jusqu'au moment où un air prenait le dessus. Les autres se mettaient alors au diapason. Il fredonna. « Clementi, sonate en *fa* dièse mineur », dit Katherine, et il opina de la tête. Il lui avait dit un jour que ce thème lui rappelait un marin perdu en mer. Son amour l'attend sur le rivage. L'orchestre, c'est le bruit des vagues, les mouettes.

« Est-ce qu'il revient ?

— Dans cette version, oui. »

Au-dessous d'eux, des hommes déchargeaient des cageots des petits bateaux qui servaient au transport fluvial. Les mouettes criaient, guettant des restes de nourriture en tournoyant. Edgar et Katherine marchèrent le long de la berge. Quand ils s'éloignèrent du fleuve pour rentrer, Edgar enroula ses doigts autour de ceux de sa femme. Un accordeur fait un bon mari, avait-elle dit à ses amies à leur retour de voyage de noces. Il sait écouter, et son toucher est plus délicat que celui d'un pianiste : seul l'accordeur connaît l'intérieur du piano. Les amies avaient ri sous cape à cause du sous-entendu contenu dans ces mots. Aujourd'hui, dix-huit ans plus tard, elle connaît chacun des cals de ses mains et elle sait leur histoire. Il les lui avait expliqués un jour, comme un homme expliquerait l'origine de ses tatouages. Celui-ci, à l'intérieur du pouce, vient du tournevis. Les écorchures du poignet viennent du corps du piano lui-même : quand je teste les sons, je pose souvent mon bras comme ça. Les cals de l'intérieur de l'index et de l'annulaire de la main droite viennent de ma façon de resserrer les chevilles avant de me servir des pinces de réglage. Je ne me sers pas du majeur, je ne sais pas pourquoi, une habitude que j'ai prise jeune. Les ongles cassés, ce sont les cordes, quand je m'impatiente.

Ils rentrent chez eux à pied, ils se mettent à bavarder de détails pratiques, combien de paires de bas il a emportées, à quelle fréquence il écrira, les cadeaux qu'il faudra qu'il rapporte, comment éviter de tomber malade. Ils interrompent, un peu mal à l'aise, cette conversation. Les adieux ne devraient pas s'encombrer de ce genre de futilités. Ce n'est pas comme ça dans les livres, au théâtre, se dit-il. Il ressent le besoin de parler mission, devoir, amour. Ils arrivent chez eux, ils referment la porte, il n'a toujours pas lâché sa main. Là où les mots manquent, le toucher compense.

Il ne reste plus que trois jours, puis deux. Il n'arrive pas à dormir. Il sort de chez lui tôt le matin pour marcher avant le jour. Il se dégage de l'enveloppe tiède des draps parfumés de sommeil. Elle se retourne, endormie, rêvant peut-être, Edgar ? Et lui : Dors, mon amour. Elle obéit, se renfonçant sous les couvertures, murmurant des paroles rassurantes. Il pose les pieds par terre, sent le baiser froid du bois sous sa voûte plantaire, traverse la chambre. S'habille en hâte. Prend ses bottes sans les enfiler pour ne pas la réveiller, se glisse dehors sans faire de bruit, descend l'escalier recouvert d'un tapis, puis sort.

Dehors il fait froid, la rue est noire, sauf les feuilles mortes qui tourbillonnent au vent, prises par un courant d'air qui s'est engouffré par erreur dans Franklin Mews, cherche à faire demi-tour et ressort de la ruelle étroite. Il n'y a pas d'étoiles. Il remonte le col de son manteau, enfonce son chapeau sur ses oreilles. Il suit le chemin du courant d'air, il marche le long des rues vides aux pavés ronds, dépassant des rangées de maisons, des rideaux tirés comme des yeux fermés, endormis. Il croise quelque chose qui bouge, peut-être un chat de gouttière, peut-être un homme. Il fait sombre, on n'a pas encore installé l'électricité dans les rues, il remarque les lampes et les bougies cachées dans les profondeurs des maisons. Il s'enfonce dans son manteau, il continue à marcher, imperceptiblement l'aube vient remplacer la nuit.

Encore deux jours, puis un seul. Elle lui tient compagnie, elle aussi se réveille tôt, avant lui, et ils déambulent ensemble dans les vastes étendues de Regent's Park, seuls la plupart du temps. Ils se tiennent par la main, le vent qui souffle dans les larges allées fait frissonner la surface des flaques d'eau et houspille les feuilles mouillées tapissant le gazon. Ils s'arrêtent, s'asseyent sous l'abri d'un kiosque à musique et regardent les rares passants aventurés sous la pluie, cachés sous des parapluies qui tremblent dans la bourrasque : des hommes âgés, solitaires, des couples, des mères avec des enfants qu'elles emmènent peut-être au zoo, qui dansent d'un pied sur l'autre : Maman, qu'est-ce qu'on va voir ? « Doucement, sois sage, il ˙y a des tigres du Bengale et des pythons birmans qui mangent les enfants désobéissants. »

Ils marchent, parcourent les jardins assombris, les fleurs dégouttent de pluie. Le ciel est bas, les feuilles jaunissent. Elle le prend par la main, lui fait quitter la longue avenue pour traverser les pelouses vert émeraude, ils sont deux petites silhouettes dans cette vaste étendue. Il ne lui demande pas où elle l'emmène, il écoute seulement la boue qui clapote contre ses bottes, un bruit déplaisant. Le ciel est bas, grisâtre, il n'y a pas de soleil.

Elle l'emmène sous une petite tonnelle, là où il fait sec, il dégage le visage de Katherine de ses cheveux mouillés. Elle a le nez froid. Il se souviendra de ce détail.

La nuit vient remplacer le jour.

Et on est le 26 novembre 1886.

Une voiture s'arrête devant l'embarcadère du *Prince Albert*. Deux hommes en uniforme militaire impeccablement repassé en émergent et ouvrent les portières à un homme et une femme entre deux âges. Ils descendent précautionneusement, comme si c'était la première fois qu'ils se trouvaient dans un véhicule militaire, les marchepieds sont plus hauts, plus solides, pour pouvoir affronter des terrains accidentés. L'un des soldats montre du doigt le navire, l'homme le regarde et se retourne vers la femme. Ils sont côte à côte, il l'embrasse sans s'attarder. Puis il se retourne et suit les deux soldats en direction du bateau.

Chacun des militaires porte une malle, l'homme une valise plus petite.

Pas de fanfare, pas de bouteille brisée sur la proue — ces cérémonies sont réservées au baptême d'un navire qui fait son voyage inaugural et aux ivrognes qui dorment sur le quai et qui font parfois leur toilette sur le champ de foire un peu plus bas. Du pont, les passagers saluent de la main la foule à terre, qui les salue à son tour.

Les machines commencent à ronfler.

Comme un rideau, le brouillard se referme sur le fleuve et efface les bâtiments, les embarcadères et tous ceux qui sont venus souhaiter bon voyage au navire. Au milieu du fleuve, le brouillard est plus épais, il s'insinue sur le pont, les passagers eux-mêmes deviennent invisibles les uns aux autres.

Lentement, successivement, tous rentrent à l'intérieur et Edgar se retrouve seul. Il y a de la buée sur ses lunettes, il les enlève pour les essuyer sur son gilet. Il essaie de percer le brouillard, mais on ne discerne plus la rive. Derrière lui, la cheminée non plus. Edgar a l'impression de flotter dans le vide. Il tend la main devant lui, des volutes blanches viennent s'enrouler autour d'elle en gouttelettes minuscules.

Blanc. Comme une page vierge, comme de l'ivoire brut, quand l'histoire commence, tout est blanc.

3

30 novembre 1886

Ma chère Katherine,

Voici maintenant cinq jours que j'ai quitté Londres. Je te demande pardon de ne pas t'avoir écrit plus tôt, mais depuis Marseille, Alexandrie est notre première escale courrier. J'ai donc décidé d'attendre plutôt que de t'envoyer des lettres qui ne seraient plus d'actualité.

Ma très chère, ma bien-aimée Katherine, comment te décrire ces derniers jours ? J'aimerais tant que tu sois ici avec moi pour partager tout ce que je vois pendant ce voyage ! Hier matin, par exemple, une nouvelle ligne côtière est apparue à tribord, j'ai demandé à l'un des marins quel pays c'était. Il m'a répondu : « L'Afrique », apparemment étonné de ma question. Je me sentais un peu idiot, mais j'avais du mal à contrôler mon excitation. Que le monde semble vaste et petit à la fois !

J'ai beaucoup de choses à te dire, mais d'abord je voudrais te parler du voyage lui-même, depuis que nous nous sommes dit au revoir. La traversée de Londres à Calais a été sans histoire. Il y avait un épais brouillard qui nous permettait rarement de distinguer autre chose que des vagues. Le voyage ne prend que quelques heures. Quand nous sommes arrivés à Calais, il faisait nuit, on nous a emmenés en voiture à la gare de chemin de fer. Là nous avons pris un train pour Paris. Comme tu sais, j'ai toujours rêvé de visiter la ville où a travaillé Sébastien Erard. Mais à peine étions-nous arrivés que j'étais déjà installé dans un autre train, en direction du Sud. La France est vraiment un beau pays, nous avons traversé des pâturages dorés, des vignobles et même des champs de lavande (fameux pour leur parfum, je promets de t'en rapporter à mon retour). Quant aux Français eux-mêmes, je serai plus réservé, étant donné qu'aucun de ceux que j'ai pu rencontrer n'avait jamais entendu parler de Sébastien Erard ni du mécanisme à étrier, sa grande innovation. Ceux à qui je posais la question me regardaient avec des yeux ronds, comme si j'étais fou.

A Marseille, nous avons embarqué sur un autre navire appartenant à la même compagnie, et bientôt nous naviguions en Méditerranée. Je voudrais que tu puisses contempler la beauté de ces eaux ! Elles sont d'un bleu comme je n'en ai jamais vu. Ce qui s'en rapproche le plus, peut-être, c'est le ciel au début de la nuit, ou peut-être le saphir. L'appareil photographique est une merveilleuse invention, mais je voudrais pouvoir prendre des photographies avec les vraies couleurs pour que tu puisses voir précisément ce que je veux dire. Il faut que tu ailles à la National Gallery regarder le tableau de Turner, *Le Téméraire*, rien n'est aussi approchant, me semble-t-il. Il fait chaud, j'ai déjà oublié les froids hivers anglais. J'ai passé une partie de la première journée sur le pont où j'ai attrapé un bon coup de soleil. Il faut que je pense à mettre mon chapeau.

Au lendemain du premier jour, nous avons traversé le détroit de Bonifacio qui sépare la Corse de la Sardaigne. Du bateau, la côte italienne paraissait calme et paisible. Il est difficile d'imaginer les événements tumultueux qui ont surgi des replis de ces collines, de penser que ce pays a vu naître Verdi, Vivaldi, Rossini et, par-dessus tout, Cristofori.

Comment te décrire mes journées ? Quand je n'étais pas simplement assis sur le pont à regarder la mer, j'ai passé de nombreuses heures à lire les rapports envoyés par Anthony Carroll. Quand je songe que cet homme, qui occupe mes pensées depuis des semaines, ne sait même pas comment je m'appelle ! Peu importe, il a un goût extraordinaire. J'ai ouvert l'un des paquets de partitions que je dois lui remettre, et j'y ai trouvé le *Concerto pour piano n° 1* de Liszt, la *Toccata en* do *majeur* de Schumann, et bien d'autres. Il y a des partitions que je ne connais pas et, quand j'essaie de les fredonner, je ne reconnais aucune mélodie. Dès que j'aurai rejoint son campement, je lui poserai la question.

Demain nous faisons escale à Alexandrie. Nous longeons la côte de si près que j'aperçois des minarets. Ce matin, nous avons croisé un petit bateau de pêche. Le pêcheur, debout dans sa barque, nous a regardés passer, son filet dans les mains. Il était si près de nous que je voyais le sel séché qui lui poudrait le visage. Dire qu'il y a moins d'une semaine j'étais encore à Londres ! Nous ne resterons malheureusement que quelques heures à terre, je n'aurai pas le temps de visiter les Pyramides.

Il y a tant à te raconter encore... La lune est presque pleine, la nuit je monte souvent sur le pont la regarder. Les Orientaux, m'a-t-on expliqué, croient qu'un lapin y habite, mais je n'arrive pas à le voir, je ne vois qu'un homme qui cligne les yeux, bouche bée d'étonnement. Je comprends mieux maintenant pourquoi. Tout est si beau quand on le voit du pont d'un bateau, imagine ce que doit être la vision depuis la lune ! Il y a deux nuits, je n'arrivais pas à dormir à cause de la chaleur et de toutes les pensées qui m'agitaient. Je suis monté sur le pont. Je regardais la mer quand petit à petit, à moins de cent mètres du bateau, l'eau s'est mise à scintiller. J'ai d'abord pensé que c'était le reflet des étoiles, mais l'ensemble prenait forme, peu à peu comme des milliers de petits feux, comme l'illumination des rues de Londres la nuit. Je m'attendais à voir surgir un drôle d'animal marin, mais la forme ne se précisait pas davantage, elle flottait sur au moins un kilomètre, puis, quand nous l'avons dépassée, je me suis retourné pour la regarder encore, et elle avait disparu. Hier soir, la bête de lumière est revenue, et un passager naturaliste venu observer le ciel m'a expliqué que cette lumière n'émanait pas d'un monstre marin, mais des millions de petites créatures microscopiques qu'il appelait des « diatomées ». Ce sont, m'a-t-il dit, des créatures semblables qui donnent à la mer Rouge sa fameuse couleur. Rends-toi compte, ma Katherine, quel monde étrange, où l'invisible peut illuminer l'eau et colorer la mer en rouge...

Mon ange, je dois te quitter. Il est tard, tu me manques terriblement, j'espère que tu ne t'ennuies pas toute seule. Ne te fais pas de souci pour moi. J'avoue que ce n'est pas sans appréhension que je suis parti et quelquefois, dans mon lit, je me demande pourquoi je fais ce voyage. Je n'ai toujours pas la réponse. Je me rappelle ce que tu m'as dit à Londres, que c'est une noble cause, que je remplis mon devoir vis-à-vis de mon pays, mais je n'y crois pas trop. Quand j'étais jeune, je ne me suis pas enrôlé dans l'armée et je ne m'intéresse guère à notre politique étrangère. Je sais que je t'ai mise en colère en te disant que je me sentais une obligation envers le piano et pas envers la Couronne, mais je reste convaincu que le Dr Carroll a pris la bonne décision et que si je peux apporter ma contribution à la cause de la musique, c'est peut-être là qu'est mon devoir. Ma décision repose sûrement en partie sur la confiance que je fais au Dr Carroll ; je partage son désir d'amener une musique que je trouve belle en des lieux où les autres n'ont introduit jusqu'à présent que des fusils. Je sais que, confronté à la réalité, un tel sentiment risque de se dissiper. Tu me manques vraiment énormément ; j'espère que je ne me suis pas embarqué dans une entreprise chimérique vouée à l'échec. Tu le sais, habituellement, je ne prends pas de risques inutiles. J'ai peut-être encore plus peur que toi lorsque j'entends toutes ces histoires de guerre dans la jungle.

Mais pourquoi perdre du temps à t'entretenir de mes craintes et de mes incertitudes alors qu'il y a tant de beauté autour de moi dont je voudrais te parler ? Probablement parce que je n'ai personne d'autre avec qui partager ces pensées. En vérité, j'éprouve déjà une forme de bonheur encore inconnue de moi. Je voudrais seulement que tu sois là pour faire ce voyage avec moi.

Je t'écrirai encore bientôt, mon amour.

Ton mari qui t'aime,

Edgar.

Il posta la lettre à Alexandrie, lors d'une brève escale au cours de laquelle le navire embarqua de nouveaux passagers, des hommes en robe flottante qui parlaient une langue qui semblait venir du fond de la gorge. Les voyageurs restèrent à quai quelques heures seulement, le temps de se promener brièvement dans le port au milieu des odeurs des pieuvres qui séchaient et des sacs parfumés des marchands d'épices. Bientôt ils reprenaient la route, empruntant le canal de Suez pour déboucher dans une nouvelle mer.

4

Cette nuit-là, tandis que le bateau avançait lentement dans les eaux de la mer Rouge, Edgar cherchait vainement la sommeil. Au début, il essaya de lire un document que lui avait fait parvenir le ministère de la Guerre, un rapport pompeux sur les campagnes militaires pendant la troisième guerre anglo-birmane, mais il lui tomba des mains. On étouffait dans la cabine, le petit hublot ne laissait qu'à peine l'air marin y pénétrer. Edgar finit par s'habiller et emprunta le long couloir qui menait à l'escalier vers le pont.

Dehors, il faisait frais, le ciel était clair, la lune pleine. Des semaines plus tard, quand on lui aurait raconté toutes sortes de légendes, il comprendrait l'importance de ce détail. Même si les Anglais parlent de « nouvelle lune » pour évoquer le mince croissant anémique, ce n'est que leur vision des choses. Demandez à n'importe quel enfant des Chan, ou des Wa, ou des Pa-O, il vous dira que c'est la pleine lune qui est nouvelle, car elle est neuve et brillante comme le soleil, et c'est la nouvelle lune qui est vieille et fragile et qui va mourir bientôt. C'est donc la pleine lune qui marque le commencement, le début du changement, un moment où l'on doit faire très attention aux présages.

Mais il reste de nombreux jours avant qu'Edgar Drake arrive en Birmanie et il ne connaît pas encore les prédictions des Chan. Il ne sait pas qu'il y a quatre catégories d'augures, ceux du ciel, des oiseaux en vol, des volailles qui picorent et des mouvements des bêtes à quatre pattes. Il ne connaît pas le sens des comètes, des halos, des pluies de météorites, il ne sait pas que les prédictions se font d'après la direction du vol d'une grue, les œufs de poules, les essaims d'abeilles, et selon qu'un lézard, un rat ou une araignée tombe sur tel ou tel point de votre corps. Il ignore que si l'eau d'un étang ou d'une rivière devient rouge, c'est qu'une guerre mettra le pays à feu et à sang ; ainsi a-t-on pu prédire la destruction d'Ayuthia, l'ancienne capitale du Siam. Que si un homme prend un objet en main et que cet objet se casse sans raison apparente, ou si son turban tombe tout seul, cet homme mourra.

De tels augures ne concernent pas Edgar Drake, pas encore. Il ne porte pas de turban, il casse rarement les cordes quand il accorde ou répare un instrument. Et tandis qu'il se tient sur le pont, la lune se reflète dans la mer, éclat d'argent sur le bleu.

On devinait toujours la côte, et même un phare qui clignotait au loin. Le ciel était clair, pailleté de milliers d'étoiles. Edgar contemplait une mer où les vagues projetaient leurs propres reflets lumineux.

Le lendemain soir, il était assis dans le mess, au bout d'une longue table couverte d'une nappe blanche immaculée. Au-dessus de sa tête, un lustre répercutait le mouvement du bateau. Très élégant, avait-il écrit à Katherine, tout est extrêmement luxueux. Il écoutait une conversation animée entre deux officiers à propos d'une bataille en Inde. Ses pensées se mirent à dériver loin du moment présent pour rejoindre la Birmanie, Carroll, le piano à accorder, les pianos en général, sa maison à Londres.

Une voix derrière lui le ramena sur le bateau. « Monsieur l'accordeur de piano ? »

Edgar se retourna et vit un homme imposant, en uniforme. « Oui, dit-il, avalant sa dernière bouchée et se levant pour lui tendre la main. Drake. Et vous-même ?

— Tideworth, dit l'homme, avec un beau sourire. Je suis le capitaine du navire entre Marseille et Bombay.

— Bien sûr, capitaine, je connais votre nom. C'est un honneur pour moi de faire votre connaissance.

— Non, monsieur Drake, tout l'honneur est pour moi. Je suis désolé de n'avoir pas pu vous saluer plus tôt. Il y a maintenant plusieurs semaines que je me réjouis à l'idée de vous rencontrer.

— Vraiment ? dit Edgar. Mais pour quelle raison ?

— J'aurais dû vous le dire tout de suite. Je suis un ami d'Anthony Carroll. Il m'a écrit pour m'annoncer que je vous aurais pour passager. Il attend avec impatience de faire votre connaissance.

— Moi de même. C'est d'ailleurs l'objet de ma mission. » Il se mit à rire.

Le capitaine montra les chaises. « Asseyons-nous, je vous en prie. Je ne voulais pas interrompre votre repas.

— Mais non, mais non. J'ai assez dîné. Vous nous nourrissez trop bien. » Ils s'assirent à la table. « Ainsi le Dr Carroll vous a parlé de moi. Je suis curieux de savoir ce qu'il a pu vous dire.

— Pas grand-chose. Je crois qu'on ne lui a même pas communiqué votre nom. Mais il m'a assuré que vous êtes un excellent accordeur de piano, et qu'il était extrêmement important pour lui que vous arriviez à bon port. Il m'a dit aussi que vous seriez peut-être dépaysé par le voyage et que je devais prendre soin de vous.

— C'est trop gentil. Je ne m'en tire pas trop mal. Sauf que, si l'on n'a pas une guerre indienne à son actif, dit-il en désignant du menton les officiers attablés, il est difficile de se joindre aux conversations.

— Oh, dans l'ensemble c'est plutôt assommant, répondit le capitaine en baissant la voix, précaution inutile car les officiers étaient passablement ivres et n'avaient même pas remarqué sa présence.

— J'espère que je ne vous retiens pas loin de vos obligations ?

— Pas du tout, monsieur Drake. La machine est bien

huilée. Sauf imprévu, nous devrions être à Aden dans six jours. Si on a besoin de moi, on m'appellera. Dites-moi, elle vous plaît, cette traversée ?

— Je suis ravi. C'est la première fois que je quitte l'Angleterre, en fait. Ce que je vois dépasse en beauté tout ce que je pouvais imaginer. Je connaissais surtout l'Europe à travers sa musique, ses pianos. » Le capitaine eut l'air perplexe, et Edgar précisa, un peu embarrassé : « Je suis spécialiste des pianos Erard, une marque française. »

Le capitaine ne cacha pas sa curiosité. « Et Alexandrie ? Il n'y avait pas de pianos, j'imagine ?

— Non, pas de pianos, dit Edgar en riant. Mais quel spectacle ! J'ai passé des heures sur le pont. J'ai l'impression de retrouver ma jeunesse. Vous me comprenez, j'en suis sûr.

— Absolument. Je me souviens encore de la première fois où j'ai fait ce trajet. J'ai même écrit des poèmes à cette occasion, des odes enflammées sur le fait de se trouver à la pointe de deux continents, chacun composé de vastes étendues désertiques, de centaines de kilomètres de sable, de cités fabuleuses, chacun touchant le ciel, jusqu'au Levant, jusqu'au Congo. Vous voyez le genre. Etre en mer me fait toujours cet effet magique, même si, grâce au ciel, j'ai depuis longtemps abandonné la poésie. Voyons, avez-vous fait la connaissance des autres passagers ?

— Je ne suis pas très liant de nature. Je passe le plus clair de mon temps à admirer la vue. Tout est si nouveau pour moi.

— Dommage. Les passagers sont des personnages extraordinaires. Sans eux, je finirais par me lasser du paysage, si magnifique soit-il.

— Vraiment ? C'est-à-dire ?

— Oh, il faudrait des heures pour relater les histoires fabuleuses de mes passagers. Rien que leur lieu d'embarquement est déjà exotique. Pas seulement en Europe ou en Asie, mais dans n'importe lequel des centaines de ports où nous faisons escale en Méditerranée, sur la côte de l'Afrique du Nord, en Arabie. On appelle cet itinéraire l'"axe du monde". Mais quelles histoires ! Il suffit de jeter un regard ici même. Par exemple... » Il se pencha un peu en avant. « Là-bas à la table du fond, vous voyez le vieux monsieur qui dîne avec cette dame aux cheveux blancs ?

— Oui, je l'ai vu. C'est probablement le plus vieux passager qui se trouve à bord.

— Il s'appelle William Penfield. Ancien officier de l'East India Company. On l'appelait "Bill le Barbare". C'est peut-être le militaire le plus décoré et le plus brutal à avoir servi dans les colonies.

— Ce vieux monsieur ?

— Lui-même. La prochaine fois que vous serez près de lui, regardez sa main gauche. Il lui manque deux doigts, conséquence d'une escarmouche lors de son premier voyage. Ses soldats disaient en matière de plaisanterie que chacun de ses doigts représentait mille hommes tués de sa main.

— On en frémit.

— Et ce n'est pas tout, loin de là, mais je vous épargnerai les détails. Maintenant, regardez à sa gauche. Ce jeune gars aux cheveux bruns, on l'appelle "Harry-Bois-de-Teck". Je ne connais pas son vrai nom. C'est un Arménien de Bakou. Son père était négociant, il affrétait des vapeurs pour transporter du bois de Sibérie de la côte nord de la mer Caspienne à la côte sud. A une époque, paraît-il, il contrôlait l'ensemble du marché jusqu'à la Perse. Voilà dix ans, il a été assassiné. Toute la famille s'est enfuie, les uns en Turquie, les autres en Europe. Harry-Bois-de-Teck a choisi l'Orient avec l'intention de s'emparer du marché indochinois. Une réputation de fier-à-bras et d'aventurier. Selon certaines rumeurs, il aurait même financé l'expédition de Francis Garnier pour remonter le Mékong jusqu'à sa source, mais cela n'est pas prouvé, et si c'est vrai, Harry ne s'en est pas vanté, afin de préserver ses contrats avec les transports maritimes anglais. Harry restera probablement avec vous jusqu'à Rangoon, mais là il prendra l'un des vapeurs de sa compagnie pour se rendre à Mandalay. Il possède un domaine, je devrais dire un palais, à rendre jaloux les rois d'Ava. Ce fut d'ailleurs le cas. On dit que Thibaw a essayé par deux fois de le faire tuer, mais chaque fois l'Arménien en a réchappé. Vous apercevrez peut-être son domaine quand vous passerez à Mandalay. Il ne vit que pour le teck, difficile d'avoir avec lui une conversation si vous n'êtes pas de la partie. » Le capitaine reprit brièvement haleine. « Derrière lui, ce personnage imposant est un Français, Jean-Baptiste Valérie, professeur de philologie à la Sorbonne. On dit qu'il parle vingt-sept langues. Aucun autre Blanc n'en parle plus de deux, même les missionnaires.

— Et à côté de lui, l'homme couvert de bagues ? Personnage étonnant...

— Ah, c'est le négociant en tapis Nader Modarress, un Persan qui se spécialise dans les tapis de Bakhtiari. Il fait ce voyage avec deux maîtresses, ce qui est inhabituel, car il a tellement d'épouses à Bombay qu'il ne lui reste presque plus le temps de vendre ses tapis. Il occupe la cabine royale. Il est toujours assez riche pour se l'offrir. Il porte une bague en or à chaque doigt — tâchez de les voir de près : chaque bague est sertie de pierres extraordinaires.

— Il voyage avec un grand blond, non ?

— Garde du corps. Norvégien, je crois. Je ne suis pas sûr qu'il serve à grand-chose. Il passe la moitié de son temps à fumer de l'opium avec les chauffeurs — mauvaise habitude, mais pendant ce temps-là, ils oublient de se plaindre. Modarress a quelqu'un d'autre à son service, un type à lunettes, un poète de Kiev. Modarress l'a engagé pour qu'il compose des odes à ses épouses — notre homme se pique de romantisme, mais il peine à trouver ses adjectifs. Excusez-moi, je papote comme une collégienne. Venez, allons prendre l'air avant que je retourne à mon poste. »

Ils se levèrent et sortirent sur le pont. A l'avant du bateau se tenait une silhouette solitaire, enveloppée d'une longue robe blanche et flottante.

« Je crois qu'il n'a pas bougé d'ici depuis que nous avons quitté Alexandrie, observa Edgar.

— De tous les passagers, c'est peut-être le plus étrange. Nous l'appelons l'Homme-d'un-seul-récit. Je l'ai toujours vu faire la traversée, aussi loin que remonte ma mémoire. Toujours seul. Je ne sais pas ce qu'il fait dans la vie. Il embarque à Alexandrie et descend à Aden. Je ne l'ai jamais vu voyager en sens inverse.

— Pourquoi l'appelle-t-on l'Homme-d'un-seul-récit ? »

Le capitaine eut un petit rire. « Un vieux surnom. Dans les rares occasions où il consent à parler, il raconte toujours la même histoire. Je l'ai entendue une fois et ne l'ai jamais oubliée. Il ne s'agit pas d'une conversation. Il se lance dans son histoire et ne s'arrête que lorsqu'elle est terminée. C'est très bizarre, on a l'impression d'écouter un gramophone.

— Il s'exprime en anglais ?

— Un anglais recherché. Un anglais de conteur.

— Et le sujet de l'histoire ?

— Ah, monsieur Drake, je vous laisse le découvrir vous-même, si vous avez cette chance. Lui seul peut la raconter. »

Et, comme obéissant à un signal, on entendit un appel en provenance de la coquerie. Edgar avait encore des questions à poser, sur Anthony Carroll, sur l'Homme-d'un-seul-récit, mais le capitaine lui souhaita rapidement bonne nuit et s'engouffra dans le mess, le laissant seul à respirer l'odeur de la mer chargée de sel et de prémonition.

Le lendemain matin, Edgar fut réveillé de bonne heure par la chaleur qui venait cogner au hublot. Il s'habilla, parcourut le long corridor et déboucha sur le pont. C'était une belle journée lumineuse, et on sentait déjà le soleil qui perçait au-dessus des collines à l'est. Encadrant l'étendue de la mer, on apercevait vaguement les deux rivages. A l'arrière, Drake aperçut un passager debout devant le bastingage, dont la longue robe se déployait à contre-jour.

Edgar avait pris l'habitude, tous les matins, de faire le tour du pont avant la trop forte chaleur. C'est au cours de ces promenades qu'il avait vu pour la première fois l'homme dérouler son tapis de prière et prier. Edgar passait à côté de lui sans parler.

Ce matin-là, il suivit le même parcours que d'habitude le long du bastingage ; mais, lorsqu'il se rapprocha de l'homme en robe blanche, il sentit ses jambes faiblir. J'ai peur, se dit-il. Il essaya de se persuader que la promenade de ce matin n'avait rien de différent de celle de la veille, mais il savait que ce n'était pas vrai. Le capitaine avait parlé d'un ton léger qui cadrait mal avec la retenue un peu guindée du marin qu'il était. L'espace d'un instant, Edgar se figura qu'il avait peut-être imaginé cette conversation, qu'il avait quitté le capitaine dans la salle à manger et qu'il était monté seul sur le pont. Ou alors, se dit-il, peut-être que le capitaine pressentait qu'ils allaient se rencontrer, le nouveau passager et le conteur. C'est peut-être cela, se dit-il, qui donne aux récits leur gravité.

Il se trouva soudain près de l'homme. « Belle matinée, n'est-ce pas ? » dit-il.

Le vieil homme hocha la tête. Il avait la peau brune et la barbe de la couleur de sa robe. Sans savoir quoi dire, Edgar se força à rester près de lui, contre le bastingage. L'homme se taisait. Edgar regardait les vagues qui venaient buter contre la proue du bateau. Leur bruit se perdait dans le grondement des machines.

« C'est votre premier voyage en mer Rouge, dit l'homme d'une voix grave aux accents inconnus.

— Oui, c'est même la première fois que je quitte l'Angleterre... »

Le vieil homme l'interrompit. « Il faut me montrer vos lèvres quand vous parlez, dit-il. Je suis sourd. »

Edgar se plaça face à lui. « Excusez-moi, je ne savais pas...

— Comment vous appelez-vous ? demanda le vieil homme.

— Drake... tenez... » Il fouilla dans sa poche et en sor-

70

tit une carte qu'il avait fait imprimer tout exprès pour le voyage.

EDGAR DRAKE
ACCORDEUR DE PIANO
SPÉCIALITÉ : PIANOS ERARD
14, FRANKLIN MEWS
LONDRES

La vue de cette carte joliment calligraphiée dans les mains ridées du vieil homme l'embarrassa soudain. Mais celui-ci la contemplait pensivement. « Un accordeur de piano anglais. Un spécialiste des sons. Voulez-vous entendre une histoire, monsieur Drake ? Une histoire de vieil homme sourd ? »

Il y a trente ans — j'étais alors beaucoup plus jeune et encore épargné par les infirmités de la vieillesse —, je travaillais comme matelot sur ce même trajet, de Suez au détroit de Bab el-Mandeb. Notre itinéraire parcourait la mer Rouge en zigzag. Ce n'était pas comme les vapeurs d'aujourd'hui qui traversent d'une traite. On naviguait à la voile et on jetait l'ancre dans des dizaines de petits ports, aussi bien sur la côte africaine que sur la côte arabe. Ils portaient des noms tels que Fareez et Gomaina, Tektozu et Wivineiev. Beaucoup ont été depuis repris par les sables. Nous nous arrêtions pour commercer avec les nomades venus vendre des tapis et des poteries récupérés dans les villes abandonnées du désert. Un jour, notre bateau fut pris par la tempête. C'était un vieux bâtiment qu'on n'aurait jamais dû autoriser à naviguer. Nous avons cargué les voiles, mais une voie d'eau s'est ouverte dans la coque et les paquets de mer qui s'y sont engouffrés l'ont brisée en deux. Je suis tombé, ma tête a cogné et tout est devenu noir.

Quand je me suis réveillé, j'étais allongé sur une plage, seul au milieu de débris de la coque auxquels par chance j'avais pu m'accrocher. Le soleil était déjà haut. Au début, incapable de bouger, je me suis cru paralysé ; mais je me suis aperçu que j'étais seulement entortillé dans mon turban qui avait dû se dérouler tout seul. Emmailloté comme un bébé dans ses langes ou comme une de ces momies qu'on extirpe des sables d'Egypte, il me fallut longtemps pour reprendre mes esprits. J'étais contusionné de partout et à chaque respiration, je ressentais une vive douleur dans les côtes. Mon corps était recouvert d'une croûte de sel, j'avais la gorge et la langue desséchées et enflées. L'eau bleu clair venait lécher mes pieds et le morceau de coque sur lequel on pouvait encore lire en écriture arabe les trois premières lettres de ce qui avait été le nom du bateau.

Je finis par défaire mon turban et le réenrouler soigneusement. Je me levai. La terre qui m'entourait était plate, mais j'apercevais au loin des montagnes arides, désertiques. Comme tout homme qui a grandi dans le désert, je n'avais qu'une seule pensée : l'eau. Je savais par mes voyages précédents que la côte comporte de nombreux petits estuaires, d'eau salée pour la plupart, mais dont certains, si l'on en croit les nomades, se mêlent à des courants d'eau douce qui drainent des aquifères ou de la neige fondue, venus des pics lointains. Je décidai donc de suivre la côte dans l'espoir de tomber sur l'un d'eux. Au moins la mer me servirait de repère et, qui sait, j'apercevrais peut-être un navire.

Tandis que je marchais, le soleil se leva au-dessus des collines, et je compris que j'étais en Afrique. Cette déduction fut simple mais effrayante. Tout le monde peut se perdre, mais il est rare de ne pas savoir de quel continent on foule le sol. Je ne parlais pas la langue, et je ne connaissais pas le pays comme je connaissais l'Arabie. Mais, je ne sais pas pourquoi, je gardais courage : peut-être était-ce la jeunesse, ou le soleil qui me faisait délirer.

Je n'avais pas marché une heure que j'atteignis un tournant de la côte. Là, un mince filet de mer se faufilait à l'intérieur des terres. Je goûtai l'eau. Elle était encore saumâtre, mais j'avisai une branche, amenée par le courant.

Elle portait une seule feuille toute sèche, qui tremblait au vent. Mes voyages et le commerce m'avaient donné quelques connaissances en botanique, car lorsque nous faisions escale à Fareez et Gomaina, nous achetions des herbes aux nomades. Dans cette petite feuille, je reconnus la plante qu'on appelle *belaidour* et que les Berbères nomment *adil-ououchchn*. Lorsqu'on la boit en infusion, elle vous fait voir l'avenir en rêve, et ses baies agrandissent et assombrissent les yeux des femmes. Je ne pensais guère à l'infusion à ce moment-là mais plutôt à la botanique. En effet la *belaidour* est une plante rare et chère car elle ne pousse pas sur les bords de la mer Rouge mais dans les montagnes boisées, à des kilomètres à l'ouest. J'eus une lueur d'espoir : l'homme avait foulé ce rivage, et donc il n'était pas impossible qu'il y eût de l'eau.

Soutenu par cette découverte, je m'éloignai de la mer en suivant le filet d'eau qui se dirigeait vers le sud et priant le ciel pour trouver l'origine de la *belaidour*, et avec elle l'eau qui avait étanché la soif de ceux qui en faisaient commerce.

J'ai marché tout le reste de la journée, et même une partie de la nuit. Je me rappelle le croissant de lune qui décrivait un arc dans le ciel. Ce n'était pas encore une demi-lune, mais l'absence de nuages laissait la lumière se projeter sur l'eau et sur le sable. À un moment de la nuit j'ai dû m'allonger pour me reposer, et je me suis endormi.

Je me réveille en sentant mes côtes chatouillées par un bâton de berger. J'ouvre les yeux et je découvre deux jeunes garçons, qui ne portent qu'un pagne et des colliers. L'un d'eux, accroupi à ma gauche, me scrute d'un air perplexe. L'autre, le plus jeune, debout à côté de lui, regarde par-dessus son épaule. Nous restons un long moment sans bouger, à nous observer. Le garçon accroupi entoure ses genoux d'un bras, il me dévisage d'un air de curiosité et de défi mêlés. Tout doucement, je me redresse et m'assieds, sans le quitter des yeux. Je lève la main et le salue dans ma langue.

Le garçon ne bouge pas. Un bref instant, son regard

quitte mon visage pour se poser sur ma main, puis il me fixe à nouveau. Le garçon derrière lui dit quelque chose dans une langue que je ne comprends pas, l'autre acquiesce. Sans cesser de me fixer, il tend derrière lui sa main libre, le plus jeune dégage une gourde en cuir de son épaule et la dépose dans la main tendue. L'aîné défait un lacet qui tenait la gourde fermée et il me la tend. Je la porte à mes lèvres, sans le quitter du regard, puis brusquement je ferme les yeux et je me mets à boire.

J'aurais pu avaler dix fois le contenu de la gourde tant j'avais soif. Mais la chaleur me recommandait la modération ; je ne savais pas d'où provenait l'eau ni combien il en restait. J'ai rendu la gourde au garçon accroupi qui a renoué le lacet de cuir sans regarder ce qu'il faisait, puis il s'est levé et a passé la gourde à l'autre garçon. Il s'est alors adressé à moi d'une voix forte, et même si je ne comprenais pas sa langue, le ton d'autorité d'un enfant qui fait face à ses responsabilités est le même sous tous les cieux. J'ai attendu. Il m'a parlé encore, plus fort cette fois. J'ai montré du doigt ma bouche en secouant la tête, comme je le fais aujourd'hui avec mes oreilles. Car je n'étais pas sourd à l'époque. C'est dans la suite de l'histoire.

A mes côtés, le garçon me parlait d'une voix brève, impatiente. Il a frappé le sol de son bâton. J'ai attendu un moment avant de me lever, afin de lui montrer que j'agissais de mon plein gré, pas à cause de son ton autoritaire. Je n'allais pas laisser un garçon de son âge me donner des ordres.

Une fois debout, je pus examiner le paysage qui nous entourait. A trente pas à peine, j'aperçus un ruisseau qui courait se jeter dans l'estuaire en bouillonnant et en projetant des reflets sur les galets. A l'embouchure, des plantes de couleur pâle s'accrochaient aux rochers. J'allai au bord du ruisseau pour boire encore. Les garçons attendirent en silence, et bientôt nous reprîmes notre chemin, escaladant une pente où des chèvres broutaient. Les garçons les faisaient avancer avec leur bâton. Nous suivions le lit asséché d'une rivière où l'eau se déversait lorsqu'il pleuvait.

C'était le matin, mais il faisait déjà chaud. Des falaises se dressaient de chaque côté du sentier de sable, accentuant à la fois la chaleur et le bruit de nos pas. Quand les garçons apostrophaient leurs chèvres, leurs voix se répercutaient sur les parois, j'ai gardé en mémoire l'étrangeté des sons ainsi produits. Aujourd'hui, je me demande si le phénomène tenait à une caractéristique de ce lieu encaissé, ou au fait que deux jours plus tard j'allais perdre l'ouïe.

Nous avons suivi cette gorge pendant plusieurs kilomètres, puis, à un tournant identique à des dizaines d'autres rencontrés sur notre chemin, les chèvres se mirent d'instinct à escalader une piste escarpée creusée dans la falaise. Les deux garçons suivirent avec agilité, leurs sandales trouvaient des prises incroyables dans la muraille sablonneuse. Je fis de mon mieux pour les suivre mais je glissais tout le temps, m'écorchant le genou avant de trouver un appui et me hissant avec peine là où ils avaient escaladé avec une telle légèreté. Une fois au sommet, je me rappelle avoir examiné ma jambe. La petite blessure au genou, superficielle, sécherait très vite avec la chaleur. Si je me souviens de ce détail, ce n'est pas tant à cause du geste lui-même que de la suite des événements. Car, lorsque je relevai les yeux, je vis les garçons descendre en courant une large pente à la poursuite de leurs chèvres. Au-dessous d'eux se déployait une scène absolument extraordinaire. Imaginons que je sois devenu aveugle plutôt que sourd, cette vision aurait suffi à mon bonheur. Rien, pas même la magnificence des vagues déferlantes à Bab el-Mandeb, ne parvenait à égaler ce spectacle. La pente aboutissait à une vaste plaine désertique qui s'étendait jusqu'à un horizon noyé dans le vent de sable. Surgissant de la poussière, dans un silence étonnant pour qui connaît la violence terrifiante de ces tempêtes, des cohortes de caravanes s'avançaient, venues de tous les points de l'horizon ; de longues files de chevaux et de chameaux émergeaient de la brume répandue sur la vallée et convergeaient vers un campement de tentes établi au pied de la colline.

Il y avait déjà là des centaines de tentes, des milliers si l'on comptait les caravanes en train de s'approcher. De mon perchoir, je pouvais reconnaître un certain nombre de modèles. Les tentes blanches pointues des Borobodo, qui venaient souvent dans les ports où nous faisions escale pour y vendre des peaux de chameaux. Les larges tentes plates des Yus, une tribu guerrière qui hantait les hauteurs du sud du Sinaï, redoutée des Egyptiens pour ses razzias sur les marchands, si féroces que les bateaux refusaient d'accoster si l'on apercevait leur présence sur le rivage. Celles des Rebez, une race arabe, qui creusaient des trous dans le sable sur lesquels ils étalaient des peaux en guise de toits et qui plantaient une longue perche devant le seuil de leur demeure. Cette perche était leur signe distinctif et servait à signaler leur présence si les sables mouvants enterraient une tente et ses habitants. La plupart des autres m'étaient inconnues, peut-être s'agissait-il de tribus venues de plus loin à l'intérieur de l'Afrique.

J'ai entendu un coup de sifflet perçant au pied de la colline. A mi-chemin de la cité des tentes, l'aîné des deux garçons criait en agitant son bâton. J'ai couru les rejoindre, et nous avons descendu le reste du chemin ensemble. Nous sommes passés devant un autre groupe de garçons qui jouaient avec des cailloux et des bâtons, et mes compagnons les ont salués au passage. J'ai remarqué qu'ils marchaient la tête haute et me montraient souvent du doigt. J'imagine qu'ils étaient fiers de m'avoir trouvé.

Nous sommes passés au large des premières tentes, devant lesquelles étaient attachés des chameaux. Je voyais des feux allumés à l'intérieur, mais personne n'est sorti pour nous saluer. Nous sommes passés devant d'autres tentes et d'autres encore, et tandis que je suivais mes guides jusqu'à quelque mystérieuse destination, les sentiers qui les reliaient entre elles s'animaient peu à peu. Je rencontrai des nomades encapuchonnés dont je ne pouvais discerner le visage, des Africains à la peau sombre couverts d'opulentes fourrures, des femmes voilées qui baissaient les yeux en toute hâte quand je croisais leur regard. Dans une telle foule, je passais pourtant relativement inaperçu. Deux fois j'ai entendu parler arabe, mais par honte de mon accoutrement et pour ne pas perdre mes guides, je ne me suis pas arrêté. Nous sommes passés devant plusieurs feux de camp, où des musiciens, telles des ombres, jouaient des airs que je ne reconnaissais pas. Les garçons s'arrêtèrent brièvement devant l'un d'eux, et l'aîné chantonna quelques paroles. Puis nous avons replongé dans les sentiers de tentes et de sable. Nous avons fini par atteindre une grande tente circulaire, au toit légèrement pointu et percé d'un trou au milieu duquel des volutes de fumée montaient du rougeoiement du feu vers le ciel nocturne. Les garçons ont attaché les chèvres à un piquet où étaient déjà attachés deux chameaux. Ils ont soulevé le rabat de la tente et m'ont fait signe d'entrer.

Avant de voir l'assemblée assise autour du feu, je fus saisi par une odeur délicieuse en provenance de la broche centrale. Que j'aie remarqué, en premier, la pièce de viande qui rôtissait en dit long sur la faim qui était la mienne. C'était un cuissot de chèvre. Des gouttes de sang perlaient sur la viande rissolée avant de tomber dans les flammes. A côté de moi, les garçons parlaient avec volubilité, me montrant du doigt. Ils s'adressaient à une vieille femme toute ratatinée, à demi étendue sur un tapis en peau de chameau recouvrant un lit de repos dressé près de l'entrée de la tente. Ses cheveux étaient enserrés dans un mince châle en tissu transparent, donnant à sa tête l'aspect d'une tortue du désert. Elle tenait entre les dents une longue pipe dont elle tirait des bouffées contemplatives. Les garçons s'arrêtèrent de parler et pendant un moment la vieille femme se tut elle aussi. Puis elle leur adressa quelques mots, ils s'inclinèrent et filèrent à l'autre bout de la tente, où ils se jetèrent sur un tapis, genoux repliés sur la poitrine, en continuant à me regarder. Il y avait là une dizaine d'autres occupants silencieux.

« Vous venez de loin ? » me demanda la vieille femme à tête de tortue.

J'eus un choc. « Vous parlez arabe ?

— Assez pour le commerce. » Elle fit un signe à une jeune fille assise près de la porte. Celle-ci se leva d'un bond et m'apporta un petit tapis qu'elle étendit sur le sable. Je m'assis.

« Mes petits-fils disent qu'ils vous ont trouvé près de la côte de la mer Rouge.

— C'est exact. Ils m'ont donné de l'eau, ce qui m'a sauvé la vie.

— Comment êtes-vous arrivé là ? interrogea-t-elle d'une voix sévère.

— Par accident. Le bateau qui fait le trajet de Suez à Bab el-Mandeb a fait naufrage dans une tempête. Je ne sais pas ce qui est arrivé au reste de l'équipage, mais je crains que tout le monde soit mort. »

La vieille femme à tête de tortue s'adressa aux autres personnes présentes. Il y eut des hochements de tête et des murmures échangés.

A mon tour, je repris la parole. « Où suis-je ? »

La vieille femme secoua la tête. Un œil, remarquai-je, divergeait par rapport à l'autre. Ce défaut est souvent disgracieux, mais dans son cas, il lui donnait une expression circonspecte ; on avait l'impression que tout en me regardant elle surveillait attentivement le reste de la pièce. « C'est une question dangereuse, dit-elle. Certains pensent que la réputation de l'Apparition s'est trop répandue, et que si la foule est trop nombreuse, Elle ne reviendra pas. Vous avez de la chance d'être tombé sur moi. Il y a ici des gens qui vous auraient tué. »

Le soulagement que j'avais éprouvé à retrouver la civilisation fut soudain englouti par une nausée de peur. « Je ne comprends pas, dis-je.

— Ne posez pas trop de questions. Vous êtes arrivé au moment propice. Les astrologues bantous disent qu'Elle va peut-être apparaître demain. Elle chantera. Et vous aurez la réponse à toutes vos questions. » Sur ces mots, elle remit sa pipe entre ses dents, et dirigea un œil puis l'autre vers le feu. Personne ne m'adressa la parole pendant le reste de la soirée. Je me rassasiai du cuissot de chèvre et bus un nectar délectable, puis je finis par m'endormir devant le feu.

A mon réveil, le lendemain matin, j'ai trouvé la tente vide. J'ai prié, puis j'ai soulevé le rabat et suis sorti dans la chaleur. Le soleil était au zénith. Dans mon épuisement, j'avais dormi presque jusqu'à midi. Les chameaux étaient toujours attachés, mais plus les deux chèvres. Je suis rentré sous la tente. Je n'avais pas d'eau pour me laver, mais j'ai fait de mon mieux pour défroisser et replier mon turban. Je suis ressorti.

Les sentiers étaient relativement déserts ; tout le monde devait s'abriter du soleil. Un groupe d'hommes sellaient les chameaux pour la chasse et un peu plus loin un groupe de jeunes filles, vêtues d'un bleu intense, étaient en train de moudre du grain. Près des limites du campement, j'aperçus les nouveaux voyageurs, dont certains avaient dû arriver à l'aube, encore occupés à décharger les tentes du dos de chameaux stoïques. Je suis allé jusqu'au bout du camp, là où la cité de tentes prenait brusquement fin. On avait dessiné une ligne sur le sol, comme le font de nombreuses tribus pour délimiter la frontière entre leur camp et le désert. Les sables s'étendaient à l'infini. Je repensais aux paroles de la vieille femme. Bien longtemps avant, lorsque j'étais enfant, j'avais accompagné mon frère à Aden, et nous y avions passé la nuit avec une tribu de Bédouins. Ils parlent leur propre dialecte, mais j'en comprenais quelques mots, ayant passé une grande partie de mon enfance dans les bazars où les jeunes se familiarisent facilement avec un nombre incroyable de langues. Je me souvenais que nous étions restés près du feu au milieu de la famille, et nous avions écouté le grand-père raconter l'histoire d'un rassemblement de tribus. A la lueur des flammes, il avait décrit chacune des tribus avec une grande profusion de détails, les robes, les coutumes, les bêtes, la couleur des yeux. J'étais sous le charme. Mais, à un moment de la nuit je m'étais endormi avant la fin de l'histoire. Je ne m'étais réveillé que quand mon frère m'avait secoué, et nous étions rentrés en rampant sous la tente. Or ce jour-là, alors que je me trouvais au fin fond du désert, quelque chose de l'histoire du grand-père me revenait, une impression, le souvenir d'un rêve...

Au loin, derrière une petite dune, je distinguai un pan de tissu rouge agité par le vent. Ce fut bref, comme le passage d'un oiseau, mais ce genre de vision est rare dans le désert. Je franchis la limite tracée — à l'époque je pensais que c'était une superstition des infidèles, aujourd'hui j'en suis moins certain. J'escaladai la dune et redescendis dans une plaine de sable. Personne. Soudain je sentis une présence derrière moi et me retournai. C'était une femme. Plus petite que moi de près d'une main, elle levait son regard dissimulé par un voile rouge. La couleur de sa peau m'évoqua une des tribus éthiopiennes et, tandis que je l'observais, elle me salua : « Salaam aleikum.

— Aleikum al-salaam, répondis-je, m'efforçant d'identifier son accent. D'où êtes-vous ?

— Du même pays que toi, dit-elle.

— Vous êtes loin de chez vous, dis-je.

— Toi aussi. »

Je restai sans voix, captivé par la douceur de ses paroles, par la beauté de ses yeux. « Que faites-vous seule au milieu des sables ? » demandai-je.

Pendant un long moment, elle ne répondit pas. Mes yeux lâchèrent son voile, parcoururent son corps, enveloppé dans d'épaisses robes rouges qui ne laissaient pas deviner ses formes. Le tissu tombait jusqu'au sol, où le vent l'avait déjà couvert d'une couche de sable, donnant l'impression qu'elle venait de surgir des dunes. Puis elle se remit à parler. « Il faut que j'aille chercher de l'eau, dit-elle, et elle tourna le regard vers une cruche en terre qu'elle portait posée sur sa hanche. J'ai peur de me perdre dans le sable. Tu veux bien venir avec moi ?

— Mais je ne sais pas où trouver de l'eau, protestai-je, étourdi par la hardiesse de sa proposition, par sa présence si proche.

— Moi oui », dit-elle.

Nous ne bougions ni l'un ni l'autre. Je n'ai jamais vu d'yeux de la couleur des siens — pas brun foncé comme les femmes de mon pays, mais plus doux, plus clairs, couleur de sable. Une brise dansait autour de nous et son voile voletait, j'apercevais furtivement son visage, étrange d'une façon que je n'arrivais pas à analyser, car un instant plus tard, il était de nouveau caché.

« Que faites-vous ici ? répétai-je.

— Viens », dit-elle.

Le vent nous fouetta, projeta sur notre peau du sable, qui nous piqua comme des milliers de pointes d'épingle.

« Nous devrions peut-être rentrer, dis-je. Nous allons nous perdre dans la tempête. »

Elle continuait d'avancer.

Je la rattrapai. La tempête forcissait. « Rentrons. C'est trop dangereux de se laisser surprendre seuls ici.

— Nous ne pouvons pas rentrer, dit-elle. Nous ne sommes pas d'ici.

— Mais la tempête...

— Reste avec moi.

— Mais... »

Elle se retourne. « Tu as peur.

— Non. Je connais le désert. On pourra revenir plus tard.

— Ibrahim, dit-elle.

— C'est moi.

— Ibrahim », répète-t-elle en faisant un pas vers moi.

Je suis là, les bras ballants. « Vous connaissez mon nom.

— Chut, dit-elle. Le vent va s'arrêter. »

Et soudain, plus de vent. De fines particules de sable se figèrent dans l'air, comme de minuscule planètes, suspendues dans l'espace, inébranlables, blanchissant le ciel, l'horizon, effaçant tout sauf elle.

Elle fait un autre pas vers moi et pose la cruche par terre. « Ibrahim », redit-elle encore, et elle soulève son voile.

Je n'ai jamais rien vu de si splendide et en même temps de si hideux. Elle me regarde avec des yeux de femme, mais sa bouche tremble comme un mirage. Sa bouche, son nez ne sont pas ceux d'une femme, mais d'un cerf, à la peau couverte de duvet. Je reste médusé. Soudain on entend un hurlement, le sable se remet en mouvement, il tourbillonne autour de nous, il rend son image floue. Je lève les mains vers mes yeux.

Et de nouveau le sable s'arrête de voler.

A tout hasard, je baisse les bras. Je suis seul, sans repères. Mes yeux ne savent pas où se poser, ne savent pas où est le ciel, où est le sable. Je murmure « Salaam ».

Et voilà que d'un lieu invisible surgit la voix d'une femme qui chante.

L'air commence très doucement, et au début je ne le reconnais pas. Le son est très bas, très beau, c'est une chanson semblable au vin, un plaisir interdit, enivrant, une ballade comme je n'en ai jamais entendu. Je ne comprends pas les paroles, et la mélodie m'est totalement étrangère ; cependant elle me touche de si près que je me sens comme nu et honteux.

La plainte monte en crescendo, un tourbillon de sable s'élève de nouveau autour de moi. Au travers, j'aperçois des images fugitives. Des oiseaux qui tournoient, le camp, les cités de tentes, le soleil qui se couche en un instant, brisé en mille éclats, embrasant le désert d'une flamme géante qui envahit les dunes, qui enveloppe l'espace, puis se retire, ne laissant que quelques flammèches isolées, la lueur des feux de camp, et soudain il fait nuit, et autour des feux se rassemblent voyageurs, danseurs, musiciens, tambours, un millier d'instruments qui exhalent un gémissement plaintif comme celui du sable en mouvement, un son qui monte, qui se fait de plus en plus perçant, et devant moi un charmeur de serpents joue de l'oud et les serpents viennent se lover autour de ses jambes. Des filles dansent, le corps huilé, parfumé, luisant à la lueur des flammes, et je me retrouve en train de contempler un géant qui porte des cicatrices semblables à des étoiles, des récits tatoués dans sa chair. Les cicatrices deviennent des hommes vêtus de peau de lézard, des enfants de terre glaise, tous dansent, et les enfants explosent en mille fragments. Puis il fait jour, de nouveau, et les visions s'évanouissent, je reste seul avec le sable et le hurlement qui d'un seul coup s'arrête. Je lève la main devant mon visage et je crie : « Qui êtes-vous ? » Mais je n'entends plus le son de ma voix.

Je sens une main sur mon épaule. J'ouvre les yeux et me retrouve allongé au bord de la mer, les jambes à moitié immergées. Il y a un homme accroupi à côté de moi. Je vois les mouvements de sa bouche mais je ne l'entends pas. D'autres hommes, sur le rivage, ont les yeux fixés sur moi. Le premier se remet à parler mais je n'entends rien, ni le son de sa voix ni le bruit des vagues qui viennent recouvrir mes jambes. Je montre du doigt mes oreilles, je secoue la tête. « Je ne vous entends pas, dis-je. Je suis sourd. »

Un autre homme s'approche de moi, à eux deux ils m'aident à me relever et m'amènent vers une petite embarcation tirée sur le rivage, l'avant enfoncé dans le sable, l'arrière oscillant au gré des flots. Nous embarquons. S'ils parlent, je ne les entends pas. Ils rament jusqu'à la mer, vers un bâtiment en attente. D'après ses marques, je reconnais un navire marchand en provenance d'Alexandrie.

Le vieil homme, qui pendant tout son récit n'avait pas quitté des yeux le visage d'Edgar, se tourna vers la mer. « J'ai raconté cette histoire à bien des gens, dit-il. Je veux trouver quelqu'un sur terre qui ait entendu le chant qui m'a rendu sourd. »

Edgar posa légèrement la main sur son bras pour qu'il se retourne et puisse voir ses lèvres. « Comment savez-vous que ce n'était pas un rêve ? Que ce n'est pas le coup que vous aviez reçu sur la tête ? Un chant ne peut pas rendre un homme sourd.

— Oh, je voudrais tant qu'il s'agisse d'un rêve. Mais ce n'est pas le cas. La lune avait changé et, d'après le calendrier du navire que j'ai vu le lendemain matin au petit déjeuner, il s'était écoulé vingt jours depuis le naufrage de mon bateau. Mais je le savais déjà, car la veille au soir, quand je m'étais déshabillé pour me coucher, j'avais remarqué que mes sandales étaient complètement usées. Or à Reweez, notre dernière escale avant l'accident, j'en avais acheté des neuves.

« Et puis, ajouta-t-il, je ne crois pas que ce soit le chant qui m'ait rendu sourd. Ce que je pense c'est qu'après avoir entendu un chant d'une telle beauté, mes oreilles ont simplement cessé de percevoir les sons parce qu'elles savaient qu'elles ne rencontreraient plus jamais une telle perfection. Je ne sais pas si cette idée a un sens pour un accordeur d'instruments de musique. »

Le soleil était maintenant haut dans le ciel. Edgar le sentait qui lui chauffait le visage. Le vieil homme reprit : « Mon unique récit est terminé et je n'ai rien d'autre à raconter, car tout comme il ne peut plus y avoir de sons après ce chant, après ce récit, il ne peut plus y en avoir d'autres. Rentrons maintenant, car le soleil est capable de faire délirer les gens les plus sains d'esprit. »

Ils poursuivirent leur route en mer Rouge. Les eaux devinrent plus claires. Par le détroit de Bab el-Mandeb, ils pénétrèrent dans les eaux de l'océan Indien et mouillèrent dans le port d'Aden, peuplé de bateaux à destination de tous les points du globe. Entre eux se faufilaient les minuscules dhows arabes sous leurs voiles latines. Edgar Drake, sur le pont, regardait le port et les hommes en robe qui quittaient le navire ou montaient à bord. Il ne vit pas l'Homme-d'un-seul-récit descendre, mais, à l'endroit où celui-ci avait l'habitude de se tenir, il n'y avait plus personne.

5

Maintenant, l'allure s'accélère. Deux jours plus tard, la côte apparaît timidement sous forme de petites îles boisées qui bordent le rivage en pointillé comme des fragments arrachés au continent. A travers l'épais feuillage vert foncé, Edgar ne distingue rien et se demande si elles sont habitées. Il interroge un passager, un administrateur civil à la retraite, et celui-ci lui dit qu'une des îles abrite un temple appelé Elephanta, où les hindous adorent un « Eléphant-aux-bras-multiples ».

« C'est un endroit bizarre, plein de superstitions », ajoute l'homme. Edgar ne répond rien. Un jour, à Londres, il a accordé un Erard chez un riche banquier indien, fils de maharadjah, qui lui a montré l'autel consacré à un éléphant aux bras multiples, posé sur une étagère au-dessus du piano. Il écoute les airs qu'on joue, avait dit l'homme, et Edgar avait éprouvé un élan de sympathie pour une religion où les dieux prennent plaisir à écouter de la musique et où un piano peut servir à prier.

Des centaines de petits bateaux de pêche, de lorchas, de ferry-boats, de radeaux, de jonques, de dhows se pressent à l'embouchure du port de Bombay, s'écartant au passage de la coque imposante du vapeur. Celui-ci ralentit l'allure, se faufile entre deux navires marchands plus petits. Les passagers débarquent et sur le quai des voitures appartenant à la compagnie maritime les transportent jusqu'à la gare de chemin de fer. Pas le temps de se

promener dans les rues, un employé en uniforme dit :
« Le train attend, votre vapeur a un jour de retard, il y a
eu beaucoup de vent. » Ils arrivent par l'arrière de la gare.
Edgar attend qu'on transfère ses bagages. Il surveille la
manœuvre de près : si ses outils se perdent, on ne pourra
pas les remplacer. Tout au bout du quai, là où se trouvent
les wagons de troisième classe, grouille une masse
compacte de corps. Une main le prend par le bras, le
hisse dans le train, lui montre sa couchette, et bientôt les
voilà repartis.

On longe le quai, Edgar Drake découvre des foules
comme il n'en a jamais vu, même dans les rues les plus
pauvres de Londres. Le train prend de la vitesse, traverse
des quartiers misérables construits le long de la voie ferrée, les enfants se dispersent au passage de la locomotive
qui les frôlent. Edgar presse son visage contre la vitre
pour regarder les habitations entassées, les façades écail-
lées tachées de moisissure, les balcons décorés de plantes
grimpantes, les rues grouillantes de monde, une foule qui
se bouscule pour regarder le train passer.

Le train roulait à toute allure à l'intérieur des terres.
Nasik, Bhusaval, Jubbulpore : les noms des villes devenaient de plus en plus exotiques et mélodieux, notait
Edgar. Ils traversèrent un vaste plateau où le soleil se leva
puis se coucha sans qu'ils aient repéré âme qui vive.

Parfois la locomotive ralentissait en grinçant pour s'arrêter dans une petite gare solitaire, battue par les vents.
Emergeant de l'ombre, des marchands ambulants se pré-
cipitaient vers le train, s'agrippant aux fenêtres, propul-
sant à l'intérieur des assiettes de viande au curry, dans
une odeur aigre de citron vert et de bétel, ou bien des
bijoux de pacotille, des éventails, des cartes postales
représentant des châteaux forts, des chameaux ou des
dieux hindous, ou encore des fruits et des confiseries
poussiéreuses, des sébiles de mendiants, des poteries
ébréchées remplies de pièces de monnaie crasseuses. Par
la fenêtre pénétraient les marchandises et le bruit des

voix : Achète, missieu, achète, tout pour toi, prends, prends — et le train repartait. Certains des marchands, de jeunes garçons pour la plupart, s'accrochaient au wagon en riant, jusqu'à ce qu'un policier les déloge avec son bâton. Certains s'obstinaient et ne sautaient qu'au dernier moment, quand le train prenait vraiment de la vitesse.

Une nuit, Edgar se réveilla au moment où le train faisait halte dans une petite gare plongée dans le noir, quelque part au sud d'Allahabad. Des corps s'entassaient entre les bâtiments qui longeaient la voie. Le quai était vide, à l'exception de quelques marchands ambulants qui passaient devant les fenêtres jeter un coup d'œil pour repérer les voyageurs réveillés. L'un après l'autre, ils s'arrêtèrent devant la fenêtre d'Edgar : Mangues, missieu, pour toi. Tu veux faire cirer tes chaussures, donne, donne-les par la fenêtre. Samosas, délicieuses, missieu. Pas gai comme endroit pour un cireur de chaussures, remarqua Edgar, et à ce moment-là un jeune homme s'approcha et s'arrêta. Sans rien dire, il attendit. Edgar finit par se sentir mal à l'aise sous ce regard insistant. Qu'est-ce que tu vends ? demanda-t-il. Je suis un wallah de poésie. Un wallah de poésie ? Oui, donnez-moi un anna, et je vous réciterai un poème. Quel poème ? N'importe lequel, je les connais tous, mais pour vous j'en ai un spécial, il est vieux, il vient de Birmanie, et on l'appelle là-bas « Le conte du voyage du *Leip-bya* », mais moi je l'appelle seulement « L'Esprit-du-papillon », c'est moi qui l'ai adapté. Un anna seulement. Comment savais-tu que j'allais en Birmanie ? Je le sais, parce que je sais où vont les histoires, mes poésies sont prophétiques. Tiens, prends un anna, dépêche-toi, le train démarre. Et c'était vrai, les roues commençaient à grincer. Raconte vite, dit Edgar, brusquement pris de panique. Ce n'est pas par hasard que tu as choisi mon compartiment. Le train prenait de la vitesse, les cheveux du garçon étaient soulevés par le vent. C'est l'histoire d'un rêve, cria-t-il, ce sont toutes des histoires de rêves.

Le train allait de plus en plus vite, et Edgar entendit d'autres voix. Dis donc, descends de là, resquilleur, descends, et Edgar voulait crier à son tour quand il aperçut par la fenêtre la forme d'un policier enturbanné qui courait lui aussi, il vit l'éclair du bâton, le garçon sauta et disparut dans la nuit.

Ils atteignirent une plaine couverte de forêts et leur itinéraire se rapprocha bientôt du cours du Gange, traversant la cité sacrée de Bénarès où, tandis que la plupart des voyageurs dormaient, des hommes se levaient à l'aube pour aller faire leurs ablutions et leurs prières dans l'eau du fleuve. Au bout de trois jours ils atteignirent Calcutta, et de nouveau les voyageurs durent emprunter des voitures qui se frayèrent un chemin à travers la foule pour les emmener jusqu'aux docks, où Edgar embarqua à bord d'un autre paquebot, plus petit celui-là, car les passagers à destination de Rangoon étaient moins nombreux.

Une fois de plus, les machines à vapeur se mirent à vrombir. Le bateau suivit le cours fangeux du Gange pour entrer dans le golfe du Bengale.

Des mouettes tournoyaient au-dessus du bateau. L'air était lourd et moite. Edgar enleva sa chemise et s'éventa avec son chapeau. Vers le sud, des nuages orageux se rassemblaient, en attente. Calcutta disparut bientôt à l'horizon. Les eaux brunes du Gange se noyèrent dans la mer, y tourbillonnant en spirales boueuses.

Edgar savait d'après ses documents de voyage qu'il ne leur restait que trois jours de route pour atteindre Rangoon. Il se remit à lire. Sa sacoche était bourrée de papiers remis par Katherine et, pour moitié, par le ministère de la Guerre. Il lut des instructions de l'armée, des articles découpés dans des journaux, des rapports de mission et des index géographiques. Il se pencha sur des cartes, il essaya d'apprendre quelques phrases de birman. Une enveloppe était libellée comme suit : « Pour monsieur l'accordeur, à n'ouvrir qu'à son arrivée à Mae Lwin, A.C. » Il avait été tenté de la décacheter dès son départ d'Angleterre, mais il avait résisté, par pur respect pour le médecin : Carroll avait sûrement de bonnes raisons de le faire attendre. Deux documents, plus importants, étaient des historiques de la Birmanie et du royaume Chan. Le premier, il l'avait lu dans son atelier à Londres, et il s'y replongeait périodiquement. Non sans mal, à cause de tous ces noms inconnus. Il se rappela que le second document lui avait été recommandé par Katherine, car rédigé par Anthony Carroll lui-même. Il s'étonna de ne pas y avoir repensé plus tôt et l'emporta pour le lire dans son lit. Dès les premières lignes, il mesura à quel point ce texte était différent des autres.

HISTOIRE GÉNÉRALE DES PEUPLES CHAN,
AVEC UNE ATTENTION TOUTE PARTICULIÈRE PORTÉE
À LA SITUATION POLITIQUE
DE LA RÉVOLTE DANS LES ÉTATS CHAN

Mémoire rédigé par le médecin-major Anthony Carroll
Mae Lwin, Etats Chan du Sud.

(Note du ministère de la Guerre : Veuillez tenir compte du fait que la situation est sujette à des changements rapides. Il est recommandé aux parties intéressées de se tenir au courant des mises à jour périodiques qu'on peut se procurer sur demande auprès du ministère.)

I. *Histoire du royaume Chan*

Si l'on demandait à un Birman de parler de la géographie de son pays, il commencerait peut-être par une description des *nga-hlyin*, les quatre géants qui vivent sous la terre. Malheureusement, les documents officiels ne font pas place à ce genre de subtilités. Il est cependant impossible de comprendre l'histoire du peuple Chan sans considérer brièvement la physionomie de la terre où ils vivent. Le territoire communément nommé « Etats Chan » consiste en un vaste plateau surplombant, à l'est, la vallée centrale poussiéreuse de l'Irrawaddy. C'est une grande plaine verdoyante qui s'étend au nord jusqu'à la frontière du Yunnan et à l'est jusqu'au Siam. Ce plateau est entaillé de fleuves puissants qui descendent vers le sud en se tordant la queue comme le dragon de l'Himalaya. Le plus grand de ces fleuves est la Salouen. L'importance de la géographie pour comprendre l'histoire de ce pays (et par conséquent la situation politique actuelle) tient à l'affinité qui lie les Chan aux autres races de ce plateau, ainsi que leur isolement par rapport aux Birmans des basses terres. Ici, il convient de distinguer la Birmanie en tant que royaume et gouvernement, et les Birmans en tant que groupe ethnique parmi tous ceux qui sont aujourd'hui inclus dans le pays. Tous les rois de Birmanie ne furent pas nécessairement des Birmans. Ils avaient des sujets qui ne l'étaient pas. Ainsi, parmi de nombreux autres, les Kachin, les Karen, les Chan qui, tous, à une époque, possédaient leur propre royaume au sein de ce qui constitue aujourd'hui la Birmanie. Même si ces tribus sont affaiblies par des divisions internes, elles supportent mal d'être dirigées par d'autres que des membres de leur propre ethnie. Comme il apparaîtra plus clairement dans la suite de ce rapport, la révolte des Chan contre l'Empire britannique trouve sa source dans un début de révolte contre un roi birman.

Les Chan, qui se désignent eux-mêmes comme Tai ou Thai, partagent un héritage historique commun avec leurs voisins orientaux, les Siamois, les Laotiens, les Yunnanais. Les Chan pensent que leur berceau ancestral est la Chine du Sud, et même si certains chercheurs mettent en doute cette origine, il est prouvé de mille façons que, à la fin du XIIe siècle, à l'époque des invasions mongoles, les Thai y avaient établi un certain nombre de royaumes. Parmi eux se trouvait le fameux royaume yunnanais de Xipsongbanna, dont le nom signifie le « royaume aux dix mille rizières », l'ancienne capitale siamoise de Sukhothai et — ce qui nous concerne plus directement ici — deux royaumes à l'intérieur des frontières actuelles de la Birmanie : celui de Tai Mao au nord, et celui d'Ava, près de la ville aujourd'hui nommée Mandalay. La puissance de ces royaumes était loin d'être négligeable ; les Chan ont régné sur la Birmanie pendant plus de trois siècles, depuis la chute de la grande capitale birmane de Pagan (dont on peut encore voir les vastes temples battus par les vents dressés, telles des sentinelles solitaires, sur les rives de l'Irrawaddy), au tournant du XIIIe siècle, jusqu'en 1555, date à laquelle l'État birman de Pegu éclipsa l'empire Chan d'Ava, inaugurant ainsi trois siècles de suprématie qui donnèrent naissance à l'actuel royaume de Birmanie.

A la suite de la chute du royaume d'Ava, en 1555, et de la destruction du royaume de Tai Mao par les envahisseurs chinois, en 1604, les Chan se sont morcelés en petites principautés, comme les débris d'un beau vase de porcelaine. Ce morcellement est aujourd'hui encore la caractéristique des Etats Chan. Malgré ces divisions, les Chan se sont montrés capables, à l'occasion, de se mobiliser contre leur ennemi commun, les Birmans : en particulier en 1564, lors d'une révolte populaire à Hanthawaddy, ou, plus récemment, en se soulevant à la suite de l'exécution d'un chef populaire à Hsenwi, dans le Nord. Ces événements ont beau apparaître comme lointains, il ne faut pas sous-estimer leur importance car, en temps de guerre, ces légendes gagnent comme une traînée de poudre sur une terre desséchée, elles surgissent dans la fumée des feux de camp où des enfants assemblés écoutent bouche bée les contes transmis par les aïeux.

Ce morcellement a eu pour conséquence le développement de structures politiques originales qu'il importe de prendre en compte car elles jouent un rôle non négligeable dans la situation actuelle. Les principautés Chan (autour de 1870, on en comptait quarante et une) représentaient le sommet de l'organisation politique dans un système de gouvernement local fortement hiérarchisé. Ces principautés, appelées *muang* par les Chan, étaient dirigées par un *sawbwa* (translittération birmane que j'utiliserai dorénavant). Chaque principauté était subdivisée en districts, en groupements de villages, en hameaux isolés, tous relevant en dernier ressort du *sawbwa*. Ce morcellement politique, entraînant de multiples guerres fratricides sur le plateau Chan, empêcha les Chan de réaliser l'union nécessaire pour rompre le joug de la domination birmane. C'est ici que l'analogie avec le vase brisé se confirme. Pas plus que des fragments de porcelaine ne sauraient contenir de l'eau, des fragments de gouvernements ne sauraient parvenir à contrôler une anarchie croissante. Le résultat, c'est que la campagne Chan est en grande partie infestée de bandes de dacoits (« brigands » en hindi), qui posent de sérieux problèmes à l'administration de cette région : à distinguer toutefois de la résistance organisée connue sous le nom de confédération de Limbin, qui fait l'objet de la suite de ce rapport.

91

II. *La confédération de Limbin, Twet Nga Lu, et la situation actuelle*

L'année 1880 vit naître un mouvement organisé d'opposition au gouvernement birman, mouvement encore actif aujourd'hui. (Ne pas oublier qu'à l'époque, l'Angleterre ne contrôlait que la basse Birmanie. La haute Birmanie et Mandalay étaient encore sous la domination du roi birman.) Cette année-là, les *sawbwa* des Etats de Mongnai, Lawksawk, Mongpawn et Mongnawng refusèrent de se présenter devant le roi birman Thibaw pour faire comme chaque nouvel an acte d'allégeance. Une colonne armée envoyée par Thibaw ne parvint pas à s'emparer des *sawbwa* rebelles. En 1882, ce défi prit des formes violentes. Le *sawbwa* de Kengtung attaqua et tua le résident birman de Kengtung. Inspirés par sa hardiesse, le *sawbwa* de Mongnai et ses alliés s'insurgèrent ouvertement. En novembre 1883, ils attaquèrent la garnison birmane de Mongnai, tuant quatre cents hommes. Mais leur succès fut de courte durée. Les Birmans contre-attaquèrent, forçant les chefs Chan rebelles à s'enfuir jusqu'à Kengtung, de l'autre côté de la Salouen, dont les gorges escarpées et la jungle dense leur servirent de refuge contre d'autres poursuites.

Même si la révolte était dirigée contre le gouvernement birman, le but de la résistance n'était pas d'obtenir l'indépendance des Chan, c'est là un fait historique souvent mal compris. De fait, les *sawbwa* Chan reconnaissaient qu'en l'absence d'un pouvoir central fort, les Etats Chan seraient toujours en proie à la guerre. Leur but principal était de renverser Thibaw et de mettre sur le trône un suzerain qui révoquerait la taxe *thathameda*, impôt foncier qu'ils jugeaient injuste. Ils choisirent pour candidat un Birman connu sous le nom de prince Limbin, membre privé de ses droits de succession de la maison Alaungpaya, la dynastie régnante. C'est cette révolte qu'on a appelée la confédération de Limbin. En décembre 1885, le prince Limbin arriva à Kengtung. Même si le mouvement porte son nom, tout porte à croire qu'il n'est qu'un prête-nom, et que le véritable pouvoir est détenu par les *sawbwa* Chan.

Au même moment, tandis que le prince Limbin se frayait un chemin jusque sur les hauts plateaux, la guerre avait repris entre la haute Birmanie et l'Angleterre — troisième et dernière guerre anglo-birmane. La défaite infligée aux Birmans par nos forces à Mandalay fut effective deux semaines avant l'arrivée à Kengtung du prince Limbin ; mais, à cause de l'étendue et de l'inaccessibilité du territoire séparant Mandalay de Kengtung, la confédération n'en eut vent qu'à la mi-décembre. Alors que nous avions espéré qu'elle renoncerait à toute résistance pour se soumettre à notre gouvernement, elle modifia ses objectifs et déclara la guerre à la Couronne britannique au nom de l'indépendance Chan.

Il paraît que la nature a horreur du vide ; on peut en dire autant de la politique. Le repli sur Kengtung de la confédération de Limbin en 1883 avait laissé des trônes vacants dans de nombreux et puissants *muang* Chan, trônes qui furent rapidement occupés par des chefs militaires locaux. Parmi ces usurpateurs, l'un, notoire, était un guerrier du nom de Twet Nga Lu, qui devint le maître *de facto* de Mongnai. Natif de Kengtawng (à ne pas confondre avec Kengtung — parfois on se demande si ces Chan n'ont pas choisi les noms de leurs villes exprès pour que les Anglais s'y perdent), subdivision de Mongnai, Twet Nga Lu était un moine défroqué devenu brigand, réputé dans toute la région pour sa férocité qui lui avait valu le surnom de « Chef des brigands ». Avant le repli sur Kengtung du *sawbwa* de Mongnai, Twet Nga Lu avait fait dans cette ville plusieurs incursions, la plupart infructueuses. Twet Nga Lu changea donc son fusil d'épaule et finit par obtenir le pouvoir en épousant la veuve du frère du *sawbwa*. Quand le *sawbwa* s'enfuit pour Kengtung, Twet Nga Lu, avec le soutien de l'administration birmane, s'empara pour de bon de Mongnai.

Twet Nga Lu, ainsi que d'autres usurpateurs, régna jusqu'au début de cette année 1886, date à laquelle les forces de Limbin lancèrent une grande offensive et regagnèrent la plus grande partie du terrain perdu. Twet Nga Lu s'enfuit pour rejoindre sa ville natale, d'où il poursuit aujourd'hui encore une campagne de violence, laissant derrière lui et son armée nombre de villages incendiés. La guerre de partisans entre le *sawbwa* de Mongnai et lui représente un des plus grands obstacles à l'instauration de la paix. Le *sawbwa* est respecté par ses sujets. De son côté Twet Nga Lu n'est pas seulement réputé pour sa férocité, mais également pour sa maîtrise des tatouages et des charmes. On dit que dans sa chair sont implantées des centaines d'amulettes qui le rendent invincible. Raison pour laquelle il est craint et vénéré. (Note : Ces charmes sont un aspect important, à la fois de la culture birmane et de la culture Chan. Il peut s'agir aussi bien de coquillages que de statuettes du Bouddha qu'on place sous la peau grâce à une incision superficielle. On trouve une variante particulièrement choquante de cette pratique chez les pêcheurs. On implante sous la peau de leurs parties génitales des cailloux et des clochettes, pour des raisons qui demeurent inconnues à l'auteur de ce mémoire.)

Au moment où nous rédigeons ceci, la confédération de Limbin ne cesse de gagner en influence et Twet Nga Lu est toujours en activité, semant la terreur sur son passage, comme en témoignent les cendres fumantes des villages incendiés et les cadavres des villageois massacrés. Tous les efforts de négociation se sont révélés vains. De mon poste de commandement au fort de Mae Lwin, je n'ai pas eu la possibilité d'établir le contact avec la confédération de Limbin et mes efforts pour entrer en contact avec Twet Nga Lu ont également échoué. Peu d'Anglais ont pu constater *de visu* son existence ; on est allé jusqu'à se demander si cet homme existait réellement ou s'il ne s'agissait pas d'une légende qui regrouperait la somme des actes de terreur commis par des centaines de dacoits indépendants les uns des autres. Il n'empêche qu'une forte récompense a été promise à qui capturerait le Chef des bandits, mort ou vif, et cette entreprise fait partie des efforts déployés pour instaurer la paix sur le plateau Chan.

Edgar lut le rapport d'une traite. S'y ajoutaient de brèves notes de Carroll, toutes de même nature, des digressions ayant trait à l'ethnographie ou à l'histoire naturelle. Sur la première page de l'une d'elles — un aperçu des routes commerciales —, le médecin avait griffonné : « A inclure pour donner à l'accordeur le sens de la géographie du pays. » A l'intérieur se trouvaient deux appendices, l'un concernant l'accessibilité aux pièces d'artillerie de certaines pistes de montagne, l'autre étant une liste des plantes comestibles « au cas où des voyageurs se trouveraient perdus sans nourriture », avec des croquis anatomiques des fleurs et le nom de chaque plante dans cinq langues tribales différentes.

Le contraste était flagrant entre les rapports du médecin et les documents militaires qu'Edgar avait lus, et celui-ci se demandait si là se trouvait, au moins en partie, l'explication de l'hostilité de l'armée à l'encontre de Carroll. La plupart des officiers, il le savait, étaient issus de la petite noblesse, ils avaient fréquenté les meilleures écoles. Edgar se figurait bien leur antipathie pour un homme tel que le médecin, issu d'un milieu plus modeste, mais qui paraissait infiniment plus cultivé qu'eux. C'est peut-être aussi la raison pour laquelle il me plaît déjà, se disait l'accordeur. Car Edgar, sa scolarité finie, était parti de chez lui pour aller vivre et travailler chez un accordeur londonien, un vieil excentrique convaincu qu'un bon accordeur ne doit pas seulement connaître son instrument, mais également « la physique, la philosophie et la poétique ». Si bien qu'Edgar, n'ayant pourtant jamais été à l'université, se retrouva à vingt ans plus instruit que nombre d'étudiants.

Il y avait d'autres ressemblances entre les deux hommes. De maintes façons, se disait Edgar, nos métiers sont identiques, avec ceci de particulier qu'ils transcendent les barrières de classe : tout le monde tombe malade ; quant aux pianos à queue, ils se désaccordent tout autant que les pianos de bastringue. Edgar se demandait comment le médecin s'en accommodait, car il savait depuis son plus jeune âge qu'on peut avoir besoin de vous sans pour autant vous accepter. Lui-même se rendait souvent chez des clients de la haute bourgeoisie, propriétaires de pianos luxueux, qui souhaitaient s'entretenir de musique avec lui, et pourtant Edgar ne se sentait jamais de leur monde. Ce sentiment d'isolement, il l'éprouvait aussi dans l'autre sens, lorsqu'il fréquentait des charpentiers, des ferronniers ou des menuisiers, comme il avait l'occasion d'en rencontrer dans l'exercice de sa profession. Peu après leur mariage, un jour qu'ils se promenaient sur les bords de la Tamise, il avait parlé à Katherine de ce sentiment de n'appartenir à aucun milieu. Elle s'était contentée de rire et elle l'avait embrassé, les joues rougies par le froid, les lèvres tièdes et humides. Il se souvenait de la scène presque aussi clairement que de ses paroles : Peu importe à quoi tu te sens appartenir ou pas, Edgar, ce qui compte pour moi, c'est que tu es à moi. En fait, il éprouvait de l'amitié pour les êtres avec qui il partageait des intérêts communs. Et, tandis que le bateau se rapprochait de Rangoon, c'était ce qu'il ressentait déjà vis-à-vis du médecin.

Quel dommage que le Dr Carroll n'ait rien dit du piano, pensait-il, parce que c'est lui, ce piano, le héros de toute l'affaire. Qu'on n'en parle pas est une omission manifeste. Une idée soudain l'amusa : Carroll a fait lire à l'armée ses histoires naturelles, ce ne serait que justice de forcer les militaires à se documenter aussi sur le piano. Illuminé par la conviction de plus en plus forte d'avoir une mission à partager avec le médecin, il se leva, prit un encrier, une plume et du papier, alluma une chandelle neuve car la précédente tirait à sa fin, et se mit à écrire.

Messieurs,

Je vous écris du bateau qui nous emmène à Rangoon. Nous en sommes au quatorzième jour du voyage, et j'ai pris grand plaisir à observer les paysages que nous avons rencontrés ainsi qu'à lire la documentation très instructive que m'ont fait parvenir vos services. Il m'est néanmoins apparu qu'aucune information ne figurait concernant l'objectif principal de notre entreprise, à savoir le piano lui-même. C'est pourquoi, afin de servir l'histoire et d'éclairer sur ce point les responsables du ministère de la Guerre, je me fais un devoir de rédiger moi-même cet aperçu. N'hésitez pas à le faire lire autour de vous. Je suis à votre entière disposition pour toute information supplémentaire que vous pourriez désirer.

Histoire du piano Erard

Pour raconter l'histoire du piano Erard, il y a deux façons de procéder ; commencer par l'histoire de l'instrument lui-même, ou par celle de Sébastien Erard. La première serait longue et compliquée, passionnante certes, mais je ne m'en crois pas capable, car je suis un accordeur qui s'intéresse à l'histoire, pas un historien qui s'intéresse au métier d'accordeur. Il me suffira de dire que le piano, après avoir été inventé au XVIIᵉ siècle par Cristofori, connut de grandes transformations, et que le piano Erard, dont je vais parler ici, doit beaucoup, comme tous les pianos modernes, à cette formidable tradition.

Sébastien Erard, originaire de Strasbourg, Allemand de naissance, vint à Paris en 1768, à l'âge de seize ans, et fit son apprentissage chez un facteur de clavecins. Le jeune homme, disons-le, était un prodige et il quitta bientôt son maître pour ouvrir son propre atelier. Les autres artisans parisiens se sentirent si menacés par son extraordinaire talent qu'ils lancèrent une campagne pour le forcer à fermer boutique après qu'il eut conçu le *clavecin mécanique*, un clavecin à registres multiples, muni de plectres en plume d'oie et cuir de vache fonctionnant grâce à un ingénieux système de pédale auquel personne n'avait jamais pensé. Malgré ce boycott, le système était si remarquable que la duchesse de Villeroi accorda au jeune Erard sa protection. Erard se mit à fabriquer des pianoforte, et les nobles amis de la duchesse à les lui acheter. Cette fois, il provoqua la colère des importateurs qui voyaient d'un mauvais œil la concurrence faite à leurs pianos anglais. Une tentative de saccager sa maison fut réprimée par les soldats de Louis XVI en personne. Erard avait acquis une telle réputation que le roi lui accorda officiellement une licence.

Malgré cette protection royale, Erard se tourna vers l'étranger et, vers 1785, se rendit à Londres où il ouvrit un autre atelier dans Great Marlborough Street. C'est là qu'il se trouvait lors de la prise de la Bastille, le 14 juillet 1789, et au moment des grands bouleversements de la Terreur qui secouèrent la France trois ans plus tard. Je suis sûr que vous connaissez ces épisodes. Des milliers de nobles et de bourgeois s'enfuirent du pays ou furent menés à la guillotine. Mais ce qu'on ne sait pas toujours, c'est que ceux qui s'enfuirent ou furent exécutés laissaient derrière eux des milliers d'œuvres d'art, y compris des instruments de musique. Quoi qu'on puisse penser du goût des Français en matière d'art, force est de constater qu'au cœur même de la Révolution, tandis qu'on coupait la tête des savants et des musiciens, il y eut quelqu'un pour décider qu'il fallait protéger la musique. Une commission des Arts, temporaire, fut créée et Antonio Bartolomeo Bruni, médiocre violoniste de la Comédie-Italienne, fut nommé directeur de l'Inventaire. Pendant quatorze mois, il rassembla les instruments des condamnés. Des trois cents instruments ainsi confisqués, chacun a son histoire tragique. Antoine de Lavoisier, le grand chimiste, fut exécuté par la Terreur qui s'appropria son piano à queue Zimmermann de fabrication française. D'innombrables pianos dont on joue encore aujourd'hui connurent des sorts comparables. Sur le nombre, soixante-quatre étaient des pianoforte. Parmi les français, la plupart étaient des Erard, douze pour être précis. Qu'elle soit due aux préférences de Bruni ou à celles des victimes, cette sinistre distinction contribua à établir définitivement la réputation d'Erard comme le tout premier des facteurs de piano. On remarquera que ni Sébastien ni son frère Jean-Baptiste qui, lui, était resté à Paris, ne furent inquiétés par la Terreur, malgré la protection royale dont ils avaient joui. On sait où se trouvent aujourd'hui onze des douze pianoforte confisqués, et j'ai accordé tous ceux qui se trouvent actuellement en Angleterre.

A présent, Sébastien Erard est décédé, cela va sans dire, mais sa manufacture existe encore à Londres. La suite de l'histoire, c'est celle d'un accomplissement technique incomparable. Si vous ne comprenez pas tous les détails mécaniques, vous pouvez du moins les apprécier, tout comme je peux apprécier le fonctionnement de vos canons sans connaître la nature chimique des gaz qui déclenchent la mise à feu. Les innovations d'Erard ont révolutionné la construction des pianos. Le double échappement, le mécanisme à étrier qui permet d'attacher les marteaux individuellement et non plus par groupes de six comme dans les pianos Broadwood, l'agrafe et la barre harmonique, tout cela, nous le devons à Erard. Napoléon jouait sur un Erard. Erard fit cadeau à Haydn d'un piano à queue. Beethoven joua sur un Erard pendant sept ans.

J'espère que ces informations seront utiles à votre personnel pour lui permettre de mieux apprécier la valeur du magnifique instrument qui se trouve actuellement aux lointaines frontières de notre empire. Un tel objet mérite tout notre respect et notre attention. En outre, il convient d'en prendre soin comme on protégerait une œuvre d'art dans un musée. Cet instrument de grande qualité mérite les services d'un accordeur et on peut espérer que ce sera la première étape des soins portés, dans l'avenir, à sa protection.

Votre humble serviteur,

Edgar Drake
Accordeur et harmoniseur de piano
Spécialiste des pianos Erard.

Quand il eut fini, il resta devant sa lettre, tortillant sa plume dans ses doigts. Après réflexion, il barra « d'en prendre soin » et écrivit au-dessus « de prendre sa défense ». Après tout, il s'adressait à des militaires. Il plia la feuille dans une enveloppe qu'il mit dans sa sacoche pour la poster à Rangoon, et finit par sentir le sommeil le gagner.

J'espère qu'ils liront ma lettre, se dit-il, et il souriait tout seul en s'endormant. Bien sûr, à cet instant, il ne pouvait se douter que sa lettre serait lue et relue, examinée, envoyée à des cryptographes, brandie à la lumière et même regardée à la loupe. Car lorsqu'un homme disparaît, on s'accroche au moindre indice qu'il a pu laisser derrière lui.

6

Un matin, trois jours après avoir quitté Calcutta, ils aperçurent la terre : un phare perché en haut d'une tour de pierre rouge. « Le récif d'Alguada, déclarait à côté d'Edgar un vieil Ecossais à un autre passager. Un endroit périlleux, un véritable cimetière de bateaux. » D'après ses cartes, Edgar savait qu'ils n'étaient plus qu'à vingt milles au sud du cap Negrais, tout près d'atteindre Rangoon.

A peine une heure plus tard, le bateau passa devant les bouées qui marquaient les bas-fonds sablonneux à l'embouchure de la rivière Rangoon, l'une des centaines qui viennent se jeter dans le delta de l'Irrawaddy. Ils passèrent devant plusieurs bateaux qui mouillaient là ; le vieil Ecossais expliqua que c'étaient des navires de commerce désireux d'échapper aux taxes portuaires. Le vapeur s'engagea vers le nord, les bancs de sable s'élevèrent au-dessus de la ligne côtière pour former un rivage boisé. Là le chenal était plus profond, mais il avait encore quelque trois kilomètres et demi de large, et si les grands obélisques rouges n'avaient pas signalé chaque côté de l'embouchure, on n'aurait pas su qu'on était entré dans les terres.

Ils remontèrent la rivière pendant plusieurs heures. Les terres qu'ils longeaient étaient basses, d'aspect monotone. Edgar fut soudain ému lorsqu'ils passèrent devant une série de petites pagodes dont la surface blanchie à la chaux s'écaillait. Plus loin apparurent des cahutes entassées au bord de l'eau, des enfants jouaient là. Le fleuve rétrécit, on put mieux distinguer les deux berges, les bords sablonneux couverts d'une végétation de plus en plus abondante. Le bateau avançait de façon tortueuse, gêné dans sa progression par les bancs de sable et les coudes abrupts de la rivière. Finalement, passé un de ces coudes, on aperçut au loin des embarcations. Il y eut un murmure général sur le pont, et plusieurs passagers descendirent dans leurs cabines.

« On est arrivés ? demanda Edgar au vieil Ecossais.

— Oui, bientôt. Regardez là-bas. » L'homme leva le bras et montra une pagode surmontant une colline. « C'est la pagode de Shwedagon. Vous en avez sûrement entendu parler. »

Edgar fit signe que oui. Il avait entendu parler de cette pagode et de ses splendeurs avant même qu'on lui confie sa mission, grâce à un article de magazine écrit par la femme d'un juge de Rangoon. Ses descriptions regorgeaient d'adjectifs tels que doré, scintillant, étincelant. Il avait parcouru l'article, se demandant s'il serait question d'un orgue, ou de ce qui en représentait l'équivalent pour les bouddhistes, car un tel sanctuaire, pensait-il, ne saurait se passer de musique. Mais il n'était question que de « bijoux en or étincelants », et des « coutumes singulières des Birmans ». Edgar avait interrompu sa lecture, et oublié l'article jusqu'à cet instant. De loin, le temple ressemblait à un joujou clinquant.

Le vapeur ralentit. Les habitations qui pointaient à travers la végétation ponctuaient le rivage de plus en plus régulièrement. Edgar s'étonna de voir des éléphants occupés à transporter du bois. Sous la conduite d'un guide assis près de leur cou, ils hissaient des troncs énormes hors de l'eau pour les entasser sur la berge. Edgar observait, incrédule, la force de ces animaux qui soulevaient les pièces de bois comme si elles ne pesaient rien. Lorsque le bateau s'approcha de la berge, on les vit de plus près : ils lançaient des éclaboussures autour d'eux et de l'eau brunâtre ruisselait sur leurs flancs.

Les bateaux croisés sur la rivière, de plus en plus nombreux, manœuvraient dans tous les sens — vapeurs à double pont, vieux bateaux de pêche peints avec des inscriptions pleines de boucles en birman, petites barques à rames ou à voiles, yoles à peine assez grandes pour un seul homme. Et d'autres encore aux formes et aux voilures inconnues. Près du rivage, un étrange vaisseau les dépassa, muni d'une grande voile flottant au vent qui en surmontait deux petites.

Ils se rapprochaient des docks, où se dressait une série de bâtiments administratifs de style européen, avec d'imposantes façades en brique et des colonnes polies.

Le vapeur s'approcha d'un appontement couvert rattaché à la berge par une longue plate-forme relevable. Sur les planches attendait une foule de porteurs. Le vapeur semblait hésiter, machines renversées pour ralentir sa vitesse. L'un des membres de l'équipage lança un cordage sur le quai, où quelqu'un l'attrapa et l'attacha à deux bittes d'amarrage. Les porteurs, vêtus seulement d'un pagne enroulé autour de la taille et passé entre les jambes, s'agitèrent pour ajuster une planche qui, du dock, vint s'abattre à grand bruit sur le pont. Ils l'empruntèrent pour aider les passagers à transporter leurs bagages. Edgar se tenait à l'ombre de la marquise, observant les porteurs. De petite taille, des serviettes nouées sur leur tête pour se protéger du soleil, ils arboraient des tatouages qui leur barraient le torse, réapparaissaient sur les cuisses et venaient s'enrouler au-dessus du genou.

La plupart des autres passagers se tenaient sur le pont, bavardant entre eux, montrant parfois du doigt les bâtiments officiels pour accompagner leurs commentaires. Edgar revint aux porteurs en plein travail. La forme de leurs tatouages changeait lorsque leurs bras musclés se tendaient sous le poids des valises en cuir et des malles. A terre, sous l'ombre des arbres, une foule stationnait près de la pile de bagages qui s'entassaient. Plus loin, Edgar aperçut les uniformes kaki des soldats anglais, près de l'entrée du port. A l'arrière-plan, cachées par une rangée de larges figuiers banians bordant le rivage, on apercevait dans l'ombre des formes qui bougeaient vaguement.

Quand les porteurs tatoués eurent fini de décharger les bagages, les passagers descendirent par la passerelle pour rejoindre les voitures qui les attendaient, les femmes protégées par des parasols, les hommes par des hauts-de-forme ou des casques coloniaux. Edgar suivit le vieil Ecossais à qui il avait parlé le matin, surveillant jusqu'à terre son équilibre sur la passerelle branlante. Ses instructions disaient qu'on viendrait l'attendre au port, sans plus. Il eut un bref sursaut de panique. Peut-être ne sait-on pas que je suis arrivé...

Derrière les gardes, les ombres se mouvaient comme un animal qui s'éveille. Edgar transpirait abondamment et sortit un mouchoir pour s'éponger le front.

« Monsieur Drake ! » s'écria quelqu'un dans la foule. Edgar chercha d'où provenait la voix. Au milieu d'un groupe de militaires, il vit un bras levé. « Par ici, monsieur Drake. »

Edgar se fraya un chemin au milieu de la foule des passagers et des domestiques qui s'affairaient autour des bagages. Un jeune militaire s'avança et lui tendit la main. « Bienvenue à Rangoon, monsieur Drake. Je suis content que vous m'ayez vu, je n'aurais pas su comment vous reconnaître. Capitaine Dalton, régiment du Herefordshire.

— Ravi de vous connaître. La famille de ma mère est de Hereford. »

Le capitaine eut un large sourire. « Ça, par exemple ! » Jeune, le teint hâlé, les épaules carrées, il avait des cheveux blonds séparés par une raie de côté.

« Oui, comme vous dites », acquiesça l'accordeur, et il attendit que le jeune militaire ajoute quelque chose. Mais celui-ci se contenta de rire, peut-être moins de la coïncidence que du fait qu'il venait d'être promu capitaine et qu'il était fier d'annoncer son rang. Edgar lui sourit à son tour, car le voyage, au bout de huit mille kilomètres, semblait soudain l'avoir ramené chez lui.

« Vous avez fait bon voyage ?

— Très bon, merci.

— Je vous demanderai de bien vouloir patienter quelques instants. Nous avons d'autres bagages à emporter au quartier général. »

Quand tout fut rassemblé, l'un des militaires appela les porteurs qui chargèrent les bagages sur leurs épaules. Ils passèrent devant les gardes de l'entrée et se retrouvèrent dans la rue où attendaient les voitures.

Edgar devait plus tard écrire à Katherine que, dans les quinze pas qui le séparaient des véhicules, la Birmanie lui était apparue comme derrière un rideau de scène qui se lève. Tandis qu'il avançait dans la foule, des mains bataillaient pour tendre des paniers de nourriture. Des femmes le dévisageaient, le visage peint en blanc, leurs poings fermés serrant des guirlandes de fleurs. A ses pieds, un mendiant se pressa contre sa jambe, un garçon à l'air pitoyable, couvert de cicatrices et de plaies purulentes. Edgar se dégagea, et trébucha contre un groupe d'hommes qui transportaient des cageots d'épices suspendus à de longues perches. Devant lui, les militaires ouvraient le chemin et, s'il n'y avait pas eu les branches géantes des figuiers banians, on aurait pu voir des fenêtres des immeubles de bureaux se profiler au milieu de la mosaïque bariolée une rangée de couleur kaki, et un homme seul qui suivait lentement, comme perdu. Cet homme se retourna en entendant quelqu'un tousser, vit un vendeur de bétel cracher à ses pieds et se demanda s'il y avait là une menace ou juste une façon d'attirer l'attention. Il entendit alors l'un des militaires dire : « Après vous, monsieur Drake », car ils venaient d'arriver à leur voiture. Le rideau qui s'était brièvement ouvert se referma lorsqu'il plongea, tête en avant, pour s'asseoir à l'intérieur. La rue sembla aussitôt mise à distance.

Trois des militaires suivirent, s'installant en face et à côté de lui. Il y eut un remue-ménage sur le toit cependant qu'on chargeait les bagages. Le conducteur monta sur son siège, Edgar entendit des cris et un claquement de fouet. La voiture s'ébranla.

Il était assis dans le sens de la marche, mais la position de la fenêtre lui permettait difficilement de voir au-dehors. Les images défilaient comme dans un livre qu'on feuillette, chacune dans son cadre, surprenante. Le capitaine lui faisait face, souriant toujours.

Après avoir avancé au ralenti dans la foule, ils prirent de la vitesse lorsque les marchands ambulants se firent plus rares. Ils passèrent devant une succession de bâtiments officiels, où des Anglais à moustaches, en costume foncé, bavardaient, tandis que deux sikhs se tenaient à trois pas derrière eux. La route était macadamisée, on y roulait sans heurt. Ils tournèrent dans une petite rue transversale. Les larges façades laissèrent place à des maisons plus petites, toujours de style européen, avec des terrasses où languissaient des plantes tropicales et des murs couverts de cette patine brunâtre plus ou moins moisie qu'Edgar avait vue sur tant de maisons en Inde. Ils passèrent devant une échoppe bondée où se serraient des dizaines de jeunes hommes assis sur des tabourets devant des tables basses couvertes de vaisselle et d'aliments frits. La fumée âcre de l'huile de friture se répandit dans la voiture, piquant les yeux. Edgar cligna les paupières et le restaurant de rue disparut, faisant place à une femme qui transportait des paniers suspendus à une longue tige de bambou. Elle se pressait contre la voiture, jetant des regards curieux à l'intérieur par-dessous le bord de son grand chapeau de paille. Comme certaines des marchandes ambulantes du bord de la rivière, elle avait des cercles blancs peints sur la figure, telles des lunes sur sa peau foncée.

Edgar se tourna vers le capitaine. « Qu'est-ce qu'elle a sur le visage ?

— La peinture ?

— Oui. J'ai vu la même chose sur certaines femmes du port. Mais des motifs différents. Bizarre...

— On appelle ça *thanaka*. C'est fait avec du bois de santal moulu. Presque toutes les femmes en ont, et pas mal d'hommes. On en couvre aussi les bébés.

— Pour quelle raison ?

— Ça protège du soleil, paraît-il, et ça fait joli. Nous, nous appelons ça le "maquillage birman". Pourquoi les Anglaises se maquillent-elles ? »

À ce moment-là, la voiture s'arrêta dans un sursaut. Dehors, on entendit des voix s'élever.

« Nous sommes arrivés ?

— Non, c'est encore loin. Je ne sais pas pourquoi on s'est arrêtés. Attendez que je jette un coup d'œil. » Le capitaine ouvrit la portière et se pencha au-dehors. Puis il reprit sa place.

« Qu'est-ce qui se passe ?

— Un accident. Voyez vous-même. C'est toujours le problème quand on emprunte des petites rues. Mais aujourd'hui on repave la route de la pagode Sule, alors on était obligés de passer par là. Ça risque de prendre plusieurs minutes. Vous pouvez sortir voir ce qui se passe, si vous voulez. »

Edgar passa la tête par la fenêtre. Devant eux gisait une bicyclette, au milieu d'un tas de lentilles vertes qui s'étaient répandues de deux paniers renversés. Un homme, apparemment l'homme à la bicyclette, soignait un genou sanguinolent tandis que le wallah de lentilles, un Indien maigre vêtu de blanc, essayait de sauver à tout prix les quelques graines qui n'étaient pas trempées par la boue de la rue. Aucun des deux hommes n'avait l'air particulièrement en colère. Une grande foule s'était ras-semblée, ostensiblement pour aider, mais surtout pour regarder la scène. Edgar descendit de la voiture.

La rue était étroite, bordée d'une ligne continue de maisons. Devant chacune d'elles, quelques marches raides menaient à un palier étroit débordant pour l'heure de spectateurs. Les hommes portaient des turbans noués lâchement et un pagne. Les turbans différaient de ceux des soldats sikhs. Se rappelant un récit de voyageur sur la

Birmanie, Edgar se dit qu'il devait s'agir de *gaung-baungs* et que les pagnes étaient des *pasos*. Il se rappela que les jupes des femmes portaient un nom différent, *hta main*, des syllabes étranges qu'il fallait aspirer ou souffler pour les prononcer. Toutes les femmes portaient des peintures de bois de santal, dont certaines représentaient de fines rayures parallèles couvrant les joues, d'autres des cercles, comme ceux qu'ils avaient déjà vus, d'autres encore des spirales autour d'une ligne soulignant l'arête du nez. Avec ce maquillage, les femmes les plus brunes de peau prenaient l'air de fantômes. Edgar remarqua que certaines arboraient aussi un rouge à lèvres donnant au *thanaka* un aspect burlesque. Il y avait là quelque chose de troublant qu'il n'aurait pas su définir. Une fois la première surprise passée, il fallait reconnaître — ce qu'il exprima dans sa lettre suivante à Katherine — que le résultat ne manquait pas de charme. Cela ne conviendrait peut-être pas au teint d'une Anglaise, mais c'était beau, de ce genre de beauté, insistait-il, *qu'on trouve aux œuvres d'art*. Qu'on ne se méprenne pas.

Il suivait des yeux les façades des maisons, levant le regard jusqu'aux balcons drapés de fougères et de fleurs, tous occupés par des spectateurs, en majorité des enfants dont les bras maigres s'enroulaient dans les balustrades de fer forgé. Plusieurs l'interpellèrent et lui firent des signes en riant tout haut. Edgar les salua à son tour.

Sur la route, le cycliste avait remis sa machine sur pied et en redressait le guidon, cependant que le wallah, qui avait renoncé à récupérer les lentilles, s'était mis en tête de réparer l'un des paniers au milieu de la route. Le conducteur lui cria quelque chose, la foule se mit à rire. Le wallah s'empressa de se ranger sur le bord de la route. Edgar fit un dernier salut aux enfants et rentra dans la voiture. Bientôt, la rue étroite déboucha sur une route plus large qui faisait le tour d'une grande pagode dorée ornée de coupoles dorées elles aussi. Le capitaine annonça : « la pagode Sule ». Ils passèrent ensuite devant une église, puis une mosquée avec ses minarets ; à l'hôtel de ville, ils tombèrent sur un autre marché installé sur une esplanade. Une statue de Mercure, le dieu des marchands, que les Anglais avaient érigée comme symbole de leur commerce, se contentait de veiller sur les marchands ambulants.

La voie s'élargit, la voiture prit de la vitesse. Bientôt les images défilèrent trop vite pour qu'on puisse les enregistrer.

Ils roulèrent pendant une demi-heure puis s'arrêtèrent sur une route pavée devant une maison de deux étages. Courbant la tête, les militaires descendirent un à un de la voiture, tandis que les porteurs grimpaient sur le toit pour dégager les valises. Une fois dehors, Edgar respira largement. Malgré l'intensité du soleil qui pourtant commençait à baisser, l'air était frais en comparaison de l'atmosphère confinée du véhicule.

Le capitaine accompagna Edgar jusqu'à la maison. A l'entrée, ils passèrent devant deux gardes au visage de marbre, épée au côté. Le capitaine disparut dans la galerie et revint avec une pile de papiers.

« Monsieur Drake, je dois vous dire qu'il y a plusieurs changements dans nos plans. A l'origine, nous avions l'intention de vous faire rencontrer ici, à Rangoon, le capitaine Nash-Burnham, de Mandalay, qui connaît bien les projets du Dr Carroll. Nash-Burnham était ici pas plus tard qu'hier pour une réunion concernant les moyens de contrôler les dacoits dans les Etats Chan ; mais malheureusement, le bateau que vous deviez prendre pour remonter le fleuve est en réparation, et lui-même avait hâte de rentrer à Mandalay. Il a donc pris un bateau qui partait immédiatement. » Dalton s'arrêta un instant pour compulser les papiers. « Ne vous inquiétez pas. Vous aurez tout le temps voulu à Mandalay pour recevoir vos instructions. Mais votre départ, j'en suis navré, se trouvera retardé, car le premier vapeur sur lequel nous ayons pu vous trouver une couchette est un bateau de l'Irrawaddy

Flotilla Company, qui part à la fin de la semaine. J'espère que cela ne vous ennuie pas trop ?

— Non, non, ce n'est pas un problème. Je serai content de disposer de quelques jours pour me promener.

— C'est vrai. En fait, je comptais moi-même vous inviter à nous accompagner demain pour une partie de chasse au tigre. J'en ai touché un mot au capitaine Nash-Burnham qui a trouvé l'idée très bonne, à la fois pour vous distraire et vous permettre de vous familiariser avec le paysage. »

Edgar protesta : « Mais je n'ai jamais chassé.

— Aucune importance. Vous verrez, c'est toujours amusant. Vous devez être fatigué, j'imagine. Je viendrai vous rechercher plus tard dans la soirée.

— Y a-t-il autre chose de prévu dans l'immédiat ?

— Rien pour cet après-midi. Le capitaine Nash-Burnham, je le répète, est désolé de ne pas vous tenir compagnie. Je vous suggère de vous reposer dans votre chambre. Le porteur va vous montrer le chemin. » Il fit signe à un Indien posté à proximité.

Edgar remercia le capitaine et suivit le porteur. Chargés des bagages, ils marchèrent jusqu'au bout du chemin, qui débouchait sur une rue plus large. Ils croisèrent un groupe de jeunes moines vêtus de robes couleur safran. Le porteur ne leur prêta pas attention.

« D'où viennent-ils ? demanda Edgar, saisi par la beauté chatoyante de leur vêtement.

— Qui donc ?

— Les moines. »

Le porteur se retourna et indiqua une direction. « De la Shwedagon, naturellement. Par ici, tous ceux qui ne sont pas militaires sont venus voir la Shwedagon. »

Ils se trouvaient au bas d'une côte bordée de dizaines de petites pagodes, qui se succédaient jusqu'à la pyramide en or aperçue du bateau. Edgar s'en rendait compte maintenant, elle était vraiment imposante. Des pèlerins faisaient la queue en bas des marches. Edgar avait bien lu que l'armée anglaise s'était installée dans le quartier de la pagode, mais il n'avait pas imaginé que c'était si près. Il suivit à regret le porteur qui avait déjà traversé et s'engageait dans la petite rue. Au bout d'une longue caserne, ils s'arrêtèrent devant une porte. Le porteur posa les bagages et ouvrit.

Edgar découvrit une chambre très simple, réservée aux officiers de passage. Le porteur lui expliqua que les bâtiments environnants servaient aussi de résidence à la garnison. « Si vous avez besoin de quelque chose, vous pouvez frapper à n'importe quelle porte. » Il s'inclina et repartit. Edgar attendit de ne plus entendre le bruit de ses pas pour ressortir et remonter la petite rue jusqu'au pied du grand escalier qui montait au temple. Une pancarte avertissait : « Pas de chaussures ni de parapluies. » Il se rappela ce qu'il avait lu sur le déclenchement de la troisième guerre anglo-birmane et l'épisode des émissaires de la Couronne qui avaient refusé d'enlever leurs chaussures en présence du roi de Birmanie.

Il posa le genou à terre pour ôter ses bottines et, les tenant à la main, commença la longue ascension.

Les carreaux étaient chauds et humides sous ses pieds. Le long de l'escalier, des échoppes vendaient toutes sortes d'objets religieux : des images et des statuettes du Bouddha, des guirlandes de jasmin, des livres, des éventails, des paniers remplis d'offrandes de nourriture, des bâtons d'encens, des feuilles d'or et des fleurs de lotus en papier d'argent. Les marchands s'abritaient tant bien que mal de la chaleur. Les pèlerins montaient en foule à l'assaut des marches : des moines, des mendiants, et aussi des femmes élégantes dans leurs beaux atours. En haut, Edgar passa sous un porche monumental et émergea sur un vaste parvis de marbre blanc que dominaient les dômes dorés de plusieurs petites pagodes. La foule des dévots se déployait en spirale, dévisageant au passage le grand Anglais. Il se joignit au courant, passa devant de petits autels et des fidèles à genoux qui égrenaient des rosaires à gros grains. Tout en marchant, il contemplait la pagode, son dôme évasé qui se rétrécissait en pointe surmontée d'une coupole cylindrique. L'éclat de l'or, le soleil qui se réfléchissait sur les tuiles blanches, la masse palpitante des fidèles l'étourdissaient. Ayant parcouru la moitié du périmètre de la pagode, il s'arrêta pour se reposer à l'ombre et s'épongeait le visage avec son mouchoir lorsque des bribes de musique attirèrent son attention.

Au début, il ne parvint pas à discerner d'où provenaient les notes dont l'écho se réverbérait entre les autels et se mêlait aux litanies. Il suivit une petite allée, passant derrière une vaste estrade où un moine dirigeait les prières d'un groupe de fidèles qui marmonnaient des paroles répétées jusqu'à l'hypnose, dans une langue qui, apprit-il plus tard, n'était pas du birman mais du pali. La musique devint plus forte. Sous les branches pendantes d'un figuier banian, il découvrit les musiciens.

Ils étaient quatre, qui levèrent les yeux, conscients de sa présence. Edgar sourit et examina les instruments : un tambour, une table semblable à celle d'un xylophone, un long cor au col sinueux et une harpe. Ce fut cette dernière, en tant qu'instrument à cordes, qui attira surtout son attention, car il connaissait bien le clavecin, ancêtre du piano. La harpe était magnifique, en forme de navire ou de cygne ; les cordes étaient très proches les unes des autres, ce qui n'était possible que grâce à la forme particulière de l'instrument. Très astucieux, se dit-il. Les doigts du musicien jouaient avec lenteur ; la mélodie était étrange et discordante, il en distinguait mal les motifs. Il remarqua que le thème parcourait toute la gamme sans ordre apparent. Il prêta une oreille plus attentive, sans succès. Il fut bientôt rejoint par un autre observateur, un Birman élégamment vêtu qui tenait un enfant par la main. Edgar leur fit un signe poli de la tête et ils écoutèrent ensemble. La présence de quelqu'un d'autre lui rappela que le capitaine Dalton viendrait le chercher bientôt, et qu'il devait se préparer et s'habiller. A regret il quitta les musiciens. Il termina le tour de la pagode, retrouvant la foule amassée à l'entrée et se déversant dans les escaliers. Il la suivit jusqu'à la rue. Là, il s'assit sur la dernière marche pour relacer ses bottines. Autour de lui, tout naturellement, les hommes et les femmes enfilaient leurs sandales ou les enlevaient. Pendant qu'il nouait ses lacets, il se mit à siffloter, à la recherche de l'air qu'il venait d'entendre. Puis il se leva. C'est alors qu'il la vit.

Elle se tenait à environ deux mètres de lui. Vêtue de haillons, un bébé perché sur sa hanche, elle tendait la main. Son corps était peint en jaune. Il cligna les paupières, croyant d'abord à une apparition tant la couleur de sa peau semblait un reflet de l'or de la pagode, comme ces images qui flottent devant les yeux lorsqu'on a regardé trop longtemps le soleil. Elle croisa son regard et se rapprocha. Il vit alors que cette couleur dorée n'était pas de la peinture mais de la poussière jaune qui recouvrait son visage, ses bras et ses pieds nus. Elle tendit le bébé vers lui, ses mains jaunes enserrant fermement la petite créature endormie. Il regarda son visage, ses yeux implorants cernés de jaune ; ce n'est que plus tard qu'il apprit que la poussière était du curcuma, que les Birmans appellent *sa-nwin* et dont les femmes se couvrent le corps après la naissance d'un enfant pour se protéger contre les mauvais esprits. Cette femme en avait mis exprès pour aller mendier car, selon la tradition, une femme n'est pas censée sortir de chez elle pendant la période qui suit la naissance ; si elle le fait, cela ne peut signifier qu'une chose : que l'enfant est malade. Edgar ne savait rien de tout cela, il se contentait de regarder la femme dorée. Elle se rapprocha encore d'un pas, et il vit les mouches au coin de la bouche du bébé, une plaie suppurante sur son crâne minuscule. Il recula, horrifié, fourragea dans ses poches pour y trouver de la monnaie qu'il déposa sans compter dans les mains de la femme.

Il s'éloigna, le cœur battant. Autour de lui, les pèlerins poursuivaient leur procession, sans prêter attention à la jeune femme dorée qui comptait ses pièces avec surprise, ni à l'Anglais efflanqué qui, après un dernier regard au temple et à la femme immobile sous sa flèche élancée, fourra ses mains dans ses poches et poursuivit son chemin en toute hâte.

Plus tard dans la soirée, il vit reparaître le capitaine Dalton, qui l'invita à venir se joindre à d'autres officiers pour une partie de billard au club de Pegu. Edgar s'excusa, prétextant la fatigue. Il y avait plusieurs jours qu'il n'avait pas écrit à sa femme, dit-il. Il ne parla pas à Dalton de l'image qui le poursuivait, il ne lui dit pas qu'il n'avait aucune envie de boire du sherry en parlant de la guerre, alors que son esprit restait tout occupé par la femme et son enfant.

« Oh, il y aura d'autres occasions de jouer au billard, dit Dalton. Mais j'insiste pour la partie de chasse demain. Pas plus tard que la semaine dernière, un soldat de l'infanterie nous a signalé un tigre près de Dabein. J'ai le projet d'aller là-bas avec le capitaine Witherspoon et le capitaine Fogg, qui arrivent tous les deux du Bengale. Vous voulez bien venir avec nous ? » Sa silhouette se détachait dans l'embrasure de la porte.

« Mais je n'ai jamais chassé, et je ne crois pas être...

— Pas de mauvaises excuses ! C'est une question de devoir. Cela fait un certain temps que ce tigre terrorise les paysans de la région. Nous partirons demain matin de bonne heure. Rejoignez-nous devant les écuries, vous savez où elles se trouvent ? Non, non, vous n'avez besoin de rien emporter, à part votre chapeau. Nous avons tout ce qu'il faut comme bottes d'équitation, et bien sûr comme carabines. Un homme qui a un tel talent dans les doigts ne peut être qu'un bon tireur. » A cause de cette flatterie, et parce qu'il avait déjà décliné une première invitation, Edgar accepta.

7

Le lendemain matin, Edgar trouva le capitaine en train de seller un cheval devant les écuries. Cinq autres hommes l'entouraient, deux Anglais et trois Birmans. Voyant Edgar arriver, Dalton se redressa de sous le cheval où il était en train d'ajuster la sangle. Il s'essuya la main sur sa culotte de cheval et la tendit. « Vous avez vu comme il fait beau ce matin ! On a de la chance quand la brise vient jusqu'ici. Ça rafraîchit l'atmosphère. Ça veut peut-être dire que les pluies vont arriver plus tôt cette année. » Il leva les yeux vers le ciel comme pour voir confirmer ses prévisions. Edgar observa que c'était décidément un beau garçon : athlétique, le visage hâlé, les cheveux rejetés en arrière, les manches de chemise relevées sur ses avant-bras couverts de poussière.

« Monsieur Drake, laissez-moi vous présenter les capitaines Witherspoon et Fogg. Messieurs, je vous présente M. Drake, le meilleur accordeur de piano de Londres. » Il donna à Edgar une petite tape amicale sur le dos. « Un homme de qualité : sa famille est de Hereford. »

Les deux hommes lui serrèrent aimablement la main. « Enchanté de faire votre connaissance », dit Witherspoon. Fogg acquiesça.

« Je vais avoir terminé dans un instant, dit Dalton, replongeant sous le ventre du cheval. C'est une jument qui a son caractère, et je ne veux pas tomber au moment où je verrai le tigre. » Il leva les yeux et fit un clin d'œil à l'accordeur. Tout le monde rit. A trois mètres de là, les Birmans attendaient, accroupis dans leurs amples *pasos* à carreaux.

Ils enfourchèrent leurs chevaux. Edgar eut du mal à passer la jambe par-dessus la selle, et le capitaine dut l'aider. Une fois dehors, l'un des Birmans prit les devants et disparut. Dalton était à la tête de leur petit groupe, suivi par les deux autres capitaines. Ensuite venait Edgar. Derrière lui, les deux autres Birmans se partageaient un cheval.

Il était encore tôt, le soleil n'avait pas encore bu la brume sur les lagons. Edgar fut étonné de voir que Rangoon laissait très vite place à la campagne. Ils croisèrent plusieurs charrettes tirées par des bœufs, qui se rendaient en ville. Les conducteurs, même s'ils se mettaient sur le côté de la route pour les laisser passer, n'avaient nullement l'air de remarquer leur présence. Au loin, des pêcheurs qui manœuvraient avec des perches d'étroites embarcations à travers les marais émergeaient de la brume avant d'y replonger. Près de la route, des hérons blancs pêchaient, déplaçant leurs pattes avec précision. Witherspoon demanda s'ils pouvaient s'arrêter pour les chasser.

« Pas ici, répondit Dalton. La dernière fois qu'on a tiré sur des oiseaux, les villageois ont fait toute une histoire. Les hérons font partie des mythes fondateurs de Pegu. Ça porte malchance de les tuer.

— Superstition ridicule, grogna Witherspoon. Moi qui pensais que nous étions censés leur apprendre à abandonner ces croyances.

— C'est vrai, c'est vrai. Mais en ce qui me concerne, je préfère aller chasser le tigre plutôt que de me disputer toute une matinée avec un chef de village.

— Mmm », grogna Witherspoon, comme si ce grognement valait un mot de réponse. En tout cas, il parut se satisfaire de cet argument. Ils poursuivirent leur route. Au loin, les pêcheurs jetaient leurs filets en spirale, et les cordages faisaient jaillir des jets d'eau irisés.

Ils progressèrent pendant une heure. Les marais cédèrent peu à peu la place à une maigre végétation. Le soleil commençait à chauffer sérieusement et Edgar sentait la sueur lui couler sur la poitrine. Il fut soulagé de voir qu'ils quittaient la route pour pénétrer dans une forêt dense. La chaleur sèche du soleil fut remplacée par une humidité poisseuse. Ils n'étaient dans la forêt que depuis quelques minutes lorsque le Birman parti en éclaireur revint à leur rencontre. Pendant que ses camarades et lui se concertaient, Edgar regardait autour de lui. Enfant, il avait lu beaucoup de récits d'explorateurs de la jungle, et il avait rêvé aux descriptions des massifs inextricables de fleurs luxuriantes, des légions d'animaux féroces. Ce ne devait pas être le même type de jungle, se dit-il. Plus silencieuse, celle-ci, plus sombre. Il essayait de percer des yeux les profondeurs de la forêt, et n'y voyait guère qu'à cinq mètres dans le fouillis des plantes grimpantes.

Finalement les Birmans cessèrent de palabrer ; l'un d'eux se rapprocha de Dalton auquel il s'adressa. Edgar, l'esprit ailleurs, ne suivait guère la conversation. Les verres de ses lunettes étaient embués, il les essuya sur sa chemise. Dès qu'il les remit, ils s'embuèrent de nouveau. Il les enleva. La troisième fois, il garda ses lunettes telles quelles, et la forêt resta floue à travers la buée.

En tête du groupe, Dalton avait fini de conférer avec le Birman. « D'accord », cria-t-il, et il fit volter son cheval. Les sabots de l'animal piétinèrent le sous-bois. « J'ai parlé à notre guide, dit-il. Il est allé jusqu'au village le plus proche où il a interrogé les paysans sur le tigre. Apparemment, on l'a vu pas plus tard qu'hier égorger une truie enceinte. Les villageois sont dans tous leurs états. L'un des devins du village affirme qu'il s'agit du même tigre que celui qui a tué un bébé il y a deux ans. Du coup, ils organisent leur propre chasse, pour essayer de l'expulser de la jungle. Ils disent que nous pouvons le poursuivre si nous voulons. On l'a vu ce matin à cinq kilomètres au nord d'ici. Mais, si nous préférons, nous pouvons nous diriger au sud, dans des marais où on trouve beaucoup de sangliers sauvages.

— Je ne suis pas venu jusqu'ici pour tirer des cochons, observa Fogg.

— Moi non plus, dit Witherspoon.

— Et vous, monsieur Drake, votre vote ? demanda Dalton.

— Oh moi, vous savez, je ne tirerai sur rien du tout. Je raterais un cochon farci qui se trouverait tout rôti sur la table devant moi, alors ne parlons pas de sangliers. C'est vous qui décidez.

— Ma foi, cela fait des mois que je n'ai pas chassé un tigre, dit Dalton.

— Alors c'est décidé, conclut Witherspoon.

— Faites seulement attention où vous tirez, recommanda Dalton. Tout ce qui bouge n'est pas forcément un tigre. Monsieur Drake, faites attention aux serpents. N'attrapez pas quelque chose qui ressemble à un bâton avant d'avoir vérifié qu'il est dépourvu de crocs. » Il talonna son cheval et les autres le suivirent, se frayant un chemin dans la forêt.

La végétation devenait plus dense ; ils s'arrêtaient souvent pour que le premier cavalier coupe les lianes qui obstruaient la piste. On avait l'impression qu'il poussait plus de plantes sur les arbres qu'au sol, des espèces grimpantes qui escaladaient les troncs pour atteindre la lumière du soleil. Des épiphytes découpés, des orchidées, des sarracéniales qui s'accrochaient aux arbres les plus gros, leurs racines enchevêtrées dans le désordre de la végétation qui traversait le ciel en tous sens. Edgar avait toujours aimé les jardins et il se vantait de connaître les plantes par leur nom latin, mais ici, il en cherchait en vain de familières. Même les arbres étaient inconnus de lui, massifs, avec leurs troncs éléphantesques qui occupaient une place énorme au sol, avec leurs racines comme des ailerons, d'une taille suffisante pour cacher un tigre derrière leur muraille.

Ils chevauchèrent pendant encore une demi-heure et passèrent devant les ruines d'un petit édifice. Les Anglais continuèrent leur chemin. Edgar voulait leur demander ce que c'était, mais ils étaient trop loin devant. Il se retourna pour regarder les pierres cachées sous la mousse. Derrière lui, les Birmans semblaient eux aussi s'intéresser à cet endroit. L'un d'eux, qui tenait une petite guirlande de fleurs, descendit rapidement de cheval et alla la déposer au pied des ruines. A travers les entrelacs de lianes, Edgar vit l'homme se prosterner, puis la vision disparut et le rideau de verdure se referma.

Les autres avaient pris de l'avance et il faillit buter contre eux au détour d'un coude que faisait la piste. Ils étaient arrêtés au pied d'un grand arbre. Dalton et Witherspoon discutaient à voix basse.

« Un seul coup, disait Witherspoon. On ne peut pas laisser passer une fourrure comme ça. Je jure que je peux l'avoir d'un coup.

— Je vous rappelle que le tigre peut très bien être là à nous observer. Si vous tirez, on va lui faire peur, il va filer.

— Ça ne tient pas debout, disait Witherspoon. Tout peut lui faire peur. Trois ans que je n'ai pas pu me procurer une belle fourrure de singe. Elles sont toujours vieilles, et la seule bonne que j'avais a été esquintée par l'imbécile qui l'a dépouillée. »

Edgar leva les yeux vers le grand arbre pour voir l'objet de leur discussion. Au début il ne distingua rien, à part un fouillis de feuilles et de lianes. Mais quelque chose se mit à bouger et la petite tête d'un jeune singe apparut au-dessus d'un épiphyte. Edgar entendit charger un fusil à côté de lui et la voix de Dalton qui répétait : « Je vous dis de le laisser tranquille. » Là-haut, le singe semblait soudain en alerte, il se redressa et se mit à bondir. Witherspoon leva son fusil, et Dalton cria : « Bon Dieu, ne tirez pas », puis, simultanément, il y eut le bond du singe, le cliquetis de la détente, l'éclair du canon, la détonation. Un silence d'à peine une seconde, et une pluie de débris dégringole de l'endroit d'où vient de sauter le singe. Puis un autre bruit, un petit couinement, et juste au-dessus de sa tête Edgar voit une silhouette se détacher sur fond de feuillage et de fragments de ciel, et tomber. Le mouvement est comme ralenti, le corps tourne sur lui-même, la queue en l'air, tel un oiseau qui voltige. Edgar est paralysé de stupeur, le singe s'abat dans le sous-bois à moins d'un mètre de son cheval. Un long silence, puis Dalton jure et éperonne son cheval. L'un des Birmans saute à terre, ramasse le singe et le tend à Witherspoon qui examine brièvement le pelage, tout taché de sang et de poussière. Il fait oui de la tête, et le Birman fourre la bête dans un sac en toile. Witherspoon talonne son cheval à son tour, et tout le monde repart. A l'arrière du groupe, Edgar fixe la petite forme dans le sac qui se balance contre le flanc du cheval, il voit les ombres mouvantes de la forêt jouer avec la tache rouge qui s'étale largement sur la toile.

Ils avancent encore. Près d'un ruisseau, une nuée de moustiques les attaque. Edgar essaie de protéger son visage. L'un d'eux vient se poser sur sa main, et Edgar fasciné le regarde inspecter sa peau, cherchant où piquer. La bestiole est beaucoup plus grosse que les moustiques d'Angleterre, elle a des pattes rayées comme un tigre. Tiens, le premier tigre est pour moi, se dit Edgar, et il l'écrase d'une claque. Un autre atterrit, il le laisse piquer, il le regarde sucer le sang, s'en gorger, et il l'écrase à son tour, étalant sur son bras son propre sang.

Peu à peu, la forêt se fit moins dense et déboucha sur des rizières. Ils passèrent devant des femmes courbées sur l'eau boueuse, qui repiquaient des pousses. Le chemin s'élargit, ils aperçurent au loin un village, des maisons de bambou serrées en désordre les unes contre les autres. A leur approche, un paysan vint les saluer. Il portait pour tout vêtement un *paso* rouge tout usé et s'adressa avec animation au premier cavalier, qui traduisit.

« Cet homme est l'un des chefs du village. Il dit qu'ils ont aperçu le tigre ce matin. Des villageois d'ici sont partis à sa poursuite. Il nous demande de les rejoindre. Ils ont très peu de fusils. Il nous enverra un garçon comme guide.

— Excellent, s'exclama Dalton, jubilant. Et moi qui

croyais qu'après le geste inconsidéré de Witherspoon, nous avions perdu toutes nos chances.

— En plus d'un singe, je vais m'offrir un tigre, s'écria Witherspoon. Excellente journée ! »

Même Edgar sentit son cœur battre. Le tigre était là, tout près, dangereux. La seule fois où il avait vu un tigre, c'était au zoo de Londres, un animal maigre, pathétique, qui perdait ses poils sous l'effet d'une maladie que même les meilleurs vétérinaires n'arrivaient pas à identifier. Son malaise à l'idée de devoir tuer, malaise que la mort du petit singe n'avait fait qu'amplifier, s'évanouit. C'est vrai, Dalton avait raison, ces villageois ont besoin de nous, se dit-il. Derrière le chef du village il vit un groupe de femmes rassemblées, portant chacune un bébé sur la hanche. Il sentit qu'on tirait sur sa botte et baissa les yeux : un petit garçon tout nu touchait ses étriers. « Salut » dit l'accordeur, et l'enfant leva les yeux vers lui. Il avait le visage barbouillé de poussière et de morve. « Tu es un beau petit gars, mais tu aurais besoin d'un bon bain. »

Fogg l'entendit et se retourna. « Vous vous êtes fait un ami, je vois ?

— Eh oui, on dirait », répondit Edgar. Il fouilla dans sa poche et finit par y trouver un anna. Il le lança. Le garçon tendit la main, mais rata la pièce de monnaie qui roula jusqu'à une flaque, au bord de la route. Le garçon se mit à quatre pattes et plongea ses mains dans l'eau, à la recherche de la pièce, l'air apeuré. Soudain sa main attrapa quelque chose, il retira la pièce de l'eau avec une expression de triomphe. Il cracha dans sa main pour nettoyer la pièce et fila la montrer à ses camarades. En quelques secondes, ils vinrent s'attrouper autour du cheval d'Edgar. « Non, dit celui-ci. Plus de pièces. » Il regarda devant lui, refusant de prêter attention aux petites mains tendues.

Le villageois qui leur avait parlé quitta le groupe et revint quelques instants plus tard avec un adolescent qui grimpa sur le cheval du cavalier de tête. Ils s'engagèrent sur une piste qui sortait du village pour traverser les rizières et la jungle non cultivée. Derrière eux, les gamins couraient en troupe joyeuse, piétinant la route de leurs pieds nus. Ils quittèrent les champs et empruntèrent une piste dégagée qui suivait la lisière de la forêt. Ils passèrent bientôt devant deux hommes postés au bord de la jungle, nus jusqu'à la ceinture. L'un d'eux portait quelque chose qui ressemblait vaguement à un casque anglais et brandissait une vieille carabine rouillée.

« Un soldat, dit Witherspoon en matière de plaisanterie. J'espère qu'il n'a pas pris ça à quelqu'un qu'il a tué. »

Edgar fit la grimace. Fogg rit sous cape. « Ne vous en faites pas. Les laissés-pour-compte de nos usines de Calcutta se retrouvent comme par miracle dans des endroits où même nos soldats n'oseraient pas se rendre. »

Dalton vint vers eux avec leur guide. « Est-ce qu'ils ont vu le tigre ? demanda Fogg.

— Pas encore, mais on l'a déjà repéré dans les parages. Il faut armer nos carabines. Vous aussi, Drake.

— Oh, franchement, je ne crois pas...

— Nous allons avoir besoin de tout le feu disponible si l'animal nous charge. Où sont-ils partis, tous ces gosses ?

— Je ne sais pas, je les ai vus poursuivre un oiseau dans la forêt.

— Bon. On ne va pas jouer au père Noël. On n'a vraiment pas besoin de s'encombrer d'une bande de gosses brailleurs.

— Désolé, je ne pensais pas... »

Soudain Witherspoon leva la main. « Chut ! »

Dalton et Edgar le regardèrent. « Qu'est-ce qu'il y a ?

— Je ne sais pas. Quelque chose dans les fourrés, de l'autre côté de la clairière.

— Allons-y, mais doucement. » Dalton talonna son cheval. Ils le suivirent à petits pas.

« Ça y est, je le vois ! » Cette fois, c'était leur guide qui parlait. Il leva le bras et montra de la main les fourrés touffus. Les chevaux s'arrêtèrent. Ils n'étaient qu'à vingt mètres du bord de la clairière.

Edgar sentit son cœur cogner dans sa poitrine. Il y eut un silence, une attente. Il s'agrippait à son fusil et percevait la tension de son doigt contre la détente. A côté de lui, Witherspoon leva son arme.

Les fourrés frémissaient.

« Bon Dieu, j'y vois que dalle. Il pourrait être n'importe où là-dedans.

— Ne tirez pas avant d'être bien sûrs que c'est le tigre. Vous avez pris assez de risques dans la forêt avec le singe. Nous n'aurons pas d'autre occasion, il faut tirer tous en même temps.

— Il est là.

— Doucement.

— Bon Dieu, préparez-vous. Là, il bouge ! » Witherspoon arma son fusil et scruta les feuillages. Dans les fourrés, ça remuait d'un mouvement furtif, régulier, et les frémissements s'amplifiaient. « Il arrive. Pointez vos fusils.

— Prêts, fusils pointés. Vous aussi, monsieur Drake. C'est notre seule chance. Fogg ?

— Armé. A vos ordres, capitaine. »

Edgar sentit une sueur froide lui couler sur le corps. Ses bras tremblaient. Il parvint à grand-peine à épauler son fusil.

Au-dessus d'eux volait un vautour qui observait la scène de là-haut, huit hommes, cinq chevaux, debout dans l'herbe sèche d'une clairière entourée des deux côtés par la jungle inextricable qui s'étendait jusqu'aux collines. Derrière eux, dans les rizières, un groupe de femmes s'avançait, marchant à pas pressés, puis courant.

Le cheval d'Edgar était le dernier du groupe. Il se retourna et vit les femmes. On avait l'impression qu'elles criaient. Il se retourna et lança : « Capitaine !

— Doucement, Drake, le voilà.

— Capitaine, il se passe quelque chose.

— Oh, la ferme », aboya Witherspoon, les yeux rivés sur la cible.

Mais les autres entendirent aussi les femmes crier et Dalton se retourna. « Qu'est-ce qui se passe ? »

Le Birman dit quelque chose. Edgar tourna les yeux vers les fourrés, qui frémissaient de plus en plus nettement. Il entendait des bruits de pas, des feuilles craquant dans le sous-bois.

Les femmes hurlaient.

« Mais qu'est-ce qui se passe, bon Dieu ?

— Qu'elles se taisent ! Elles vont le faire fuir.

— Witherspoon, baissez votre fusil.

— Vous allez tout gâcher, Dalton.

— Je répète, baissez votre fusil. Il y a un problème. »

Les femmes s'étaient rapprochées. Leurs cris couvraient la voix des hommes.

« Bon Dieu, mais qu'on les fasse taire ! Fogg, faites quelque chose. »

Edgar vit Witherspoon braquer les yeux sur son fusil. Fogg, qui n'avait rien dit jusque-là, pivota sur son cheval et pointa le fusil sur les femmes. « Halte-là ! » hurla-t-il. Les femmes continuaient à courir, gémissant, soulevant dans leur course le bas de leurs *hta mains*.

« Halte-là, bon Dieu ! »

Tout se mélangeait, la course, les cris, la chaleur du soleil.

Edgar se retourna face à la forêt.

« Le voilà ! hurla Fogg.

— Capitaine ! Baissez votre arme ! » cria Dalton. D'un coup de talon, il fonça sur Witherspoon qui raffermit sa prise et tira.

Le reste est un moment suspendu, un souvenir délavé par le soleil, une image oblique. Il y a des cris, des hurlements, mais c'est l'image oblique qui hantera Edgar pour toujours, le mouvement de l'indicible douleur, la mère vers l'enfant, tout entière tendue en avant, luttant contre ceux qui voudraient l'empêcher. Un mouvement qu'il n'a jamais vu mais qu'il reconnaît pourtant. C'est celui des pietà, des urnes grecques avec ces silhouettes minuscules qui gémissent *oi moi*.

Il reste longtemps à regarder, mais il faudra des jours pour que l'horreur de ce qui s'est passé le pénètre vraiment, vienne cogner dans sa poitrine, comme s'il était soudain possédé. Cela se produira lors d'une réception donnée pour les officiers à la résidence de l'administrateur, lorsqu'il verra passer une jeune domestique portant son enfant sur la hanche. Le choc l'atteindra brutalement, il aura l'impression qu'il se noie, qu'il étouffe, il marmonnera des excuses confuses aux officiers qui lui demandent s'il se sent bien, et lui : Oui, oui, ne vous inquiétez pas, un peu faible, c'est tout, et il sort dans le jardin par le perron, en trébuchant, et là il vomit dans les buissons de roses, les larmes lui montent aux yeux et il se met à pleurer, à sangloter, un chagrin hors de toute proportion, si bien que plus tard, lorsqu'il y repensera, il se demandera sur quoi d'autre il pleurait ce jour-là.

Mais sur le moment, dans l'instant figé, devant la scène, il ne bouge pas. L'enfant, la mère, les branches silencieuses, balancées par une brise légère qui passe sur le temps arrêté et les cris. Ils sont plantés là, lui et les autres hommes au visage pâle. Ils contemplent la scène qui se déroule sous leurs yeux, la mère qui secoue le petit corps, l'embrasse, lui caresse le visage de ses mains pleines de sang et les passe aussi sur son propre visage. Elle gémit d'une voix inhumaine qui est à la fois inconnue et parfaitement familière. Puis Edgar sent que se glissent près de lui, en un éclair, d'autres femmes qui se précipitent, s'agenouillent, viennent arracher la mère à son enfant. Son corps se tend contre les forces qui la tirent en arrière. Un homme à côté d'Edgar, le visage décoloré par le soleil, fait un pas en avant, trébuche brièvement, reprend son équilibre en appuyant le canon de son fusil sur le sol.

Cette nuit-là Edgar se réveille, désorienté. La scène dans le jardin n'aura lieu que deux jours plus tard, mais il sent déjà comme une déchirure irréparable, comme des écailles de peinture qui ne sont plus que poussière au vent, lorsqu'on déchire la toile en deux. Tout a changé, se dit-il, ce n'était pas compris dans mon projet, dans mon contrat, dans ma mission. Il se rappelle avoir écrit à Katherine, en arrivant en Birmanie, qu'il n'arrivait pas à croire qu'il était enfin là, qu'il était pour de vrai dans ce pays lointain. Une lettre qui doit maintenant se trouver dans un train postal qui fait route vers Londres. Et moi, tout seul à Rangoon.

8

Deux jours plus tard, Edgar reçut un message du ministère de la Guerre. Ils avaient réussi à lui trouver une couchette libre auprès de l'Irrawaddy Flotilla Company, sur un bateau qui faisait le commerce du teck. Le bateau partait des docks de Prome deux jours plus tard. Il irait à Prome par le train. Le voyage jusqu'à Mandalay prendrait sept jours.

Durant ses quatre jours à Rangoon, Edgar avait à peine défait ses bagages. Depuis la chasse, il était resté dans sa chambre, n'en sortant que lorsqu'on le convoquait ici ou là, ou parfois pour aller se promener dans les rues. La bureaucratie coloniale le stupéfiait. Après l'accident, on l'avait assigné à comparaître pour signer des dépositions au département de la justice civile et criminelle, au bureau de police, au département de l'administration des villages, au département de la santé, et même aux eaux et forêts parce que, comme le disait le procès-verbal, « l'accident s'est produit au cours d'une opération de contrôle du gros gibier ». Au début, il s'étonna qu'on eût même déclaré l'événement. Il savait que, si tout le monde en était tombé d'accord, il aurait été facile d'étouffer l'affaire. Les villageois n'auraient jamais su comment porter plainte, et même dans le cas contraire, il y avait peu de chance qu'on les croie, et même si on les avait crus, il y avait peu de chance qu'on sanctionne les officiers.

Et pourtant tout le monde, y compris Witherspoon,

insista pour déclarer l'incident. Witherspoon accepta de payer une amende mineure à distribuer à la famille de la victime, en même temps que des fonds de l'armée réservés à l'usage de ce genre de compensation. Tout cela a une *apparence* tellement civilisée, écrivit Edgar à Katherine. Peut-être qu'il faut y voir l'influence bénéfique des institutions britanniques, malgré quelques bavures de la part de soldats agissant avec précipitation. Ou alors, écrivit-il deux jours plus tard, après avoir signé sa septième déposition, c'est un baume, une méthode éprouvée, efficace pour gérer ce genre de terreur, pour absoudre quelque chose de plus profond — méthode grâce à laquelle cet après-midi s'efface déjà derrière l'écran de la bureaucratie.

Witherspoon et Fogg partirent à Pegu dès que les formalités furent terminées et ils y arrivèrent à temps pour remplacer deux officiers qui rejoignaient Calcutta avec leur régiment. Edgar ne leur dit pas au revoir. Il aurait bien voulu rejeter la responsabilité sur Witherspoon, mais il ne le pouvait pas, car si Witherspoon avait agi avec précipitation, ce n'était guère qu'en bougeant deux secondes avant les autres. Ils avaient tous partagé la soif de sang de la partie de chasse. Et pourtant, chaque fois qu'Edgar l'apercevait, au cours des repas ou dans les bureaux de l'administration, il ne pouvait effacer le souvenir, le fusil bloqué contre la mâchoire épaisse, les gouttes de sueur coulant sur la nuque tannée.

Et tout comme il avait évité Witherspoon, il évitait Dalton. La veille de son départ, un messager lui avait transmis une invitation du capitaine qui lui demandait à nouveau de l'accompagner au club de Pegu. Il déclina poliment, prétextant la fatigue. En vérité, il aurait voulu voir Dalton, le remercier pour son hospitalité, lui dire qu'il ne lui gardait pas rancune. Mais la pensée de revivre l'accident le terrifiait. Il avait le sentiment que maintenant, tout ce qu'il partageait avec le capitaine, c'était un moment d'horreur, et le revoir, ce serait le revivre. Il refusa donc l'invitation et le capitaine ne se manifesta plus. Edgar avait beau se dire qu'il pourrait toujours aller saluer Dalton quand il reviendrait à Rangoon, il savait qu'il ne le ferait pas.

Le matin de son départ, une voiture vint le chercher à sa porte pour l'emmener à la gare, où il prit un train pour Prome. Pendant qu'on procédait au chargement, il regarda l'animation du quai. Sous sa fenêtre, un groupe de petits garçons donnaient des coups de pied dans une coquille de noix de coco. Il palpa pensivement une pièce de monnaie qu'il gardait dans sa poche gauche depuis la chasse comme symbole de sa responsabilité, de sa générosité mal placée, un rappel de ses erreurs, bref, un talisman.

Dans la confusion du deuil, quand tous étaient repartis, emmenant le corps du petit garçon, Edgar avait vu la pièce qui gisait par terre, dans la poussière, là où l'empreinte du corps était encore visible. Il avait cru qu'on n'y avait pas fait attention et il la ramassa, parce qu'elle était au petit garçon et qu'il ne voulait pas qu'elle reste là, perdue, à la lisière de la forêt. Il ne savait pas qu'il faisait une erreur ; ce n'était pas qu'on ne l'avait pas vue : au soleil, elle brillait comme de l'or, tous les enfants l'avaient vue et convoitée. Mais ce que les enfants savaient, et que lui ne comprenait pas, il aurait pu l'apprendre de n'importe quel porteur, sur le quai, occupé à charger des cageots dans le train. Les talismans les plus puissants, lui auraient-ils dit, sont ceux dont on hérite, car avec ceux-là on hérite aussi du destin.

A Prome, un délégué de l'officier du district était venu l'attendre et l'emmena au port. Là il embarqua sur un petit vapeur de l'Irrawaddy Flotilla Company, dont les machines étaient déjà en marche. On lui montra sa couchette, qui donnait sur la rive gauche du fleuve. Elle était petite mais propre, ce qui calma ses inquiétudes concernant le voyage. Pendant qu'il rangeait ses bagages, il sentit le vapeur quitter le port et vit par le hublot les berges s'éloigner. Toujours obsédé par le souvenir de la chasse au tigre, il n'avait pas remarqué grand-chose de Prome, à part quelques vieilles ruines et un marché animé près du port. Tandis que le bateau gagnait le milieu du fleuve, il éprouva comme un soulagement à se sentir coupé des rues de Rangoon, bondées, surchauffées, coupé du delta, de la mort de l'enfant. Il monta sur le pont. Il y avait plusieurs autres passagers, des militaires, un couple d'Italiens d'un certain âge qui, dirent-ils, faisaient du tourisme. De nouveaux visages qui ne savaient rien de l'accident. Il se promit de tourner la page, de laisser derrière lui sur les rives boueuses qu'il quittait cette douloureuse expérience.

Il n'y avait pas grand-chose à voir au milieu du fleuve, aussi alla-t-il jouer aux cartes avec les militaires. Au début, il avait hésité à lier connaissance, se rappelant l'arrogance des officiers qu'il avait connus sur le bateau en quittant Marseille. Mais ceux-ci étaient de simples soldats, et quand ils virent qu'Edgar était seul, ils l'invitèrent à se joindre à eux. En échange, il les régala d'informations concernant les équipes de football. Même des nouvelles datant d'un mois étaient en Birmanie des nouvelles fraîches. Il ne connaissait en réalité pas bien ce sport, mais il avait accordé le piano d'un dirigeant de club londonien qui lui avait donné des billets gratuits pour assister aux matchs. A la suggestion de Katherine, il avait retenu avant de partir les résultats de certaines rencontres pour, avait-elle dit, « fournir un sujet de conversation et faciliter les contacts avec les gens ». Il fut ravi de l'attention qu'il suscitait et de l'enthousiasme des soldats. Ils burent du gin ensemble, rirent joyeusement et déclarèrent qu'Edgar Drake était un fameux bonhomme. Il enviait ces garçons. Eux aussi, ils avaient dû voir des choses affreuses, mais ça ne les empêchait pas de se réjouir en apprenant les résultats de matches vieux de deux mois. Et on lui resservait des rasades de gin-tonic, ce qui, disaient les soldats en riant, était recommandé par le docteur, car la quinine que contenait le tonique chassait les fièvres.

Cette nuit-là il dormit bien pour la première fois depuis des jours, un sommeil de plomb, sans rêves, et il se réveilla longtemps après le lever du soleil, avec une forte migraine due au gin. Les berges étaient toujours éloignées et, à part les rangées d'arbres, il n'y avait rien d'autre à voir qu'une pagode de temps en temps. Il reprit donc les parties de cartes et offrit aux soldats plusieurs tournées de gin.

Ils burent et jouèrent pendant trois jours, et quand il eut répété les résultats des matchs tant de fois que même le soldat le plus soûl pouvait les réciter par cœur, il écouta leurs histoires sur la Birmanie. Un des soldats avait participé à la bataille du fort de Minhla pendant la troisième guerre, il racontait la progression dans le brouillard et la résistance acharnée des Birmans. Un autre avait été en mission dans les Etats Chan, en plein territoire du chef militaire Twet Nga Lu. Il en fit le récit qu'Edgar écouta attentivement, car il avait souvent entendu citer le nom de ce brigand. Il demanda au soldat : Vous l'avez vu, ce Twet Nga Lu ? Non, ils avaient marché pendant des jours dans la jungle et trouvé partout la preuve qu'ils étaient épiés, feux éteints, formes bougeant au milieu des arbres. Mais ils ne subirent jamais d'attaque et rentrèrent sans avoir connu ni défaite ni victoire. Une terre que l'on revendique sans témoin n'est pas une terre que l'on peut se vanter d'avoir conquise.

Edgar posa d'autres questions au soldat. Est-ce que quelqu'un l'avait jamais vu, ce Twet Nga Lu ? Jusqu'où s'étendait son territoire ? Les rumeurs évoquant sa férocité étaient-elles fondées ? Le soldat répondit que le chef ne se montrait jamais, il se contentait d'envoyer des messagers, si bien que certains mettaient parfois en doute son existence. Même M. Scott, l'administrateur des Etats Chan, celui qui savait s'y prendre pour faire alliance avec des tribus telles que les Kachin, ne l'avait jamais vu. Oui, ce qu'on disait de sa férocité était vrai, le soldat avait vu de ses propres yeux des hommes crucifiés en haut des montagnes, cloués côte à côte sur des rangées de croix de bois. Quant à l'étendue de son territoire, personne n'en savait rien. On racontait qu'il avait été refoulé dans les montagnes, repoussé par le *sawbwa* de Mongnai dont il avait usurpé le trône. Mais beaucoup pensaient que cette perte de territoire ne signifiait rien. Il restait craint pour ses pouvoirs surnaturels, ses tatouages et ses charmes, et les talismans qu'il portait incrustés sous la peau.

Finalement, alors que la bouteille de gin touchait à sa fin, le soldat s'arrêta de parler et demanda pourquoi ce cher homme s'intéressait tellement à Twet Nga Lu. Après tous les verres bus ensemble, le sentiment de camaraderie, de complicité, l'emporta sur les nécessités de rester discret, et Edgar expliqua qu'il était venu accorder le piano d'un certain médecin-major, Anthony Carroll.

En entendant le nom du médecin, les autres s'arrêtèrent de jouer aux cartes et regardèrent l'accordeur.

« Carroll ? s'écria l'un d'eux avec un fort accent écossais. Sacré nom de Dieu, je rêve ou je viens d'entendre le nom de Carroll ?

— Oui, pourquoi ? demanda Edgar, surpris de cette réaction.

— Pourquoi ? » Il éclata de rire, et se retourna vers ses camarades. « Vous entendez ça, voilà trois jours qu'on est sur ce foutu bateau, on est là à demander comme des idiots les résultats des matchs, et voilà que notre pote nous dit qu'il est l'ami du docteur ! » Ils se mirent tous à rire bruyamment et à trinquer.

« Enfin, ami, pas vraiment, pas encore..., corrigea Edgar. Mais je ne comprends pas. Qu'est-ce qu'il y a là d'extraordinaire ? Vous le connaissez ?

— Si on le connaît ! s'esclaffa le soldat. Ce type est aussi légendaire que Twet Nga Lu. Je sais pas, moi, il est aussi légendaire que la reine d'Angleterre ! » Et les revoilà à trinquer.

« Vraiment ? demanda Edgar, se penchant vers eux. Je ne savais pas qu'il avait une telle... réputation. Certains des officiers en avaient entendu parler, mais je n'ai pas eu l'impression qu'ils l'aimaient beaucoup.

— Parce qu'il est plus fortiche qu'eux, pardi. Lui, c'est

un homme d'action, un vrai. Normal qu'ils ne l'aiment pas.» Rire général.

«Mais vous ?

— Nous, on l'adore, ce salaud. Comme tous les soldats qui ont servi dans les Etats Chan. Sans Carroll, je serais aujourd'hui dans un trou pourri au fin fond de la jungle, dans la boue jusqu'au cou, à me battre contre une bande de Chan sanguinaires. Je ne sais pas comment il s'y prend, mais je lui dois la peau de mes fesses, ça c'est sûr et certain. Si la guerre éclate pour de vrai dans les Etats Chan, on est tous bons pour la potence.» Un autre soldat leva son verre.

«A la santé de Carroll. Au diable sa poésie, au diable son stéthoscope, mais Dieu bénisse ce salaud de mes deux, grâce à qui je vais revoir ma chère maman !» Ils éclatèrent tous de rire.

Edgar n'en croyait pas ses oreilles. «A la santé de ce salaud !» s'écria-t-il, et il leva son verre. Quand ils eurent bu jusqu'à plus soif, les récits commencèrent.

Vous voulez en savoir plus long sur Carroll ? Je ne l'ai jamais rencontré. Moi non plus. Moi non plus. Bon, on ne l'a pas rencontré, c'est peut-être aussi bien comme ça, c'est une légende, ce gars. On dit qu'il mesure plus de deux mètres de haut et qu'il crache le feu. Ah bon, je la connaissais pas, celle-là. Arrête de galéjer, Jackson, sois sérieux, quoi, notre ami veut savoir la vérité vraie sur Carroll. Craché juré, la vérité, croix de bois, croix de fer. Sans blague, s'il mesurait deux mètres et qu'il crache le feu, ça m'impressionnerait moins que tout le reste. Vous connaissez l'histoire de la construction du fort ? Elle est bonne, celle-là, vas-y, raconte-la, Jackson. Bon, d'accord, mais taisez-vous les gars, monsieur Drake, faut m'excuser, je crois que j'ai un verre dans le nez, vas-y Jackson, l'histoire, l'his-toire, Bon, alors j'y vais, je commence, mais par quoi je commence ? Attendez, je crois que je vais commencer par l'histoire du voyage, parce qu'elle est encore meilleure, celle-là. Bon, mais vas-y, accouche.

Voilà l'histoire. Carroll arrive en Birmanie, il y passe deux ans, il soigne les malades, il fait un ou deux tours dans la jungle mais il y connaît que dalle, il n'a jamais tiré un coup de fusil de sa vie, ça l'empêche pas d'être volontaire pour aller planter sa tente à Mae Lwin, mais attention, top secret, ce qu'il veut aller foutre là-bas, mystère et boule de gomme, n'empêche, il y va. Toute la région est infestée de bandes armées, et en plus on n'a pas encore annexé la haute Birmanie à cette époque-là, ce qui fait que, s'il a besoin de renfort, on ne pourra même pas venir à la rescousse. Il y va quand même, personne sait pourquoi, tout le monde a sa petite idée, la mienne c'est qu'il a un passé louche, il cherche à se tirer le plus loin possible, enfin c'est mon opinion, je vous la donne, et vous les gars, qu'est-ce que vous en pensez ? La gloire, peut-être ? Les gonzesses ! Ce salaud aime les filles Chan ! C'est bien de toi, ça, Stephens, faut que vous sachiez que ce gars-là, le dimanche, au lieu d'assister à l'office, il file en douce au bazar de Mandalay pour aller draguer les *mingales* toutes peinturlurées. Et toi, Murphy ? Moi ? Peut-être qu'il a la vocation, le mec, c'est un missionnaire, il croit qu'on va apporter la civilisation, faire la paix, faire régner l'ordre public chez ces bandes de sauvages, ah c'est pas comme nous autres. Là tu t'égares, Murphy, tu t'égares. Vous vouliez mon opinion oui ou merde ? Ben, à ce train-là on n'est pas au bout. Où j'en étais, déjà ? Carroll part en vadrouille dans la jungle. C'est ça, Carroll part en vadrouille dans la jungle, sous escorte, une dizaine de soldats, pas plus, il dit que ça lui suffit, que ça n'est pas une expédition militaire. Toujours est-il, expédition militaire ou pas, ils sont même pas arrivés qu'ils se font attaquer, ils traversent une clairière et hop, une flèche vient se ficher dans un arbre au-dessus de la tête de Carroll. Les soldats filent se planquer derrières les arbres et ils arment leurs fusils, mais Carroll, lui, il reste debout au milieu de la clairière, sans bouger, c'est un cinglé, je vous dis, ce mec, tout seul tranquille, impassible comme un joueur de poker, et ffft, deuxième flèche, celle-là elle fait une encoche dans son casque. Non, mais il est malade, ce gars. Là-dessus, qu'est-ce qu'il fait ? Eh bien, dis-le-nous, Jackson, ce qu'il fait. Dis-le, merde. D'accord, je vous le dis. Il fait quoi ? L'autre cinglé, il enlève son casque, dedans il prend la petite flûte qu'il a toujours avec lui pour en jouer dans ses expéditions, et le voilà qui se met à jouer, non, mais faut être siphonné, je vous le dis. Ça, t'as raison, il est pas bien le mec. Bon, vous me laissez la finir, cette histoire ? Vas-y, on t'écoute. Alors il se met à jouer, et devinez ce qu'il joue ? Le *God Save the Queen* ? A côté de la plaque, Murphy. « Margoton prend sa faucille » ? Voyons, Stephens, ah, j'ai honte de vous, les gars, excusez-les, monsieur Drake. Non, Carrol se met à jouer un petit air bizarre que personne ne connaît, une espèce de chansonnette, j'ai connu un soldat qui faisait partie de son escorte, c'est lui qui m'en a parlé, il dit qu'il n'avait jamais entendu jouer ça, c'était rien de très compliqué, une vingtaine de notes. Là-dessus, Carroll s'arrête, il regarde autour de lui, les soldats sont assis dans la forêt, le fusil en joue, prêts à tirer à la moindre alerte, mais rien ne se passe, rien ne bouge, alors Carroll rejoue son air, et quand il a fini il attend, il le rejoue encore une fois, les yeux fixés sur la forêt droit devant lui. Pas de flèche, rien, silence. Carroll rejoue, et voilà qu'on entend siffler dans les fourrés, le même air exactement. Cette fois, dès qu'il a fini il recommence, à nouveau on entend siffler, Carroll joue encore trois fois, les voilà qui jouent le même air en même temps, Carroll et les assaillants. Les soldats entendent des rires et des exclamations dans la forêt, mais sans rien voir parce que c'est trop touffu. Finalement Carroll fait signe à ses hommes de se lever, ils obéissent tout doucement, ils ont la trouille, pas étonnant, ils finissent par remonter sur leurs poneys, ils repartent, sans même avoir vu leurs assaillants, mais le soldat m'a dit qu'on pouvait les entendre tout du long, ils assuraient leur sécurité, et comme ça Carroll a pu traverser le territoire le plus dangereux de tout l'Empire sans tirer un seul coup de fusil. Ils arrivent à Mae Lwin, le chef local les attendait, il s'occupe des poneys, il offre aux hommes du riz et du curry, il les loge. Au bout de trois jours de pourparlers, voilà mon Carroll qui annonce à ses hommes que le chef autorise la construction d'un fort à Mae Lwin, en échange de la protection contre les dacoits et la promesse d'une clinique. Plus de la musique.

Le soldat se tut. Il y eut un silence. Même les soldats les plus chahuteurs s'étaient calmés, impressionnés par l'histoire.

« C'était quoi, cet air ? demanda finalement Edgar.

— Pardon ?

— L'air qu'il jouait sur sa flûte.

— L'air ? Une chanson d'amour Chan. Quand un Chan fait la cour à sa bien-aimée, il joue toujours cet air-là. Ce n'est rien, un air tout simple, mais l'effet a été miraculeux. Carroll a dit plus tard au soldat qui m'a raconté l'histoire qu'un homme ne peut pas tuer quelqu'un quand il joue un air qui lui rappelle son premier amour.

— C'est pas croyable ! » Les hommes ouvraient des yeux ronds, l'humeur était soudain à la rêverie.

« D'autres histoires ? demanda Edgar.

— Sur Carroll ? Oh, monsieur Drake, des dizaines. Des dizaines. » Il regarda le fond de son verre, qui était vide. « Mais demain peut-être, là je suis fatigué. Le voyage est encore long, nous ne sommes pas rendus. Jusqu'à Mandalay, rien d'autre à faire que de raconter des histoires. »

Ils remontaient le fleuve, les noms des villes passaient comme une litanie. Sitsayan. Kama. Pato. Thayet. Allan-myo. Yahaing. Nyaungywagyi. Vers le nord, la terre devenait plus sèche, la végétation se raréfiait. Aux vertes collines de Pegu avait succédé une plaine, aux feuillages touffus, des épineux et des petits palmiers. Ils s'arrêtèrent dans un grand nombre de ces villes, des petits ports poussiéreux, rien que quelques huttes et un temple mal entretenu. Ils y déchargeaient ou chargeaient de la marchandise, de temps en temps un ou deux passagers, le plus souvent des soldats, garçons rougeauds qui se mêlaient à leurs conversations du soir et apportaient leurs propres histoires.

Tous, ils connaissaient Carroll. Un homme de troupe de Kyaukchet lui dit qu'un soldat de sa connaissance était allé à Mae Lwin, il lui avait dit que ce fort, c'était comme les jardins suspendus de Babylone, du moins ce qu'on en racontait : partout les orchidées les plus rares, de la musique à toute heure, et il était inutile de prendre les armes, car il n'y avait pas l'ombre d'un dacoit à des lieues à la ronde. Les hommes restaient assis à l'ombre au bord de la Salouen à manger des fruits. Les filles riaient en secouant leur longue chevelure, elles avaient des yeux comme on en voit en rêve. Un fusilier de Pegu leur dit qu'il avait entendu des conteurs Chan chanter des ballades en l'honneur de Carroll, et un fantassin de Danubyu leur affirma que personne n'était jamais malade à Mae Lwin, car des brises fraîches suivaient le cours de la Salouen, on pouvait dormir dehors sous le ciel éclairé par la lune et se réveiller sans une seule piqûre de moustique, il n'y avait ni ces fièvres ni cette dysenterie qui avaient tué tant de ses amis lorsqu'ils pataugeaient dans les marécages par une chaleur étouffante, attaqués par les sangsues qui venaient s'accrocher à leurs chevilles. Un soldats de première classe qui se rendait à Hlaingdet avec son bataillon avait entendu dire que Carroll avait démonté ses canons, qu'ils lui servaient de jardinières pour ses fleurs. Les fusils de ceux qui avaient la chance de passer par Mae Lwin rouillaient, car les soldats passaient leur temps à écrire des lettres, à prendre du ventre et à écouter les rires des enfants.

D'autres ajoutèrent encore d'autres histoires, tandis que le vapeur poursuivait son chemin, et Edgar comprit peu à peu que chaque récit représentait, pour le soldat qui le racontait, ce qu'il avait envie de croire plutôt que la réalité. Même si le préfet de police proclamait que la paix était assurée, pour les soldats il s'agissait du maintien de la paix, chose bien différente. Cette situation provoquait de leur part des réactions de peur, avec du coup le besoin de conjurer cette peur. Edgar comprit aussi autre chose : qu'au fond la vérité ne lui importait plus tellement. Peut-être, davantage encore que les soldats, avait-il besoin de croire en ce médecin-major qu'il n'avait jamais rencontré.

Sinbaungwe, Migyaungye, Minhla. Une nuit, Edgar se réveilla et entendit un air étrange, provenant de la berge. Il se redressa dans sa couchette. Le son était lointain, un murmure, que le bruit de sa propre respiration suffisait à couvrir. Immobile, il tendit l'oreille. Le bateau avançait toujours.

Magwe. Yenangyaung. A Kyaukye, la monotonie du trajet fut rompue par l'arrivée à bord de trois passagers enchaînés.

Des dacoits. Depuis le jour où il avait lu ce nom pour la première fois, à Londres, il l'avait entendu répéter bien des fois. Des voleurs. Des chefs de bande. Des bandits de grand chemin. Quand Thibaw, le dernier roi de la haute Birmanie, était monté sur le trône dix ans plus tôt, le pays avait sombré dans l'anarchie. Le nouveau roi était faible et l'autorité du gouvernement birman avait commencé à s'effriter, non par l'action d'une résistance armée, mais pour cause de pagaille généralisée. Dans toute la haute Birmanie, des bandes de maraudeurs attaquaient aussi bien les voyageurs isolés que les caravanes, pillaient les villages, extorquaient de l'argent aux paysans en échange de leur tranquillité. Leur sauvagerie était notoire, on en voyait constamment la preuve dans les centaines de villages rasés, dans les cadavres crucifiés le long des routes de ceux qui avaient tenté de résister. Quand les Anglais, en annexant la haute Birmanie, héritèrent des rizières, ils héritèrent également des dacoits.

On amena les captifs sur le pont où ils restèrent accroupis : trois hommes couverts de poussière, liés entre eux par trois chaînes parallèles, au cou, aux poignets et aux chevilles. Avant même que le bateau se soit éloigné du quai branlant, une foule de passagers s'était déjà rassemblée en demi-cercle autour des prisonniers. Ceux-ci, mains pendantes entre leurs genoux, regard fixé droit devant eux, impassibles, bravaient la foule des soldats et des voyageurs. Ils étaient gardés par trois soldats indiens, et Edgar Drake frémissait à l'idée des méfaits qu'ils avaient pu commettre pour mériter de telles précautions. Il ne tarda pas à le savoir, car bientôt la dame italienne demanda à l'un des soldats quel était le crime commis par ces hommes et le soldat répéta la question à l'un des gardes.

Les trois hommes, dit le garde, étaient les chefs de l'une des bandes de dacoïts les plus féroces, qui avait terrorisé les contreforts à l'est de Hlaingdet, près du fort anglais établi lors des premières expéditions militaires dans les Etats Chan. Edgar connaissait le nom de Hlaingdet ; c'est là qu'il devait recevoir une escorte pour l'accompagner jusqu'à Mae Lwin. Les dacoïts avaient eu l'audace d'attaquer les villages proches du fort, là même où les villageois étaient venus se mettre sous la protection de l'armée anglaise. Ils avaient brûlé des rizières, dévalisé des caravanes, et finalement ils avaient attaqué et brûlé un village. Menaçant les enfants d'un couteau sous la gorge, ils avaient violé les femmes. C'était une bande nombreuse, une vingtaine d'hommes. Sous la torture, ils avaient désigné ces trois hommes comme leurs chefs. C'est eux qu'on emmenait maintenant à Mandalay pour y être interrogés par les autorités militaires.

« Et les autres ? demanda la dame italienne.

— Tués au combat, dit le soldat sans broncher.

— Dix-sept hommes ? s'étonna la dame. Vous disiez qu'on les avait capturés et qu'ils avaient avoué... » Mais au milieu de sa phrase elle se troubla et rougit : « Oh », murmura-t-elle.

Edgar scrutait les prisonniers, essayant de deviner dans leur expression une trace de leurs méfaits épouvantables, mais rien ne transparaissait. Ils étaient là, lourdement entravés, le visage couvert d'une épaisse poussière qui colorait en châtain clair leurs cheveux bruns. L'un d'eux, l'air très jeune, portait une fine moustache et de longs cheveux en chignon planté au sommet de la tête. Ses tatouages disparaissaient sous la couche de poussière, mais Edgar crut discerner sur sa poitrine l'empreinte d'un tigre. Comme les autres, il arborait un air de défi. Il ne baissait pas les yeux devant ceux qui l'observaient et le condamnaient. Son regard croisa celui d'Edgar, un bref instant ils se fixèrent dans les yeux, ce fut l'accordeur qui se détourna le premier.

Petit à petit l'intérêt des passagers faiblit, ils retournèrent dans leurs cabines. Edgar les suivit, encore secoué. Il n'en parlerait pas à Katherine, décida-t-il ; il ne voulait pas lui faire peur. Il se représentait l'attaque, les paysannes, leur façon de tenir leurs enfants. Faisaient-elles du commerce ou travaillaient-elles dans les champs ? Se couvraient-elles aussi de *thanaka* ? Tandis qu'il essayait de s'endormir, les images des femmes peintes ne cessaient de le hanter, les spirales de peinture blanche sur une peau brunie par le soleil.

Sur le pont, les dacoits étaient toujours accroupis dans leurs chaînes.

Le vapeur poursuivait sa route. La nuit passa, et la journée, et les villes défilaient.

Sinbyugyun. Sale. Seikpyu. Singu. Comme une litanie. Milaungbya.

Pagan.

Le soleil se couchait presque lorsque le premier des temples apparut sur la vaste plaine. Un bâtiment isolé, en ruine, couvert de feuillages. Au pied de ses murailles à moitié écroulées, un vieillard était assis à l'arrière d'une charrette tirée par deux vaches brahmanes au dos bossu. Le bateau longeait la rive pour éviter les bancs de sable qui occupaient le milieu du fleuve, et l'homme se retourna pour les regarder passer. La poussière soulevée par la charrette captait les rayons du soleil qui se couchait derrière l'autre rive, enveloppant le temple dans une brume dorée.

Abritée sous un parasol marchait une femme, vers une direction inconnue.

Les soldats avaient annoncé à Edgar que le bateau s'arrêterait pour leur permettre de visiter les ruines de Pagan, ancienne capitale du royaume de Birmanie pendant des siècles. Finalement, au bout d'une heure de navigation entre des rangées de monuments en ruine, le fleuve amorça un tournant vers l'ouest et ils s'arrêtèrent au bord d'un quai très ordinaire. Plusieurs passagers descendirent. Edgar suivit le couple italien sur l'étroite passerelle de débarquement.

Accompagnés d'un soldat, ils s'engagèrent sur une côte poussiéreuse. Des pagodes, cachées jusque-là par la végétation ou le talus que formait la berge, apparurent bientôt. Le soleil se couchait rapidement. Deux chauves-souris passèrent dans le ciel. Le groupe atteignit la base d'une grande pyramide. « Montons par ici, dit le soldat. On aura la plus belle vue de tout Pagan. »

Les marches escarpées menaient à une plate-forme qui faisait le tour de la flèche centrale. Dix minutes plus tard, ils auraient manqué les derniers rayons du soleil sur le champ de pagodes qui s'étendait jusqu'aux montagnes visibles au loin dans la poussière et la fumée des rizières incendiées.

« Comment s'appellent ces montagnes ? demanda Edgar au soldat.

— Les collines Chan, monsieur Drake. Enfin on les voit.

— Les collines Chan », répéta Edgar. Au-delà des temples qui se dressaient en sentinelle, il contempla les sommets qui dominaient la plaine, comme suspendus dans le ciel. Il pensa au fleuve qui serpentait dans ces collines, et à un homme là-bas, perdu dans l'obscurité, peut-être en train de contempler le même ciel. Un homme qui ne connaissait toujours pas le nom d'Edgar Drake.

Le soleil se coucha, la terre s'obscurcit. Le manteau de

la nuit vint envelopper la plaine, recouvrant les pagodes une par une, puis le soldat fit demi-tour et les autres le suivirent jusqu'au bateau.

Nyaung-U, Pakokku, et il fit jour de nouveau. Kanma, le confluent des rivières Chindwin, Myingyan et Yandabo, puis de nouveau la nuit. Les collines de Sagaing s'élevèrent à l'ouest, et les passagers allèrent se coucher en sachant que cette nuit-là, le vapeur passerait devant une ancienne capitale appelée Amarapura, ce qui signifie la « Cité des Immortels. » Le lendemain matin, ils arriveraient à Mandalay.

9

Edgar fut réveillé par la soudaine irruption du silence. Le vapeur, après avoir poussé ses machines sans trêve pendant sept jours, les avait stoppées et se laissait dériver. Edgar resta allongé, analysant les nouveaux bruits qui lui parvenaient, le clapotement de l'eau, le crissement du métal sur du métal provenant d'une lampe à kérosène qui se balançait sur sa chaîne, les cris des hommes et, lointain — mais on ne pouvait s'y méprendre —, le vacarme d'un bazar. Edgar se leva, s'habilla sans faire sa toilette, quitta sa cabine et parcourut le long corridor jusqu'à l'escalier en colimaçon qui montait au pont. Les planches grinçaient sous ses pieds nus. En haut de l'escalier, il faillit se cogner contre un jeune matelot qui descendait sur la rampe comme un lézard.

Mandalay ! lança le garçon dans un sourire, en montrant le rivage d'un large geste.

Le bateau longea un marché ; on avait l'impression qu'il pénétrait à l'intérieur et les gens massés sur la berge semblaient sur le point de se déverser sur le pont. Toute une foule se pressait de part et d'autre, on entendait criailler, on voyait des hommes et des femmes portant des paniers au bout de longues perches, sous les larges chapeaux de bambou on apercevait les motifs de *thanaka*, et sur le dos des éléphants la silhouette des marchands. Une troupe d'enfants sauta en riant par-dessus le bastingage et débarqua sur le pont, se poursuivant, se faufilant au milieu des cordages, des chaînes empilées et des sacs d'épices que des vendeurs ambulants venaient d'apporter à bord. Edgar entendit chanter derrière lui et se retourna. Un marchand de beignets se tenait sur le pont, il souriait d'un sourire édenté et faisait tournoyer la pâte autour de son poing. Le soleil, chantonnait-il en levant le visage vers le ciel. Le soleil. La pâte tournoyait de plus en plus vite, il la projeta en l'air.

Le vapeur avait disparu sous les produits du marché. Le pont était jonché d'épices qui avaient débordé des sacs. Une rangée de moines passa, demandant l'aumône, et Edgar remarqua les traces de curcuma laissées par leurs pieds nus. Une femme lui cria quelque chose en birman. Elle mâchait du bétel et sa langue était couleur de prune, son rire se mêlait au bruit des pas. Les gamins repassèrent devant lui en courant. Encore des rires. Edgar se retourna vers le wallah de beignets. La pâte tournoyait. De nouveau le wallah chanta, tendit la main vers le ciel pour décrocher le soleil. Soudain, tout fut plongé dans le noir et Edgar se retrouva dans l'obscurité de sa cabine.

Les machines étaient bel et bien arrêtées. Un bref instant, Edgar se demanda s'il rêvait encore, mais par sa fenêtre ouverte aucune lumière ne pénétrait à l'intérieur. Dehors il entendait des voix, dont il supposa d'abord que c'était celles de l'équipage. Mais les bruits semblaient venir de plus loin. Il monta sur le pont. La lune presque pleine projetait une ombre bleuâtre sur les manœuvres qui faisaient rouler des tonneaux vers la passerelle. La berge était bordée de huttes. Pour la deuxième fois cette nuit-là, Edgar Drake arriva à Mandalay.

Ils furent accueillis à terre par le capitaine Trevor Nash-Burnham, celui qui comptait attendre Edgar à Rangoon et qu'Edgar connaissait comme l'auteur de plusieurs des rapports qu'il avait lus sur le médecin-major Carroll. Les rapports abondaient en descriptions de Mandalay, du fleuve, des pistes sinueuses qui menaient au camp de Carroll. Edgar était impatient de rencontrer ce Nash-

Burnham, car il n'avait pas eu grande opinion des bureaucrates qu'on lui avait présentés après la partie de chasse. Par contraste avec le pays qui les entourait, il les avait trouvés terriblement ennuyeux, terriblement guindés. Il se rappelait un jour où, à Rangoon, au milieu de l'agitation fébrile provoquée par l'accident, il était rentré chez lui avec un membre du département de l'administration des villages. En chemin, ils avaient trouvé un groupe de gens qui essayaient de dégager le corps d'un opiomane qui, endormi sous une charrette, s'était fait à moitié écraser quand les chevaux s'étaient déplacés pour brouter les feuilles d'une haie. L'homme gémissait, abruti, tandis que les sauveteurs essayaient alternativement de faire avancer les chevaux ou de faire reculer la charrette. Le spectacle avait donné la nausée à Edgar mais le fonctionnaire, lui, n'avait pas interrompu son discours sur les quantités respectives de bois de teck qu'on pouvait espérer se procurer dans les différents districts de la colonie. Quand Edgar lui avait demandé où chercher de l'aide, il n'avait pas répondu « Pourquoi ? », ce qui aurait été une preuve d'insensibilité, mais « Pour qui ? », réponse à peine audible au milieu des cris de la victime.

Enfin à destination, sur les berges de la cité, Edgar peinait à trouver ses marques. Tandis que le capitaine lui lisait une lettre du ministère de la Guerre fournissant des détails sur l'approvisionnement et les horaires, Edgar examinait son visage en pensant à ce qu'il avait écrit de l'Irrawaddy : « serpent miroitant qui emporte nos rêves, mais nous en ramène de nouveaux du haut des collines scintillantes de diamants ». C'était un homme trapu, au large front, qui s'essoufflait quand il parlait trop vite, bien différent du jeune et sportif capitaine Dalton. Le moment paraissait bizarrement choisi pour communiquer des instructions officielles. Machinalement Edgar regarda sa montre, cadeau de Katherine avant son départ. Elle marquait quatre heures, mais en fait elle s'était arrêtée, rouillée par l'humidité, trois jours seulement après son arrivée à Rangoon. Comme il l'avait écrit à Katherine en matière de plaisanterie, elle ne donnait donc l'heure exacte que deux fois par jour, mais il la gardait pour la forme. Il se rappela avec amusement la publicité londonienne : Ce Noël, pour fêter le divin enfant, offrez-vous pour cadeau le temps — les montres de qualité Robinson...

Le fleuve commençait à s'animer, toutes sortes de vendeurs ambulants convergeaient vers ses rives. Les deux hommes montèrent dans une voiture qui les emmena au centre de Mandalay, à environ trois kilomètres de l'Irrawaddy, comme Edgar l'indiquerait dans sa prochaine lettre. Pour remplacer la capitale Amarapura, située sur le fleuve, les rois avaient choisi un site éloigné du bruit des vapeurs étrangers.

La route était sombre, pleine d'ornières. Edgar regardait par la fenêtre les silhouettes qui allaient et venaient, puis la condensation opacifia les vitres. Bras tendu, Nash-Burnham les essuya avec un mouchoir.

A leur entrée en ville, le soleil commençait à se lever. Les routes se remplissaient de monde. Ils traversèrent un bazar. Des mains se pressèrent contre les vitres, des visages épièrent l'intérieur. Un porteur qui transportait deux sacs d'épices sur une perche s'écarta de leur chemin, et dans le mouvement de balancier, l'un des sacs frôla la fenêtre. En s'éparpillant, le curry teinta la vitre d'une poudre d'or qui resplendit dans le soleil levant.

Edgar essayait de se repérer par rapport aux cartes de Mandalay qu'il avait étudiées sur le bateau. Mais il s'y perdait et finit par se laisser aller à l'étonnement et aux rêveries qui accompagnent les changements de résidence.

Ils croisèrent des couturières qui tenaient boutique au milieu de la rue, des vendeurs de bétel avec leurs plateaux garnis de noix ouvertes en deux et de soucoupes de citron vert, des rémouleurs, des vendeurs de fausses dents et d'icônes religieuses, de sandales, de miroirs, de poisson et de crabe séchés, de riz, de *pasos*, de parasols. Le capitaine signalait parfois, en chemin, un lieu de culte, un bâtiment officiel. Edgar répondait : Oui, j'en ai entendu parler, ou bien : Oh, c'est encore plus beau que sur les illustrations, ou : J'irai peut-être bientôt le visiter.

La voiture finit par s'arrêter devant une petite maison assez quelconque. « Votre domicile provisoire, monsieur Drake, dit le capitaine. D'habitude, nous accueillons nos hôtes dans nos quartiers à l'intérieur du palais de Mandalay, mais pour l'instant vous serez mieux ici. Installez-vous confortablement. Nous déjeunerons à la résidence du préfet de police de la division du Nord — une réception doit y célébrer l'annexion de Mandalay. Je viendrai vous chercher à midi. »

Edgar remercia Nash-Burnham et descendit de voiture. Le conducteur apporta ses bagages jusqu'à la porte, frappa — une femme répondit —, suivit Edgar à l'intérieur et l'y laissa avec ses bagages. De l'antichambre, Edgar suivit la femme jusqu'à un demi-étage et entra dans une pièce meublée sommairement d'une table et de deux chaises. D'un geste, la femme lui désigna ses pieds et Edgar, voyant qu'elle avait laissé ses sandales à la porte, s'assit sur une marche et s'affaira pour enlever ses propres chaussures. Elle le guida alors vers une porte située à droite, ouvrant sur une chambre occupée par un grand lit protégé d'une moustiquaire. Elle posa les bagages par terre.

Dans un cabinet de toilette attenant à la chambre, il aperçut une cuvette et des serviettes repassées. Une deuxième porte conduisait à une cour intérieure où était disposée une table sous des papayers. L'ensemble faisait assez petit-bourgeois anglais, se dit Edgar, sauf la femme et les papayers.

Il se tourna vers elle. « *Edgar naa meh. Naa meh be... lo... lo... kaw dha le ?* » Le point d'interrogation marquait autant une volonté de politesse que la question elle-même. Comment vous appelez-vous ?

La femme sourit. « *Kyamma naa meh Khin Myo.* » Elle prononça le nom avec douceur, confondant le *m* et le *y* en un seul et même son.

Edgar lui tendit la main, elle la prit avec un sourire.

Sa montre, qui disait toujours quatre heures, avait maintenant trois heures de retard, si on se fiait au soleil. Il restait encore cinq heures avant que le capitaine vienne chercher Edgar pour déjeuner. Khin Myo avait commencé à faire chauffer de l'eau pour le bain, mais Edgar l'arrêta. « Je sors... je vais me... promener, promener. » Il expliqua d'un geste, elle hocha la tête. On dirait qu'elle comprend, s'étonna-t-il. Il prit son chapeau dans sa sacoche et gagna l'antichambre, où il dut s'asseoir pour remettre ses chaussures.

Khin Myo attendait à la porte, un parasol à la main. Il s'arrêta, ne sachant trop ce qu'il était censé dire. Il éprouvait pour elle une sympathie instinctive. Elle avait de la grâce, elle souriait et regardait droit en face, ce qui n'était pas le cas de beaucoup d'autres domestiques qui s'esquivaient avec timidité une fois leurs tâches terminées. Elle avait des yeux marron foncé sous des cils fournis, et sur ses joues était peint un motif régulier de *thanaka*. Piquée dans ses cheveux, une fleur d'hibiscus dégageait un parfum sucré de cannelle et de noix de coco. Elle portait une courte blouse blanche de dentelle et une *hta main* de soie violette aux plis bien marqués.

A sa grande surprise, elle l'accompagna. Dans la rue, il essaya de nouveau d'aligner quelques bribes de birman. « Ne vous donnez pas la peine, *ma... thwa... um*, pas besoin de... je me promène. » Par politesse, il ne voulait pas la déranger.

Khin Myo se mit à rire. « Ah ! mais vous parlez bien le birman. Et on dit que vous n'êtes là que depuis quinze jours.

— Vous parlez anglais ?

— Pas bien, mon accent est fort.

— Non, il est joli. » Elle avait une voix douce qui l'avait immédiatement frappé, tel un murmure un peu sonore, comme l'écho du vent qui résonne dans une bouteille ouverte.

Elle sourit et baissa les yeux. « Merci. Mais je ne veux

147

pas interrompre votre promenade. Je peux vous accompagner si vous voulez.

— Oh ! je ne voudrais surtout pas vous déranger...

— Pas du tout. J'adore ma ville le matin de bonne heure. Et je préfère ne pas vous laisser seul. Le capitaine Nash-Burnham dit que vous pourriez vous perdre.

— Merci, merci beaucoup. Je suis étonné, en fait.

— Que je parle anglais, ou qu'une Birmane n'ait pas peur de vous adresser la parole ? Ne vous inquiétez pas, on me voit souvent avec des visiteurs. »

Ils descendirent la rue bordée de maisons aux allées bien entretenues. Devant l'une d'elles, une femme pendait du linge à une corde. Khin Myo s'arrêta pour lui parler. « Bonjour, monsieur Drake, dit la femme.

— Bonjour, madame, répondit-il. Est-ce que tous les...» Il s'arrêta, cherchant la bonne formule.

« Est-ce que tous les domestiques parlent anglais ?

— Oui, c'est ça.

— Pas tous. Je l'apprends à Mme Zin Nwe quand son maître n'est pas là.» Khin Myo se reprit. « Ne le répétez pas. Je suis un peu trop bavarde avec vous.

— Je serai muet. Vous donnez des leçons d'anglais ?

— Je l'ai fait. C'est une longue histoire, je ne veux pas vous ennuyer.

— Rien à craindre. Je peux vous demander comment vous avez appris l'anglais ?

— Ah, vous posez beaucoup de questions. Ça vous étonne tant que ça ?

— Non, pas du tout. Je ne voulais pas vous froisser...»

D'abord, elle ne répondit pas, continuant à marcher à un ou deux pas derrière lui. Puis elle reprit la parole, avec douceur. « Excusez-moi. Vous me parlez gentiment, et moi je me montre impolie.

— Mais non, répondit Edgar. C'est vrai que je pose trop de questions. Je n'ai pas rencontré encore beaucoup de Birmans. Et vous connaissez les officiers...»

Khin Myo sourit. « Je sais. »

Ils tournèrent au bout de la rue. Edgar croyait reconnaître le chemin par lequel il était arrivé.

« Où aimeriez-vous aller, monsieur Drake ?

— Emmenez-moi à l'endroit que vous préférez », répondit-il, étonné lui-même de l'intimité que sous-entendait sa réponse. Si elle en fut surprise de son côté, elle n'en laissa rien paraître.

Ils suivirent vers l'ouest une route dégagée, le soleil se levait derrière leur dos et Edgar voyait leurs ombres se profiler devant eux, comme des serpents. Ils marchèrent près d'une heure, parlant peu. Près d'un petit canal, ils s'arrêtèrent devant un marché flottant. « Pour moi, voici le plus bel endroit de Mandalay », dit Khin Myo. Et Edgar, dans la ville depuis moins de quatre heures, acquiesça. Au-dessous d'eux, les bateaux frôlaient doucement les berges.

« On dirait des fleurs de lotus, dit Edgar.

— Et les marchands, des grenouilles posées dessus, qui croassent. »

Ils avaient atteint un petit pont sur le canal. Khin Myo rompit le silence. « Il paraît que vous êtes venu réparer un piano ? »

Edgar hésita, surpris par la question. « Oui, c'est vrai. Comment le savez-vous ?

— Quand les gens vous croient sourd à leur langue, on apprend des tas de choses. »

Edgar l'observa. « Oui... sûrement. Vous trouvez ça bizarre ? C'est vrai que je suis venu de loin juste pour réparer un piano. » Il se tourna vers le canal. Deux bateaux s'étaient arrêtés pour vendre à une femme une épice jaune dans un petit sachet. Un peu de l'épice se répandit sur l'eau noire, comme du pollen.

« Pas tellement bizarre. Je suis certaine qu'Anthony Carroll sait ce qu'il fait.

— Vous le connaissez, Anthony Carroll ? »

De nouveau elle se tut, regardant loin devant elle. Dans le canal, les marchands plantaient leurs perches dans l'eau

149

noire et les îlots de jacinthes, lançant à voix haute le prix des épices.

Ils rentrèrent à la maison alors que le soleil était déjà haut dans le ciel. Edgar avait peur qu'il ne lui reste pas assez de temps pour faire sa toilette avant que Nash-Burnham vienne le chercher. Khin Myo remplit sa cuvette d'eau et lui apporta du savon. Il se lava, se rasa, enfila une chemise et un pantalon qu'elle avait repassés pendant qu'il se préparait.

Quand il sortit, il la trouva agenouillée près d'une bassine, où déjà elle lavait son linge.

« Oh, mademoiselle Khin Myo, vous n'avez pas à faire ça.

— Quoi ?

— Laver mon linge.

— Si je ne le fais pas, qui le fera ?

— Je ne sais pas, c'est juste que... »

Elle l'interrompit. « Tenez ! Voilà le capitaine. »

Nash-Burnham tournait le coin de la rue. « Hello ! » s'écria-t-il. Il portait une tenue de cérémonie : veste écarlate, gilet de soirée, pantalon bleu, épée au côté.

« Hello, Edgar. J'espère qu'une petite marche à pied ne vous fait pas peur. La voiture est retenue pour des invités moins vaillants que nous ! » Il s'avança dans la cour et vit Khin Myo. « Ma Khin Myo, dit-il en s'inclinant galamment. Oh, que vous sentez bon !

— Je sens la lessive.

— Les roses seraient trop heureuses de tremper dans une telle lessive. »

Le voilà enfin, se dit Edgar, l'homme qui comparait l'Irrawaddy à un serpent miroitant.

La résidence du préfet était à vingt minutes à pied de la maison. Le capitaine tapotait son fourreau au rythme de sa marche. « Dites-moi, monsieur Drake, vous avez passé une bonne matinée ?

— Excellente, capitaine, excellente. J'ai fait une charmante promenade avec Mlle Khin Myo. Elle ne ressemble pas aux autres femmes d'ici, qui paraissent toutes si timides. Et elle parle très bien l'anglais.

— Remarquablement, en effet. Elle vous a dit comment elle l'avait appris ?

— Non, je ne le lui ai pas demandé, je ne voulais pas être indiscret.

— Très délicat de votre part, mais je pense qu'elle vous le confierait volontiers. J'apprécie votre réserve. Si je vous disais les ennuis que j'ai eus avec certains de nos invités... Elle est très belle.

— Très. Comme beaucoup de Birmanes. Ah, si j'étais jeune...

— Soyez prudent. Vous ne seriez pas le premier Anglais à tomber amoureux et à ne plus jamais repartir. Quelquefois, je me dis que si nous allons toujours à la conquête de nouvelles colonies, c'est à cause de ces femmes aux yeux de lune. Permettez-moi de vous donner un conseil : gardez-vous des affaires de cœur.

— Oh ! ne vous inquiétez pas, protesta Edgar. J'ai à Londres une épouse qui m'est très chère. » Le capitaine lui lança un coup d'œil sceptique. Edgar se mit à rire. Mais je dis la vérité, Katherine me manque, en ce moment même, pensa-t-il.

Ils longeaient une clôture qui entourait une grande pelouse, au milieu de laquelle se dressait une belle demeure. A l'entrée, un Indien en uniforme de policier montait la garde. Le capitaine lui fit signe et il ouvrit le portail. Ils remontèrent une longue allée où stationnaient des voitures attelées.

« Bienvenue parmi nous, monsieur Drake, dit Nash-Burnham. L'après-midi devrait se passer à peu près bien si nous survivons au déjeuner et à la lecture obligatoire de poésie. Quand ces dames se seront retirées, nous pourrons jouer aux cartes. Nous sommes un peu las les uns des autres, mais nous arrivons tout de même à nous entendre. Vous n'avez qu'à imaginer que vous êtes en Angleterre. Mais tout de suite un conseil : évitez de parler de la Birmanie avec Mme Hemmington. Elle a ses idées sur ce qu'elle appelle la "nature des races de couleur", idées qui nous embarrassent souvent. Il suffit qu'on mentionne un temple ou la cuisine birmane, et la voilà enfourchant son dada favori, plus moyen de l'arrêter. Parlez des derniers ragots londoniens, parlez de crochet, mais surtout pas de Birmanie.

— Mais je ne connais rien au crochet.

— Pas grave. Elle, si. »

Ils arrivaient en haut du perron. « Méfiez-vous du colonel Simmons s'il a un coup dans le nez. Ne posez aucune question d'ordre militaire — rappelez-vous que vous êtes un civil. Dernière chose... j'aurais dû vous en parler pour commencer : la plupart d'entre eux savent pourquoi vous êtes là, ils vous manifesteront l'hospitalité due à un compatriote. Mais vous n'êtes pas entouré d'amis. Evitez de parler d'Anthony Carroll. »

Ils furent accueillis à la porte par un maître d'hôtel sikh. Nash-Burnham le salua : « Pavninder Singh, content de vous voir, comment ça va ?

— Très bien, sahib, très bien », répondit l'homme en souriant.

Nash-Burnham lui tendit son épée.

« Pavninder, je vous présente M. Drake.

— L'accordeur de piano ? »

Nash-Burnham se mit à rire, la main sur le ventre. « Pavninder est lui-même un musicien accompli. Il joue merveilleusement du tabla.

— Oh, sahib, vous me flattez.

— Mais non, et arrêtez de m'appeler sahib, vous savez que j'ai horreur de ça. Je m'y connais en musique. Il y a des milliers d'Indiens au service de Sa Majesté en haute Birmanie, et il n'y en a pas un qui joue du tabla aussi bien que vous. Drake, vous verriez les filles d'ici, elles sont toutes à ses pieds. Vous pourriez peut-être faire un duo, tous les deux ? »

Ce fut au tour d'Edgar de protester. « Je ne suis pas

pianiste, je me contente d'accorder et de réparer les pianos. J'en joue très mal.

— Allons donc, vous êtes beaucoup trop modestes, l'un et l'autre. Bon, le piano est un sujet délicat par les temps qui courent, vous serez tranquille. Pavninder, ils ont commencé à déjeuner ?

— Bientôt, vous arrivez juste à temps. »

Il précéda les deux hommes dans un salon rempli d'officiers et de dames, de gin et de bavardages. Il a raison, on se croirait à Londres, se dit Edgar. Ils ont réussi à importer le climat anglais.

Nash-Burnham se glissa entre deux dames bien en chair et légèrement éméchées, en mousseline flottante, des nœuds bouffants posés comme des papillons au dos de leur jupe. Il posa la main sur un coude potelé. Madame Winterbottom, comment allez-vous ? Permettez-moi de vous présenter...

Ils se déplaçaient lentement de groupe en groupe, le capitaine faisant louvoyer Edgar au milieu des conversations avec la dextérité d'un batelier. Son regard vigilant lorsqu'il parcourait des yeux le salon laissait place à un sourire engageant quand il arrachait à son cercle telle ou telle dame poudrée pour lui présenter l'accordeur et lui adresser un petit discours, Lady Aston, chère amie, je ne vous ai pas vue depuis la soirée chez le préfet en mars, vous êtes très en beauté ce soir, mes compliments, c'est votre séjour à Maymyo ? Vous voyez, je le savais ! Ah ! Il faut que je retourne là-bas un de ces jours, mais ce n'est pas très drôle pour un célibataire, trop calme ! Oui bientôt, bientôt, je viendrai vous voir promis, mais attendez, je voudrais vous présenter un visiteur, M. Drake, qui arrive de Londres. Ravi, madame, de faire votre connaissance. Moi aussi, ah, Londres me manque terriblement. Moi aussi, et pourtant il y a seulement un mois que je suis parti. Vraiment, vous venez d'arriver ? Bienvenue parmi nous, il faut que je vous présente mon mari, Alistair ? Alistair, voici M. Drick qui arrive de Londres. Un grand gentleman avec une moustache tombante lui tendit la main, Enchanté, monsieur Drick... En fait, c'est M. Drake, enchanté. Même moi je sais qu'à Londres ça ne se fait plus depuis longtemps, ce genre de moustaches, pensa Edgar.

Un autre groupe. Je voudrais vous présenter M. Edgar Drake, qui arrive de Londres. Edgar, voici Mlle Hoffnung, l'une des meilleures joueuses de whist de toute la haute Birmanie. Oh, major, vous me flattez, ne le croyez pas, monsieur Drake. Mme Sandilands, M. Drake. Madame Partridge, voici Edgar Drake, qui arrive de Londres. Edgar, Mme Partridge, Mme Pepper.

« Dans quel quartier de Londres habitez-vous, monsieur Drake ?

— Est-ce que vous jouez au tennis ?

— Et que faites-vous à Londres, je vous prie ?

— Dans Franklin Mews, près de Fitzroy Square. Non, hélas, je ne joue pas au tennis, madame Partridge.

— Pepper.

— Oh, toutes mes excuses, je veux dire que je ne joue pas encore au tennis, madame Pepper. »

Rires. « Fitzroy Square, c'est près de l'Oxford Music Hall, je crois.

— C'est exact.

— On dirait que vous connaissez bien. Vous n'êtes pas par hasard musicien, monsieur Drake ?

— Pas directement, mes liens avec la musique sont en quelque sorte des liens par association...

— Mesdames, je vous en prie, plus de questions. M. Drake est fatigué par son voyage. »

Ils se posèrent dans un coin, abrités du brouhaha par la vaste carrure d'un officier en kilt. Le major avala une rasade de gin.

« J'espère que ces conversations ne vous ont pas épuisé ?

— Non, non, ça va. Mais je suis étonné, tout est si... conforme.

— J'espère que ça vous amuse. Tout se passera bien,

vous verrez. Le cuisinier est un Indien de Calcutta, l'un des meilleurs de toute l'Inde, dit-on. Je ne participe pas régulièrement à ce genre de réception, mais aujourd'hui c'est un peu spécial. J'espère que vous vous sentirez chez vous.

— Chez moi... » Edgar faillit ajouter : Pour autant que je puisse dire qu'à Londres je me sente chez moi. A cet instant un gong résonna dans le hall et les invités se dirigèrent vers la salle à manger.

Après le bénédicité, le repas commença. Edgar était assis en face du major Dougherty, un gros bonhomme qui s'esclaffait et soufflait bruyamment. Il questionna Edgar sur son voyage, plaisantant sur l'état des vapeurs fluviaux. A sa gauche, Mme Dougherty, poudrée, osseuse, lui demanda s'il s'intéressait à la politique de l'Angleterre, et Edgar répondit indirectement en parlant des préparatifs pour le jubilé de la reine. Comme elle insistait, le major l'interrompit : « Chère amie, j'imagine que si M. Drake est venu en Birmanie, c'est pour ne plus entendre parler de la politique anglaise, pas vrai monsieur Drake ? » Tout le monde se mit à rire, y compris Mme Dougherty qui replongea dans sa soupe, se contentant du peu qu'elle avait pu extirper au visiteur. Edgar se sentait sur la corde raide, parce que la question frôlait de près la vraie raison pour laquelle il se trouvait en Birmanie. Heureusement Mme Remington, à sa droite, intervint pour signifier au major sur un ton de reproche qu'on ne plaisantait pas avec ces sujets-là. « Ce sont des choses sérieuses, en tant que Britanniques nous devons nous tenir informés, le courrier nous parvient avec tellement de retard. Comment va la reine, au fait, j'ai entendu dire que lady Hutchings avait la tuberculose, est-elle tombée malade avant ou après le grand bal costumé de la Cour ? — Après. — Ah, tant mieux, pas pour lady Hutchins, mais pour le bal, c'est tellement joli, ce bal costumé, j'aurais tant voulu y assister ! » Et chacune des dames d'entonner son couplet, racontant le dernier bal auquel elles avaient assisté. Edgar put enfin se détendre et se mettre à manger.

Ce sont des gens bien élevés, se disait-il. Dire qu'en Angleterre on ne m'aurait jamais invité à ce genre de réception. Le tour qu'avait pris la conversation le rassurait, car quoi de plus éloigné de sujets potentiellement explosifs comme les pianos et les médecins excentriques que le grand bal costumé de la Cour ? Mais voilà que Mme Remington demanda innocemment : « Vous-même, vous avez assisté au bal, monsieur Drake ? — Non madame », répondit-il, et elle : « Mais enfin, vous êtes tellement au courant, vous deviez bien y être ? » Et lui : « Non, non », et, poliment : « J'ai seulement accordé l'Erard qui a servi pour le bal. » À peine avait-il prononcé ces mots qu'il s'en mordait la langue, car la question ne tarda pas : « Le quoi ? » Et lui, incapable de se retenir : « Erard, c'est l'un des meilleurs pianos à queue qui existent à Londres. Ils avaient un Erard de 1854, une beauté, je l'avais moi-même harmonisé un an plus tôt, il avait juste besoin d'être accordé pour le bal. » Elle sembla se contenter de sa réponse et un silence tomba, un de ces silences qui préludent à un changement de conversation, sauf qu'elle ajouta sans penser à mal : « Erard... Ah ! mais c'est le piano dont joue le Dr Carroll. »

Même à ce point, la conversation aurait encore pu être rattrapée, si par exemple Mme Dougherty avait pris la parole sur-le-champ, car elle souhaitait demander au visiteur ce qu'il pensait du climat birman et l'entendre dire qu'il le trouvait épouvantable, ou si le major Dougherty avait parlé de la récente incursion des dacoits aux alentours de Taunggyi, ou si Mme Remington avait continué à parler du bal, dont on était loin d'avoir fait le tour, car elle voulait également savoir si son amie Mme Bissy y participait. Mais le colonel West, assis à la gauche du major Dougherty et qui n'avait encore rien dit de tout le repas, grommela soudain d'une voix parfaitement audible : « On aurait dû le jeter à l'eau, ce foutu instrument. »

Edgar se tourna vers lui. « Excusez-moi, colonel. Vous disiez ?

— J'ai dit que, dans l'intérêt de Sa Majesté, on aurait dû flanquer cet instrument de malheur dans l'Irrawaddy ou en faire du petit bois. » Au milieu du silence général, le capitaine Nash-Burnham, jusqu'alors engagé dans une autre conversation, prit la parole. « Excusez-moi, mon colonel, nous avons déjà eu cette discussion.

— Je parlerai si je veux. J'ai perdu cinq hommes à cause de ce piano.

— Mon colonel, avec tout le respect que je vous dois, nous avons tous regretté cette attaque. Je connaissais l'un des hommes assassinés par les dacoits. Mais je crois que le piano pose un autre problème, et M. Drake ici présent est notre invité.

— Vous prétendez savoir mieux que moi ce qui s'est passé ?

— Absolument pas. J'aurais seulement aimé que nous discutions de cette affaire à un autre moment. »

Le colonel s'adressa à Edgar. « On a retardé de deux jours les renforts dont j'avais besoin parce qu'il fallait d'abord escorter le piano. Au ministère de la Guerre, on vous a raconté ça ?

— Non, colonel. » Le cœur d'Edgar battait plus vite. Il avait le vertige. Il vit passer en un éclair des images de la chasse à Rangoon. De ça non plus on ne m'avait pas prévenu.

« Mon colonel, je vous en prie. M. Drake a reçu toutes les instructions nécessaires.

— Il ne devrait même pas se trouver ici, en Birmanie. Tout ça est aberrant. »

Le silence avait gagné le reste de la table. On regardait les trois hommes. Edgar voyait les lèvres bouger, mais il n'écoutait plus. Le capitaine Nash-Burnham, rouge de colère, se dominait néanmoins. Il posa sa serviette sur la table.

« Merci, mon colonel, pour le déjeuner, dit-il en se levant, si vous voulez bien, monsieur Drake, je crois que nous allons nous retirer. Nous avons... des choses à régler. »

Edgar regarda les visages tournés vers lui. « Oui, oui, bien sûr, je vous suis. » Et il se leva de table, provoquant des murmures désappointés. Il y avait encore tant de choses à lui demander sur le bal, disaient les dames. Quel homme charmant. Ah ! ce besoin de toujours parler guerre et politique ! Nash-Burnham posa la main sur l'épaule de l'accordeur. « Allons-y.

— Merci, merci beaucoup à vous tous pour le déjeuner. » Edgar esquissa un salut embarrassé.

A la porte, le meilleur joueur de tabla de toute la haute Birmanie tendit son épée au capitaine Nash-Burnham, qui fronça le sourcil.

Une fois dehors, le capitaine frappa le sol du talon. « Je suis désolé de cet incident. Je savais qu'il serait là. Je n'aurais pas dû vous demander de m'accompagner, c'était une erreur.

— Mais non, capitaine, vous n'y êtes pour rien. » Ils se mirent en marche. « Je n'étais pas au courant de la perte de ses hommes.

— Je sais, je sais. Mais ça n'a rien à voir.

— Pourtant il a dit...

— Je sais bien ce qu'il a dit, mais les renforts qu'on devait envoyer à Ruby Mines, où se trouvait sa patrouille, n'étaient prévus qu'une semaine plus tard. Rien à voir avec le piano. Le Dr Carroll l'a transporté à Mae Lwin lui-même. Hélas, je ne pouvais pas discuter, c'est mon supérieur. Quitter la table est déjà un acte assez grave. »

Edgar se taisait.

« Excusez ma colère. Je prends sans doute trop à cœur les remarques de certains officiers sur le Dr Carroll. Je devrais en avoir l'habitude, à force. Ils sont jaloux, ou ils préfèrent la guerre. Une paix négociée ne vous fait pas monter en grade. Le médecin... » Il se tourna, plongea les yeux dans ceux d'Edgar. « J'irais jusqu'à dire que le médecin et sa musique les empêchent d'agir... Néanmoins, je n'aurais pas dû vous mêler à tout ça. »

Mêlé, il semble que je le sois déjà, pensa l'accordeur, mais il ne répliqua pas. Ils reprirent leur marche et regagnèrent leurs quartiers sans un mot de plus.

10

Le capitaine Nash-Burnham revint ce même soir. Il sif-
flotait un quadrille en suivant Khin Myo qui lui faisait
traverser la maison. Il trouva Edgar dans le petit patio, en
train de déguster une salade, mélange amer de feuilles de
thé pilées et de lentilles que Khin Myo lui avait préparé.
« Ah ! ah ! monsieur Drake ! Vous découvrez la cuisine
locale, à ce que je vois. » Il tenait ses mains sur son ventre,
en tirant sur un gilet blanc.

« Eh oui, capitaine. Je suis content de vous revoir. Je
vous dois des excuses. J'ai repensé tout l'après-midi à ce
qui s'est passé au cours de la réception, et je suis désolé.
Je pense que je devrais...

— Absolument pas », interrompit le capitaine. Au lieu
d'une épée, il avait maintenant une canne avec laquelle il
frappait le sol. Il adressa un sourire affable à Edgar. « Je
vous l'ai déjà dit, c'est entièrement ma faute. Les autres
n'y penseront bientôt plus. Faites-en autant, déclara-t-il
d'un ton rassurant.

— Vous êtes sûr ? Il faudrait peut-être que j'envoie un
mot d'excuse.

— Et pourquoi donc ? Si quelqu'un risque des ennuis,
c'est moi, et je ne me fais aucun souci. Nous avons de
bons arguments. Allez, ne nous gâchons pas la soirée. Ma
Khin Myo, je me disais que nous pourrions emmener
M. Drake voir un *pwè*.

— Très bonne idée, dit Khin Myo. Et M. Drake a

beaucoup de chance — elle se tourna vers lui — car c'est la saison parfaite pour les *pwè*. Il doit y en avoir une bonne vingtaine dans Mandalay ce soir.

— Excellent ! dit le capitaine en se tapant sur la cuisse. Allons-y. Vous êtes prêt, mon ami ?

— Absolument. » Edgar était soulagé de voir le capitaine d'aussi bonne humeur. « Oserai-je vous demander ce qu'est un *pwè* ?

— Oh, un *pwè* ? répondit Nash-Burnham en riant. Vous allez adorer ! C'est du théâtre de rue birman, mais quand on a dit ça on n'a rien dit. Il faut le voir, en fait.

— Il est tard. Les spectacles ne seront pas terminés ?

— Bien au contraire : la plupart n'ont même pas encore commencé. »

« Un *pwè*, commença le capitaine tandis qu'ils se mettaient en route, est une spécificité typiquement birmane, et je dirais même propre à Mandalay ; c'est là qu'on a porté cet art à son plus haut degré de perfection. Il y a toutes sortes de raisons de donner un *pwè*, une naissance, une mort, un baptême, une fille qui se fait percer les oreilles pour la première fois, un jeune garçon qui devient moine ou qui cesse de l'être, une pagode qu'on consacre. Il y a aussi des raisons qui n'ont rien à voir avec la religion : on gagne un pari, on construit une maison, on creuse un puits... une bonne moisson, un match de boxe, un ballon qu'on lâche. Tout et le reste. N'importe quel événement peut être propice à un *pwè*. »

Ils suivaient la route en direction du canal qu'Edgar était allé voir avec Khin Myo le matin même. « D'ailleurs, je m'étonne, dit le capitaine, que nous ne soyons pas tombés sur un *pwè* ce matin en traversant la ville. Le conducteur a sans doute voulu les éviter. Quelquefois ils se déroulent en plein milieu de la route et bloquent complètement la circulation. C'est l'un des problèmes que notre administration a hérités des Birmans. Pendant la saison sèche, il peut s'en donner des dizaines dans toute la ville. Et une soirée comme aujourd'hui, où le ciel est dégagé, ils sont particulièrement appréciés. »

Ils tournèrent à un coin de rue. Au bout, on apercevait des lumières, de l'agitation. « En voilà un ! » s'exclama Khin Myo. Et Nash-Burnham : « Oui, on a vraiment de la chance ! Ici, en Birmanie, on prétend qu'il y a deux sortes d'Anglais, ceux qui adorent le *pwè*, et ceux qui ne le supportent pas. Le soir de mon arrivée, trop excité pour avoir sommeil, je me suis promené dans les rues à la découverte de la ville, et je suis tombé sur un *yôkthe pwè*, un spectacle de marionnettes. Le coup de foudre ! »

Comme ils se rapprochaient des lumières, Edgar aperçut une foule de gens assis sur des petits tapis au milieu du chemin en demi-cercle autour d'un espace vide, devant une sorte de cabane à toit de chaume. Au centre de cet espace se dressait un mât. Tout autour, des pots en terre d'où émergeaient de petites flammes clignotantes illuminaient les visages de la première rangée de spectateurs.

Ils s'arrêtèrent près d'un groupe de familles qui levèrent les yeux sur les nouveaux arrivants. Il y eut des conciliabules, et un homme cria quelque chose en direction d'une grande maison située derrière la cabane. Khin Myo lui répondit. « Ils nous prient de rester, dit-elle.

— Demandez-leur ce qu'on joue ce soir », dit Nash-Burnham.

Khin Myo reprit la parole et l'homme lui répondit longuement.

« C'est l'histoire de *Nemi Zat*, dit-elle.

— Ah, quelle chance ! » Le capitaine frappa le sol de sa canne pour manifester son plaisir. « Dites-lui que nous resterons un moment, mais que nous voulons emmener notre visiteur voir un *yôkthe pwè*, donc que nous partirons avant la fin. »

Khin Myo transmit. « Il comprend », dit-elle.

Une servante apporta deux chaises qu'elle posa derrière les spectateurs assis. Nash-Burnham lui adressa quelques mots et elle revint avec une troisième chaise qu'il offrit à Khin Myo. Ils s'installèrent.

« On dirait que ça n'a pas encore commencé, dit le capitaine. Regardez, les danseuses sont en train de se maquiller. » Il montra un groupe de femmes, près d'un manguier, qui s'appliquaient du *thanaka* sur le visage.

Un petit garçon s'approcha en courant du centre du cercle pour allumer un cigare à l'une des flammes.

« L'espace circulaire, c'est la scène, expliqua Nash-Burnham. Les Birmans l'appellent le *pwè-wang*...

— *Pwè-waing*, corrigea Khin Myo.

— Pardon, *pwè-waing*, et l'arbre au milieu est le *pan-bin*. Correct, Ma Khin Myo ? » Elle sourit. Il lui rendit son sourire et poursuivit. « Certains estiment que le *pan-bin* est l'équivalent de l'autel dans le théâtre grec, mais je me méfie un peu de ce genre de comparaison. Les Birmans disent quelquefois qu'il représente une forêt, mais j'ai l'impression qu'il sert surtout à tenir le public à distance. En tout cas, c'est là que pour l'essentiel se déroulent les danses.

— Et les pots de terre ? demanda Edgar. Ils ont une signification ?

— Pas que je sache. Ils illuminent la scène quand il n'y a pas assez de clair de lune, et permettent d'allumer les cigares en permanence. » Il se mit à rire.

« Quel est le sujet de la pièce ? »

— Oh, il varie énormément. Il y a toutes sortes de *pwè*. Par exemple, le *ahlu pwè*, financé par un riche Birman, célèbre une fête religieuse ou l'entrée de son fils au monastère. Ce sont d'habitude les plus réussis, car l'argent permet de s'offrir les meilleurs acteurs. Ou encore les *pwè* par abonnement — dans ce cas quelqu'un du quartier organise une collecte pour louer les services d'une troupe de *pwè* ; le *a-yein pwè*, un spectacle de danse ; le *kyigyin pwè*, spectacle offert gracieusement par un acteur ou une troupe qui veulent se faire connaître. Et puis naturellement il y a le *yôkthe pwè*, le théâtre de marionnettes, je vous promets que nous allons en voir ce soir. Si vous n'êtes pas complètement perdu... Ma Khin Myo, corrigez-moi si je me trompe.

— Vous vous en tirez très bien, capitaine.

— Le *zat pwè*, continua Nash-Burnham, est une histoire vraie, une pièce religieuse qui met en scène le récit de l'une des vies du Bouddha. Il en existe autant que de réincarnations du Bouddha : cinq cent dix, mais on n'en joue régulièrement qu'une dizaine : les *Zatgyi Sèbwè*, qui représentent le Bouddha surmontant chacun des péchés mortels. C'est ce qu'on joue ce soir : le *Nemi Zat*, le cinquième.

— Quatrième.

— Merci, Khin Myo, le quatrième *Zatgyi Sèbwè*. Khin Myo, vous voulez expliquer l'intrigue ?

— Non, capitaine, j'ai trop de plaisir à vous entendre raconter.

— Ah ! Je dois donc faire attention à ce que je dis... Je ne vous ennuie pas, monsieur Drake ?

— Non, pas du tout.

— Nous ne resterons qu'une heure et le spectacle continuera jusqu'à l'aube. Il peut durer quatre jours... En tout cas, il faut que vous connaissiez la trame de l'histoire. Tout le monde ici la connaît, les acteurs se contentent de broder dessus. » Le capitaine s'arrêta un instant pour préparer son explication. « Il s'agit du prince Nemi, l'une des réincarnations du Bouddha, qui fait partie d'une longue lignée de rois birmans. Jeune homme, le prince Nemi est tellement pieux que les esprits célestes décident de l'inviter à visiter le ciel. Par une nuit de clair de lune, semblable sans doute à celle-ci, les esprits envoient sur terre un char. Je m'imagine la frayeur sacrée du prince et de son peuple lorsqu'ils voient le char descendre devant eux : ils se prosternent en tremblant. Le prince monte dans le char qui disparaît dans le clair de lune. Le char emmène d'abord Nemi dans le ciel où vivent les *nats* — ce sont des esprits populaires, les bouddhistes les plus fervents sont persuadés qu'il y en a partout —, puis dans le *Nga-yè*, le monde souterrain où habitent les serpents qu'on appelle *nagas*. Le prince finit par redescendre sur terre, à regret, et fait partager les merveilles qu'il a contemplées. Le finale est plutôt triste : la tradition veut que les rois, lorsqu'ils vieillissent et sentent la mort prochaine, s'enfoncent dans le désert pour y mourir en ermite. Le jour venu, Nemi, comme ses ancêtres avant lui, s'en va errer dans les forêts pour y mourir. »

Il y eut un long silence. Edgar Drake voyait les danseuses qui rangeaient leur *thanaka* et ajustaient leurs *hta mains*.

« C'est peut-être mon histoire préférée, dit Nash-Burnham. Peut-être parce qu'elle me rappelle ma propre expérience, tout ce que j'ai vu... à une différence près.

— Laquelle ? demanda Edgar.

— Quand je reviendrai des plaines du ciel et du *Ngayè*, personne ne voudra me croire. »

Malgré la chaleur de la nuit, Edgar sentit un frisson lui parcourir l'échine. Autour d'eux, la foule se taisait, comme si tous avaient aussi écouté le capitaine. Puis l'une des danseuses entra en scène.

Edgar fut immédiatement frappé par la beauté de cette jeune fille, dont les yeux noirs étaient mis en valeur par un épais maquillage. Elle était jeune — quatorze ans peut-être —, et elle se tenait au milieu du *pwè waing*, en attente. Edgar n'avait pas encore remarqué un groupe de musiciens assis de l'autre côté du *pwè*, petit ensemble réunissant un tambour, des cymbales, un cor et un instrument de bambou qu'il ne connaissait pas, plus l'instrument à cordes qu'il avait vu à Rangoon — un *saung*, lui apprit Khin Myo, douze cordes attachées à un cadre en forme de bateau. L'orchestre commença, très doucement d'abord, comme lorsqu'on entre dans l'eau avec précaution, puis soudain il se trouva plongé dans le rythme de la chanson. Alors l'homme à l'instrument de bambou se mit à jouer et l'air s'éleva sur le *pwè waing*.

— Mon Dieu, murmura Edgar, qu'est-ce que c'est, ce son ?

— Ah ! dit le capitaine, j'aurais dû me douter que vous alliez adorer cette musique.

— Non, ce n'est pas ça... Enfin si, j'aime beaucoup, mais je n'ai jamais entendu ce genre de chant, de lamento. » Parmi tous les instruments, le capitaine sut instantanément auquel l'accordeur faisait référence.

« C'est une sorte de hautbois birman, un *hneh*.

— On dirait un chant funèbre. »

Sur scène, la jeune fille se mit à danser, lentement d'abord, pliant les genoux, tournant le torse à droite et à gauche, levant les bras de plus en plus haut, puis les agitant en cadence. A la lueur des bougies, on aurait dit qu'ils flottaient à partir de ses épaules, en contradiction avec les affirmations des médecins qui voudraient faire croire que les bras se rattachent au tronc par tout un système complexe d'os et de tendons, de muscles et de veines. Ces médecins, c'est sûr, n'ont jamais assisté à un *a-yein pwè*.

La musique émergeait doucement de l'obscurité pour envahir la scène et envelopper la jeune danseuse.

Elle dansa presque une demi-heure, et ce n'est que lorsqu'elle s'arrêta qu'Edgar sortit de sa transe. Il se tourna vers le capitaine, incapable de prononcer une parole.

« C'est beau, mon ami, non ?

— Je suis... sans voix. Hypnotisé.

— Les danseuses ne sont pas toujours aussi bonnes. On voit à sa façon de bouger les coudes qu'elle a été formée à la danse dès son plus jeune âge.

— Pourquoi ?

— L'articulation est très souple. Si des parents décident que leur fille deviendra *meimma yein*, danseuse professionnelle, on lui place les bras dans un appareil spécial qui distend et étire le coude.

— Mais c'est affreux !

— Pas vraiment. » C'était Khin Myo qui intervenait. Elle étendit le bras. Le coude se pliait gracieusement à l'envers, comme le cadre du *saung*.

« Vous dansez ? lui demanda Edgar.

— Quand j'étais jeune. » Elle rit. « Maintenant, j'entretiens ma souplesse en faisant la lessive d'un gentleman anglais. »

La danseuse venait d'être remplacée sur scène par un personnage évoquant Arlequin. « Le *lubyet*, le bouffon », murmura Nash-Burnham. L'homme peinturluré, au costume orné de clochettes et de fleurs, parlait avec force gestes, produisait toutes sortes de bruits qui avaient l'air d'imiter l'orchestre, dansait et cabriolait.

A côté de lui Khin Myo pouffait, la main sur la bouche. « Qu'est-ce qu'il raconte ? demanda Edgar.

— Une plaisanterie sur l'homme qui offre le *pwè*. Je ne sais pas si vous comprendriez. Capitaine, pouvez-vous expliquer ?

— Non, je ne suis pas sûr de comprendre moi-même, c'est plein d'argot, n'est-ce pas, Khin Myo ? Et puis, l'humour birman... au bout de douze ans, il m'échappe encore. D'ailleurs Khin Myo préfère ne pas expliquer car le propos est sans doute peu convenable. » Elle détourna le regard, et Edgar vit sa main dissimuler un sourire.

Ils regardèrent un bon moment le *lubyet*, au point qu'Edgar commença à trouver le temps long. D'ailleurs, les spectateurs relâchaient leur attention. Certains avaient apporté leur repas dans des paniers. D'autres s'allongeaient et parfois même s'endormaient. Le *lubyet* se promenait au milieu des spectateurs, arrachait un cigare d'une bouche ou chipait de la nourriture. Il s'approcha d'Edgar, passa sa main dans ses cheveux et cria quelque chose à la cantonade. Khin Myo se mit à rire. « Qu'est-ce qu'il a dit ? » demanda Edgar. Khin Myo pouffa de plus belle. « Oh ! j'aurais honte de le répéter. » Ses yeux brillaient à la lueur des petites lanternes posées par terre.

Le *lubyet* retourna sur scène sans cesser de plaisanter. Finalement Nash-Burnham se tourna vers Khin Myo. « On pourrait peut-être essayer de trouver un *yôkthe pwè* ? » Elle approuva. Elle alla dire un mot à l'hôte, à présent ivre, qui se leva pesamment et vint serrer la main des deux Anglais. « Il nous invite à revenir demain soir », expliqua Khin Myo.

Ils quittèrent le *pwè* et s'engagèrent dans les rues dépourvues de lampadaires. Sans la lune, ils auraient été plongés dans l'obscurité.

« Est-ce qu'il vous a indiqué où nous pourrions trouver un *yôkthe pwè* ? demanda le capitaine.

— Près du marché. Pour la troisième soirée, on joue le *Wethandaya Zat*.

— Parfait », conclut le capitaine avec satisfaction.

En comparaison avec l'atmosphère du *pwè* qu'ils venaient de quitter, les rues étaient silencieuses, vides, à part un ou deux chiens bâtards que le capitaine chassait avec sa canne. Devant le seuil des maisons, les lueurs des cigares allumés dansaient comme des lucioles. A un moment, Edgar eut l'impression d'entendre Khin Myo chanter. Il l'observa, sa blouse blanche frissonnait légèrement dans le vent. Sentant le regard posé sur elle, elle se tourna vers lui. « Qu'est-ce que vous chantez ? demanda-t-il.

— Pardon ? » Un léger sourire flottait sur ses lèvres.

« Rien, rien, dit-il. Ce devait être le vent. »

La lune était haut dans le ciel lorsqu'ils arrivèrent au *yôkthe pwè*, et leurs ombres avaient raccourci sous leurs pieds. La représentation était déjà bien avancée. De l'autre côté d'une estrade de bambou de près de trente pieds de long, deux marionnettes dansaient, accompagnées par la voix d'un chanteur invisible. Le public écoutait plus ou moins attentivement. Des enfants, tout pelotonnés, étaient endormis, des adultes parlaient entre eux. Les arrivants furent accueillis par un gros homme qui demanda, là aussi, qu'on apporte deux chaises, et, là aussi, le capitaine en réclama une troisième.

Pendant que Khin Myo et l'homme conversaient, Edgar concentra son attention sur la pièce. Un côté de la scène était occupé par une ville miniature, avec un palais élégant, une pagode. C'est devant ce décor que dansaient les deux marionnettes. A l'autre bout, non éclairé, Edgar aperçut des branchages et des brindilles, comme une forêt en miniature. Sur la chaise voisine, le capitaine hochait la tête avec approbation. Khin Myo mit fin à sa conversation et s'assit.

« Vous avez beaucoup de chance, ce soir, dit-elle. C'est Maung Tha Zan, peut-être le plus renommé des montreurs de marionnettes de Mandalay, qui joue la princesse. Il a travaillé avec le grand Maung Tha Byaw, le plus grand marionnettiste de tous les temps. Il a une telle réputation que vous entendez parfois des hommes de Mergui dire "Tha Byaw Hé" pour désigner quelque chose d'extraordinaire. Bon, Maung Tha Zan n'est pas aussi bon que Maung Tha Byaw, mais il chante merveilleusement. Ecoutez bien, il va bientôt commencer le *ngo-gyin*. »

Edgar n'eut pas le temps de demander de quoi il s'agissait : à l'instant même jaillit de derrière la scène une longue plainte. Il retint son souffle. C'était le même air que celui qu'il avait entendu le soir où le vapeur s'était arrêté sur le fleuve. Depuis, il n'y avait plus repensé. « Le *ngo-gyin*, le chant de deuil, expliqua Nash-Burnham à côté de lui. Son prince va bientôt l'abandonner, et elle pleure sur son triste sort. Je n'arrive jamais à croire que c'est un homme qui chante ça. »

Mais ce n'était pas non plus une voix de femme. Une voix de soprano, oui, mais pas féminine. Une voix, se dit Edgar, à peine humaine, en fait il ne comprenait pas les paroles en birman, mais il savait ce que l'homme chantait. Les chants de douleur sont universels, pensa-t-il, et avec la voix de l'homme quelque chose d'autre s'élevait dans l'air de la nuit, se tordait en volutes, dansait avec la fumée du feu et s'éloignait dans le ciel. Les paillettes sur le corps de la princesse scintillaient comme des étoiles, et il avait l'impression que c'était d'elle que provenait le chant, et pas du marionnettiste. Au bas de la scène, le petit garçon chargé des bougies déplaça la lumière de la princesse et sa ville jusqu'à l'autre bout de la scène, et la forêt sortit de l'obscurité.

Un long moment passa après la fin du chant sans que personne prenne la parole. Puis une autre scène commença, mais Edgar ne regardait plus que le ciel.

« Dans la dernière incarnation de Gautama avant Siddharta, dit le capitaine Nash-Burnham, il abandonne tous ses biens, même sa femme et ses enfants, et part dans la forêt.

— Est-ce que vous vous retrouvez aussi dans cette histoire ?» demanda Edgar.

Le capitaine secoua la tête. « Non, je n'ai pas abandonné tout ce que j'avais.» Il marqua un temps. « Mais certains l'ont fait.

— Anthony Carroll, prononça doucement l'accordeur.

— Ou d'autres peut-être», ajouta Khin Myo.

11

A la saison sèche, le trajet le plus court jusqu'à Mae Lwin aurait été de suivre à dos d'éléphant une piste tracée par les troupes Chan pendant la deuxième guerre anglo-birmane et qu'empruntaient à l'occasion les trafiquants d'opium. Mais la route avait été récemment attaquée et le capitaine suggéra de suivre à dos d'éléphant un petit affluent de la Salouen à l'est de Loilem, et de là de rejoindre en canoë le camp de Carroll. Nash-Burnham ne pouvait pas les accompagner car il avait du travail à Mandalay. « Mais faites mes amitiés au docteur, avait-il recommandé. Dites-lui qu'il nous manque. » Le moment semblait bizarrement choisi pour ce genre de banalités, et Edgar s'attendait qu'il ajoute autre chose, mais le capitaine se contenta de porter la main à son casque en geste d'adieu.

Le matin du départ, Edgar fut réveillé par Khin Myo ; elle lui annonça à travers la porte de sa chambre qu'un homme voulait le voir. Quand il arriva devant l'entrée, il fut déçu de ne pas voir les éléphants annoncés, mais seulement un jeune Birman qu'il reconnut comme attaché à la résidence de l'administrateur. Le garçon était hors d'haleine. « De la part de monsieur l'administrateur, je suis au regret de vous annoncer que votre départ va connaître le retard. » Edgar s'efforça de cacher un demi-sourire provoqué par l'emphase de la tournure, afin qu'il ne soit pas interprété comme un signe de satisfaction devant la nouvelle annoncée. « Et quand l'administrateur pense-t-il que je pourrai partir ? demanda-t-il.

— Je n'ai pas connaissance de cela. Il faudra le demander à Son Excellence.

— Pouvez-vous du moins me dire si nous partirons aujourd'hui, plus tard dans la journée ?

— Oh ! Monsieur, sûrement pas aujourd'hui. »

Voilà qui était clair et net. Edgar aurait voulu dire quelque chose, mais il se contenta de hocher la tête et de refermer la porte. En passant devant Khin Myo, il lui adressa une petite grimace complice. « L'efficacité britannique ? » suggéra-t-elle. Il retourna se coucher. Plus tard dans l'après-midi, il termina pour Katherine une longue lettre commencée depuis plusieurs jours, décrivant sa soirée au théâtre de marionnettes. Il commençait à s'habituer aux retards bureaucratiques. Le lendemain, il écrivit d'autres lettres, l'une concernant la mise à sac controversée du palais de Mandalay par les soldats anglais, la deuxième relatant les histoires qu'on racontait sur « la Dame velue de Mandalay », une parente éloignée de la famille royale dont tout le corps était couvert d'un duvet de poils longs et doux. Le surlendemain, il fit une longue promenade dans le bazar. Il attendait toujours.

Le quatrième jour, la nervosité l'emporta sur la patience et la déférence d'un homme qui avait consacré toute sa carrière à réparer des cordes et des marteaux. Il se rendit à la résidence de l'administrateur afin de savoir quand était prévu le départ. Il fut accueilli à la porte par celui qui était venu lui annoncer la nouvelle. « Monsieur Drake ! s'exclama le Birman. Mais M. l'administrateur est à Rangoon ! »

Au quartier général de l'armée, Edgar demanda à voir le capitaine Nash-Burnham. Le jeune sous-officier en faction à l'entrée eut l'air surpris. « Je pensais qu'on vous en avait informé. Le capitaine Nash-Burnham se trouve également à Rangoon.

— Puis-je savoir pour quelle raison ? J'étais censé partir pour Mae Lwin il y a quatre jours. Je viens de loin, on a consacré beaucoup d'efforts à assurer mon voyage. Ce serait vraiment malheureux de perdre davantage de temps. »

Le sous-officier devint tout rouge. « Je croyais qu'on vous avait prévenu... Excusez-moi, je reviens. » Il se dirigea vers un bureau, au fond du hall. Edgar entendit chuchoter à mi-voix. Le jeune homme reparut. « Veuillez me suivre, je vous prie. »

Il le fit entrer dans une petite pièce encombrée d'un bureau couvert de piles de papiers, maintenus par des figurines grossièrement taillées dont les marchands se servaient pour peser l'opium. Ces presse-papiers étaient inutiles : aucun air ne circulait dans la pièce. Le sous-officier referma la porte derrière eux. « Veuillez vous asseoir. Mae Lwin a été attaqué », dit-il.

Les détails de l'histoire restaient confus, ainsi que l'identité des attaquants. La veille du jour où Edgar devait partir, un messager à cheval, arrivé dans la soirée à la résidence de l'administrateur, avait annoncé que, deux jours plus tôt, un groupe de cavaliers masqués avaient fait irruption dans Mae Lwin ; ils avaient mis le feu à un dépôt et tué un garde. Dans la confusion qui avait suivi, un bref affrontement avait eu lieu, au cours duquel une autre sentinelle Chan avait été tuée. Carroll était sain et sauf, mais inquiet. On soupçonnait Twet Nga Lu, le Chef des bandits qui poursuivait sa propre guerre pour l'indépendance de Mongnai, d'être l'instigateur de cette attaque. On avait pu sauver presque tout le stock emmagasiné dans le dépôt, mais plusieurs des fioles d'élixir du médecin-major avaient été endommagées. « Apparemment une balle perdue a également touché... » — le jeune sous-officier s'interrompit pour choisir ses mots — « d'autres fournitures importantes pour le travail actuel du docteur.

— Pas l'Erard ? »

Le sous-officier eut l'air mal à l'aise. « Monsieur Drake, je comprends l'importance de votre mission, et je comprends les sacrifices que vous avez dû faire pour venir jusqu'ici, prouvant par là votre inestimable attachement à la Couronne. » Il marqua un temps. « Cette attaque survient en une période très difficile. Comme vous le savez, nous sommes engagés depuis novembre dernier dans une série d'opérations militaires couvrant les Etats Chan. Une colonne sous les ordres du colonel Stedman a quitté Mandalay au début du mois. Il y a six jours, nous avons appris qu'elle avait été attaquée. Etant donné la concentration des forces de la confédération de Limbin dans la région, cette agression ne nous a pas surpris. Mais l'attaque de Mae Lwin, en revanche, oui. Nous ne savons toujours pas qui étaient ces cavaliers masqués, ni qui les a armés. On suppose que leurs armes auraient pu leur être fournies par les forces françaises, dont nous ne savons pas où elles se trouvent actuellement. Pour des raisons de sécurité, je ne peux malheureusement vous en dire davantage. »

Edgar resta muet.

« Je ne veux pas vous décevoir, monsieur Drake. En fait, je vous parle à titre personnel, car c'est à Rangoon que les décisions seront prises. Mais je voulais que vous compreniez la réalité de notre situation. Quand le capitaine Nash-Burnham sera de retour, il verra avec vous si vous devez rester à Mandalay ou retourner à Rangoon par bateau. Jusque-là, je vous suggère de profiter de ce que la ville a à vous offrir sans vous faire trop de souci. » Le sous-officier se pencha vers lui. « Monsieur Drake ? »

L'accordeur ne disait toujours rien.

« Mae Lwin n'est pas un endroit agréable, sachez-le, malgré tout ce qu'on a pu vous dire pour vous convaincre de venir jusqu'ici. C'est un coin marécageux, infesté de malaria, pas le genre de climat qui convienne à un Anglais. Ajoutez à cela le danger des attaques récentes... Nous ferions bien de renoncer à ce poste. Personnellement, je n'en serais pas mécontent. En fait, vous avez de la chance, vous avez pu voir les plus belles villes de Birmanie. »

On étouffait dans la pièce. Edgar se leva. « Merci beaucoup, je vais vous laisser. »

Le sous-officier lui tendit la main. « Je vous demanderai de ne pas mentionner cette conversation auprès de nos supérieurs. Même s'il s'agit dans votre cas d'une mission mineure, c'est le capitaine Nash-Burnham qui s'occupe des affaires civiles.

— Mineure, dites-vous ? Non, ne vous inquiétez pas, je ne dirai rien. Merci. »

Le sous-officier lui sourit. « C'est tout naturel. »

Ma chère Katherine,

Je ne sais pas ce qui te parviendra en premier, cette lettre ou moi-même. Une semaine a passé depuis le jour prévu pour mon départ de Mandalay et je suis toujours là. Je t'ai déjà fait plusieurs descriptions de la ville, mais pardonne-moi de ne plus avoir le cœur à en faire d'autres. Tout cela est extrêmement déconcertant, et j'en viens à me demander si je finirai par rencontrer un jour le Dr Carroll ou son Erard.

Mae Lwin a été attaqué. C'est un sous-officier du quartier général de l'armée qui me l'a appris. Je ne sais pratiquement rien d'autre. Chaque fois que je demande des explications, on me répond de façon évasive ou pas du tout. « Une réunion stratégique importante se tient à Rangoon », me dit-on. Ou bien : « Cet incident ne peut pas être pris à la légère. » Ce qui me surprend, c'est que le Dr Caroll n'ait pas été convoqué pour la réunion : d'après ce que tout le monde dit, il est toujours à Mae Lwin. On dit que c'est parce qu'il est important sur le plan militaire de tenir le fort, ce qui paraît une explication raisonnable, sauf qu'il y a quelque chose qui me dérange dans leur attitude. Au début, j'étais plutôt excité par ce mystère, qui convient bien à un pays où tout est si secret. Mais je suis un peu démoralisé. Si scandale il y a, ce serait que le Dr Carroll soit tenu à l'écart d'une décision aussi cruciale, mais même cette hypothèse ne me paraît plus tellement scandaleuse. Ils prétendent qu'un homme obsédé à ce point par un piano est forcément capable d'autres excentricités, et qu'il ne convient pas de lui confier des responsabilités aussi importantes. Ce qui me fait le plus de peine, c'est que, jusqu'à un certain point, je ne peux m'empêcher d'en tomber d'accord. Qu'est-ce qu'un piano par rapport au risque que les Français franchissent l'autre rive du Mékong ? Pourtant, à remettre le docteur en question, je me remets en question moi-même, et j'ai du mal à l'accepter.

Ma très chère Katherine, lorsque j'ai quitté l'Angleterre, j'avais peine à croire que j'atteindrais un jour Mae Lwin. Tout paraissait si loin, il y avait tant d'obstacles à surmonter. Mais maintenant que ma mission a de fortes chances d'être annulée, je n'arrive pas à croire que je n'irai pas jusqu'au bout. Depuis six semaines, je ne pense à rien d'autre ou presque qu'à Mae Lwin. D'après les cartes et les comptes rendus des uns et des autres, je me suis fabriqué ma propre idée du fort. J'ai établi des listes des choses à faire là-bas, des montagnes et des rivières qui figurent dans les rapports du Dr Carroll et que je voudrais voir. Tu vas trouver cela bizarre, mais j'ai déjà dans la tête les récits que je te ferai quand je rentrerai. Ce que cela a représenté pour moi de faire la connaissance du fameux médecin. Comment j'ai réparé et accordé l'Erard, sauvé ce précieux instrument. Comment j'ai rempli mon « devoir » vis-à-vis de l'Angleterre. C'est peut-être cette idée de « devoir » à remplir qui m'échappe le plus à présent. Je sais que nous en avons souvent parlé ensemble, et je continue à croire au rôle que peut jouer un piano. Mais j'en suis venu à penser que vouloir apporter à ce pays la musique et la culture ne va pas tout seul — l'art et la musique existent, c'est *leur* art et *leur* musique. Je ne dis pas que nous ne pouvons rien apporter à la Birmanie, mais il faudrait sans doute y mettre davantage d'humilité. En vérité, si notre intention est d'assujettir ce peuple, il faut leur présenter ce qu'il y a de meilleur dans la civilisation européenne. Bach n'a jamais fait de mal à personne. Les airs de musique ne sont pas des armées.

Je digresse, mon ange. Ou peut-être que non : je t'ai parlé de mes espoirs et voilà que lentement mes espoirs s'évanouissent, détruits par la guerre, le pragmatisme — et mes propres doutes. Ce voyage prend déjà la patine de l'apparence, comme si je l'avais vécu en rêve. Ce que j'ai fait est lié à ce que je dois faire, au point que la vérité de ce que j'ai vécu menace de s'effacer en même temps que ce que je n'ai pas encore vu. Comment t'expliquer cela ? Jusqu'ici mon voyage était tourné vers l'avenir, tout était dans mon imagination ; à présent, si l'objectif disparaît, ce que j'ai pu voir est remis en question. J'ai permis à des rêves de se fondre avec la réalité, maintenant c'est la réalité qui menace de se confondre avec de simples rêves et de disparaître. Je ne sais pas si ce que je t'écris a un sens ou non, mais devant tant de beauté autour de moi, je m'imagine de retour à Franklin Mews, mes bagages à la main, sans avoir changé d'un pouce depuis mon départ.

Que t'écrire d'autre ? Je passe des heures à contempler les montagnes Chan, à chercher comment je pourrais te les décrire, car c'est la seule façon de ramener un peu de ce que j'ai vu. Je me promène dans les marchés, je suis sur les routes défoncées les files de chars à bœufs et de parasols. Ou bien je reste assis près du fleuve à regarder les pêcheurs, à attendre le vapeur de Rangoon qui m'annoncera mon départ pour Mae Lwin ou me ramènera à la maison. L'attente commence à se faire insupportable, tout comme la chaleur étouffante et la poussière qui écrasent la ville. Peu importe laquelle, mais qu'une décision soit enfin prise.

Ma chère âme, je me rends compte que parmi toutes les possibilités redoutables que nous avions envisagées avant mon départ, nous n'avions pas pensé à celle qui est aujourd'hui la plus probable : que je rentre sans rien. Peut-être que ce sont l'ennui et la solitude qui me dictent ces élucubrations, mais quand je dis « rien », je ne veux pas dire seulement que je n'aurai pas accordé le piano, mais aussi que, ayant découvert un monde si différent du nôtre, je n'aurai même pas commencé à le comprendre. Ma venue à cet endroit a créé en moi un étrange sentiment de vide qui m'était jusqu'ici inconnu, et je ne sais pas si le fait de partir dans la jungle le comblera ou le creusera au contraire davantage. Je me demande pourquoi j'ai accompli ce voyage, je repense à ce que tu disais, que j'en avais besoin, je vois que je vais rentrer et constater mon échec.

Tu sais que les mots ne sont pas ma manière de m'exprimer, et je ne trouve pas de musique qui pourrait dire ce que je ressens. La nuit tombe et je suis près du fleuve, donc je vais rentrer. Ma seule consolation, c'est de me dire que je vais te revoir bientôt et que nous serons de nouveau réunis.

Ton mari qui t'aime,

Edgar.

Il plia sa lettre, se leva du banc et quitta la rive de l'Irrawaddy. Traversant lentement les rues de la ville, il atteignit la petite maison et trouva Khin Myo qui l'attendait.

Elle tenait à la main une enveloppe qu'elle lui tendit sans un mot. Il n'y avait pas d'adresse, seulement son nom en caractères gras. Il la regarda, elle soutint son regard, sans rien exprimer. Pendant un bref instant il garda les deux enveloppes à la main, celle de Khin Myo et sa lettre à Katherine. Dès qu'il eut ouvert le pli, il reconnut l'écriture élégante.

Cher M. Drake,

C'est avec un profond regret que je me vois contraint, dès le début de ma correspondance personnelle avec vous, de faire référence à la gravité de l'heure. Mais vous êtes au courant, j'en suis sûr, des circonstances qui ont compromis votre visite à Mae Lwin. Mon impatience n'a d'égale que celle que j'imagine être la vôtre. Durant l'attaque de notre camp, les cordes qui commandent le *la* de la quatrième octave ont été sectionnées par une balle de mousqueton. Comme vous le savez, il est impossible de jouer un morceau d'une quelconque importance sans cette note, c'est là une tragédie dont les gens du ministère n'ont pas la moindre idée. Je vous prie de prendre immédiatement la route pour Mae Lwin. J'ai envoyé un messager chargé de vous accompagner, vous et Ma Khin Myo, jusqu'à notre fort. Veuillez le retrouver demain sur la route qui mène à la pagode de Mahamuni. J'assume l'entière responsabilité de votre décision et de votre sécurité. Si vous restez à Mandalay, vous serez avant la fin de la semaine sur un navire qui vous ramènera en Angleterre.

A.J.C.

Maintenant il connaît mon nom, se dit Edgar. Il regarda Khin Myo. « Vous venez aussi ?
— Je vous en dirai plus long bientôt. »

Le lendemain matin, ils se levèrent avant l'aube et montèrent sur un char à bœufs bondé de pèlerins qui se rendaient à la pagode de Mahamuni, dans la banlieue sud de Mandalay. Les pèlerins bavardaient joyeusement en jetant des coups d'œil à Edgar. Khin Myo se pencha vers lui. « Il disent qu'ils sont contents qu'il existe des bouddhistes anglais. »

Dans le ciel, les nuages sombres se déplaçaient lentement au-dessus des montagnes Chan. Dans la charrette cahotante, Edgar tenait sa sacoche serrée contre lui. Sur le conseil de Khin Myo, il avait laissé presque toutes ses affaires à Mandalay, n'emportant que quelques vêtements, les papiers importants, et les outils nécessaires pour réparer le piano. Il les entendait cliqueter doucement lorsqu'on passait sur des nids-de-poule. Ils descendirent devant la pagode Mahamuni, et Khin Myo le mena par un petit sentier rejoindre un boy qui les attendait, vêtu d'un pantalon bleu flottant et d'une chemise bleue, avec une ceinture de toile à carreaux serrée autour de sa taille. Edgar avait lu que beaucoup d'hommes Chan, comme les Birmans, portaient les cheveux longs. Il remarqua que ceux du boy étaient noués dans un turban pittoresque qui tenait à la fois du *gaung-baung* des Birmans et des turbans des sikhs. Il tenait deux petits poneys par les rênes.

« *Mingala ba*, dit-il avec un petit salut. Bonjour, monsieur Drake. »

Khin Myo lui sourit. « Monsieur Drake, voici Nok Lek, qui va nous emmener à Mae Lwin. Son nom signifie "Petit oiseau". » Elle ajouta aussitôt : « Ne vous y trompez pas. C'est l'un des meilleurs combattants d'Anthony Carroll. »

Edgar examina le boy qui prenait leurs bagages. Il avait l'air d'avoir quinze ans à peine.

« Est-ce que tu parles anglais ?

— Un peu, dit le garçon avec un fier sourire.

— Tu es bien modeste, dit Khin Myo. Tu apprends très vite. »

Nok Lek commença à attacher les bagages aux selles des poneys. « J'espère que vous savez monter, monsieur Drake, dit-il quand il eut terminé. Ce sont des poneys Chan. Plus petits que les chevaux anglais, mais très bons dans les montagnes.

— Je tâcherai de ne pas tomber, dit Edgar.

— Ma Khin Myo montera avec moi », annonça Nok Lek. Il posa les deux mains sur le dos du poney et sauta en selle, comme par jeu. Il glissa ses pieds nus dans des étriers de corde, s'y accrochant par le gros orteil. Edgar remarqua les mollets du jeune garçon, ses muscles noués. Un peu inquiet, il observa son propre poney : il portait des étriers de métal anglais. Khin Myo monta derrière Nok Lek, en amazone, jambes jointes. Edgar était étonné qu'un si petit animal puisse supporter un tel poids. Il grimpa sur sa propre monture. Sans parler, ils prirent la route vers l'ouest.

Au-dessus des montagnes Chan, une tache de lumière s'élargissait dans le ciel. Edgar s'attendait à voir un lever de soleil, qui marquerait le départ de la dernière étape d'un voyage qu'il n'aurait jamais cru faire. Mais le soleil était caché derrière les nuages et la terre s'éclaira par degrés. Devant lui, Khyn Myo ouvrit un petit parasol.

Ils progressèrent plusieurs heures à petite allure, sur un chemin qui longeait des rizières et des greniers vides. En chemin, ils croisèrent des cortèges en route vers la ville, des hommes qui conduisaient des bœufs au marché, des femmes portant de lourdes charges sur la tête. Bientôt les passants se raréfièrent, ils se retrouvèrent seuls. Une fois traversé un petit cours d'eau, ils obliquèrent au sud, sur un chemin plus petit et plus poussiéreux ouvert entre deux grandes rizières en friche.

Nok Lek se retourna. « Maintenant, nous pouvons aller plus vite. Nous sommes à plusieurs jours de Mae Lwin. Mais ici les routes sont bonnes, pas comme dans les Etats Chan. »

Edgar hocha la tête et ajusta ses rênes. Nok Lek siffla, son poney se mit au trot. Edgar donna un bon coup de talon dans les flancs du sien. Rien. Il frappa plus fort. Le poney ne bougea pas. Nok Lek et Khin Myo étaient déjà loin. Edgar ferma les yeux et respira un grand coup avant de siffler de toutes ses forces.

Ils galopaient vers le sud, sur une petite route parallèle

aux montagnes Chan à l'est et l'Irrawaddy à l'ouest. Edgar tenait ses rênes d'une main et son chapeau de l'autre. Il se surprenait à rire d'aise, excité par la vitesse. Il essayait de se rappeler la dernière fois où il avait chevauché aussi vite. Presque vingt ans plus tôt, lorsque Katherine et lui avaient passé des vacances chez un cousin à elle, propriétaire d'une petite ferme à la campagne. Edgar avait presque oublié cette sensation grisante.

Ils s'arrêtèrent en fin de matinée dans une halte pour pèlerins et voyageurs. Nok Lek acheta de quoi déjeuner, du curry, du riz parfumé, des salades de thé pilé enveloppées dans des feuilles de bananier. Tout en mangeant, Nok Lek et Khin Myo conversaient à voix rapide en birman. Soudain, Khin Myo s'excusa auprès d'Edgar de ne pas parler anglais. « Nous avons beaucoup de choses à régler. Et je crois que notre conversation ne vous intéresserait pas.

— Ne vous en faites pas pour moi », dit Edgar, content de se reposer à l'ombre et de contempler les rizières noircies. Il savait que les fermiers les brûlaient en prévision des pluies, mais on aurait pu croire que c'était l'effet du soleil. Les rizières s'étendaient sur des kilomètres, du fleuve jusqu'aux montagnes abruptes. On dirait les murs d'une forteresse, pensait-il en regardant les montagnes. Ou peut-être qu'elles tombent comme une nappe sur le rebord d'une table, et qu'elles viennent s'étaler au sol en collines et en vallées. Il cherchait en vain des yeux une route qui coupe la muraille, mais n'en trouvait pas.

Ils se reposèrent brièvement après le repas, puis remontèrent sur leurs poneys. Ils progressèrent tout l'après-midi et, le soir, ils finirent par s'arrêter dans un village : Nok Lek alla frapper à la porte d'une maison. Un homme torse nu sortit, ils palabrèrent quelques minutes. L'homme les emmena derrière la maison, où se trouvait une sorte de cabane. Ils y attachèrent leurs poneys, déroulèrent des nattes sur le sol de bambou et suspendirent des moustiquaires au plafond. L'entrée de la cabane était au sud. Edgar installa sa natte de façon à avoir les pieds près de la porte, au cas où une visite inopinée se produirait pendant la nuit. Nok Lek se précipita pour la tourner, disant d'un ton sévère : « Jamais la tête au nord. Très mauvais. C'est quand on enterre les morts. »

Edgar s'allongea à côté du garçon. Khin Myo sortit faire sa toilette et, lorsqu'elle revint, elle souleva sans bruit sa moustiquaire pour se glisser dessous. Sa natte était à quelques centimètres de celle d'Edgar. Faisant semblant de dormir, il la regarda installer son lit. Elle s'allongea et très vite sa respiration changea de rythme. Quand elle se retourna dans son sommeil, sa tête se rapprocha de celle d'Edgar. A travers la fine mousseline des deux moustiquaires il sentait son haleine, douce et tiède, à peine perceptible dans le silence et la chaleur.

Nok Lek les réveilla de bonne heure. En silence, ils rangèrent leurs nattes et leurs moustiquaires. Khin Myo sortit se préparer et reparut, le visage maquillé de *thanaka*. Ils chargèrent les poneys et se retrouvèrent sur la route. Il faisait encore nuit. En selle, Edgar découvrit avec une grimace qu'il était moulu de courbatures dans les jambes, les bras, le ventre. Khin Myo et le garçon, eux, avançaient avec facilité, sans avoir l'air de souffrir. Hé, se dit Edgar, je ne suis plus si jeune...

Au lieu de poursuivre en direction du sud, ils prirent une autre route, orientée vers l'est, où le ciel commençait à s'éclairer. Sur le chemin étroit, les poneys étaient parfois obligés de passer du galop au trot. Edgar s'étonnait de voir le parfait équilibre de Khin Myo qui, en outre, ne lâchait pas son parasol. Lorsqu'ils s'arrêtèrent et qu'il s'effondra, exténué, il constata qu'elle portait toujours dans les cheveux la fleur qu'elle avait cueillie à un buisson le matin. Il ne put retenir une remarque qui la fit rire : « Vous voulez voyager avec une fleur dans les cheveux, monsieur Drake ? »

En fin d'après-midi, le deuxième jour, ils atteignirent un paysage de petites collines sèches, couvertes de broussailles et de quelques gros galets épars. Les poneys ralentirent à l'entrée d'une piste étroite. Après avoir dépassé une pagode délabrée dont la peinture blanche s'écaillait, ils s'arrêtèrent. Khin Myo et Nok Lek descendirent de leur monture et Edgar les imita. Laissant leurs chaussures à la porte, ils traversèrent une petite antichambre qui débouchait sur une pièce sombre, à l'odeur de renfermé. Une statue dorée du Bouddha trônait sur une estrade entourée de bougies et de fleurs. La statue, les yeux noirs et tristes, était assise jambes croisées, les mains posées ouvertes sur elles. Aucune autre présence que la leur. Nok Lek avait tiré de son sac une petite guirlande de fleurs qu'il posa sur l'autel. Il s'agenouilla, Khin Myo fit de même, et ils s'inclinèrent tous deux très bas, jusqu'à toucher du front les carreaux froids. Edgar regardait Khin Myo, son chignon qui basculait, découvrait sa nuque. Se surprenant à l'observer, il se hâta de s'incliner comme les deux autres.

Une fois dehors, il demanda : « Qui s'occupe de cet endroit ?

— La pagode fait partie d'un temple plus important, répondit Khin Myo. Les moines viennent prendre soin du Bouddha.

— Mais je ne vois personne, objecta Edgar.

— Ne vous inquiétez pas, monsieur Drake. Ils sont là. »

Quelque chose dans cet endroit désert troublait Edgar. Il voulait poser d'autres questions à Khin Myo : pourquoi priait-elle, et pourquoi ici plutôt que dans les innombrables autres pagodes ? Mais Nok Lek et elle s'étaient remis à parler entre eux.

Ils remontèrent sur leurs poneys, avançant au pas cette fois. En haut de la colline ils s'arrêtèrent pour regarder la pleine à leurs pieds. Malgré le peu d'altitude, la vallée offrait le panorama de leur parcours : champs vides et rivières sinueuses. De petits hameaux se blottissaient au creux des ruisseaux et des routes, tous couleur de terre brune. Au loin, on distinguait le réseau des rues de Mandalay, et plus loin encore, les méandres de l'Irrawaddy.

La route redescendait de l'autre côté de la colline, puis

suivait une petite éminence, jusqu'à un groupe de maisons situé au pied d'une montagne plus importante. Nok Lek mit pied à terre. « Je vais acheter des provisions. On ne verra peut-être personne avant longtemps. » Edgar resta en attente sur son poney. Le garçon disparut dans l'une des maisons.

Des poulets se promenaient sur la route, picorant dans la poussière. Un homme qui se reposait sur un terre-plein à l'ombre d'un arbre interpella Khin Myo qui lui répondit.

« Qu'est-ce qu'il a dit ? demanda Edgar.

— Il a demandé où nous allions.

— Et qu'est-ce que vous lui avez répondu ?

— Que nous allions au sud, à Meiktila, et que nous étions passés par ici en observation.

— Pourquoi mentir ?

— Moins il y aura de gens qui sauront que nous allons dans les montagnes, mieux ce sera. L'endroit est peu fréquenté. Généralement, nous voyageons sous escorte. Mais à cause des... circonstances, notre voyage n'est pas officiel. Si on nous attaque, personne ne viendra à notre secours.

— Vous êtes inquiète ?

— Inquiète ? Non. Et vous ?

— Moi ? Un peu. Sur le bateau qui partait de Prome, on a embarqué des prisonniers, des dacoits. Ils avaient l'air féroces. »

Khin Myo l'observa un moment, comme si elle réfléchissait. « Il n'y a rien à craindre, dit-elle enfin. Nok Lek sait se battre.

— Je ne sais pas si c'est tellement rassurant. Nok Lek est un très jeune garçon. Il paraît que les dacoits se déplacent en bandes d'une vingtaine d'hommes.

— Ne vous tracassez pas. J'ai fait ce trajet des dizaines de fois. »

Néanmoins, son ton ne paraissait pas très convaincant. Nok Lek revint avec un panier qu'il attacha derrière la selle d'Edgar. Il salua l'homme assis près de l'arbre et

siffla pour faire démarrer son poney. Edgar l'imita.
L'homme ne répondit pas à son salut.

Du panier s'échappait une forte odeur de thé fermenté
et d'épices.

Tandis que la piste grimpait ferme, la végétation changeait peu à peu, les broussailles faisant place à une forêt
plus dense alimentée par des brouillards qui s'épaissis-
saient au fur et à mesure que l'on s'élevait. Ils escaladèrent
un éperon rocheux recouvert d'arbustes, une végétation
humide comme celle des plaines qui entourent Rangoon.
Des oiseaux voletaient d'un arbre à l'autre en jasant et
criant, et on entendait des animaux bouger au milieu des
feuilles mortes.

Soudain, ils perçurent un craquement. Edgar se
retourna vivement. Un autre plus distinct, des branches
qui se cassent, quelque chose qui se déplace rapidement
dans le sous-bois. « Nok Lek, Khin Myo, attention,
quelque chose s'approche ! » Edgar tira sur les rênes pour
arrêter son poney. Nok Lek entendit le bruit à son tour
et ralentit sa monture. Nouveau craquement, plus fort
cette fois. Edgar chercha des yeux autour de lui, un couteau, un fusil, mais il savait qu'il n'avait rien.

Plus fort encore. « Qu'est-ce que c'est ? » murmura-
t-il. Brusquement déboucha devant eux un sanglier qui
traversa la piste et fila dans les buissons, de l'autre côté.

« Un cochon, ça c'est un comble ! » lança Edgar. Nok
Lek et Khin Myo rirent tous les deux gaiement. Leur
poney se remit en marche. Edgar s'efforça de rire lui
aussi, mais son cœur battait à tout rompre. Il siffla pour
repartir.

La côte se fit plus raide. Le sentier s'écarta et sortit de
la forêt, leur permettant enfin de voir le paysage. Edgar
fut frappé de constater qu'il n'était plus le même. La
montagne en face se dressait à la verticale, il aurait suffi
d'un bond, semblait-il, pour atteindre les branches couvertes de mousse de l'autre côté. Mais en réalité, il aurait
fallu descendre dans un précipice et remonter au travers

d'une jungle inextricable. Dans le creux de la vallée, la végétation était si dense qu'elle cachait toute trace de rivière ou d'habitation. Mais le flanc d'en face donnait sur une autre vallée qui abritait des cultures en terrasse. Tout en bas, dans l'une des rizières, on apercevait deux silhouettes de paysans enfoncés dans l'eau jusqu'aux genoux, une eau qui réfléchissait le ciel et projetait jusqu'aux nuages des fragments irisés de pousses.

Khin Myo vit qu'Edgar s'intéressait aux paysans. « La première fois que je suis venue dans les monts Chan, dit-elle, j'ai été étonnée de voir pousser du riz, alors qu'autour de Mandalay la terre est stérile. Les montagnes captent les nuages de pluie qui traversent le bassin de l'Irrawaddy, et même pendant la saison sèche elles accumulent assez d'eau pour permettre une deuxième récolte.

— Je pensais trouver la sécheresse.

— Sur le plateau, oui. Une terrible sécheresse sévit depuis plusieurs années déjà. Des villages entiers meurent de faim et descendent dans les plaines. Les montagnes captent les nuages mais elles les gardent pour elles. Si les pluies de la mousson ne viennent pas jusqu'au plateau, il reste sec.

— Les fermiers d'en bas, ce sont des Chan ?

— Non, il s'agit d'un autre groupe. » Elle s'adressa à Nok Lek en birman. « Il dit que ce sont des Palaung qui vivent dans ces vallées. Ils ont leur propre langue, leurs costumes, leur musique. C'est très compliqué, même pour moi. Les montagnes sont comme des îles abritant chacune leur propre tribu. Plus elles sont restées séparées longtemps, plus leurs spécificités sont marquées. Palaung, Paduang, Danu, Chan, Pa-O, Wa, Kachin, Karen, Karenni. Je ne nomme là que les plus importantes.

— Jamais je n'aurais..., commença Edgar. Des montagnes qui sont des îles !

— C'est ainsi qu'Anthony Carroll les appelle. Il les compare aux îles de M. Darwin, sauf qu'ici c'est la culture qui change, et pas le bec des oiseaux. Il a écrit une lettre à ce sujet à votre Royal Society.

— Je ne savais pas...

— Ce n'est pas tout ». Elle se mit à évoquer pour lui les travaux du médecin, ses collections et ses correspondances, les lettres qu'on lui faisait parvenir tous les mois de Mandalay, écrites par des biologistes de l'autre bout du monde, des médecins et même des chimistes — la chimie était une de ses vieilles passions. « La moitié du courrier qui arrive en haute Birmanie est constituée de correspondance scientifique destinée au Dr Carroll. L'autre moitié, c'est de la musique, qu'il se fait envoyer aussi.

— Et vous, vous l'aidez dans ses projets ?

— Un peu. Mais il est tellement plus savant que moi ! Je me contente de l'écouter. » Edgar attendait la suite, mais elle retourna sur le sentier.

Ils poursuivirent leur route. La nuit tomba. Ils captèrent des bruits insolites ici ou là dans le noir, prédateurs qui fouinaient, chiens sauvages qui hurlaient, cerfs qui bramaient d'une voix rauque.

Finalement, ils s'arrêtèrent dans une petite clairière et mirent pied à terre. Au milieu, ils montèrent une tente militaire que Nok Lek avait apportée et où il installa leurs affaires. Edgar resta dehors, près de Khin Myo. Aucun des deux ne parlait. Ils étaient fatigués et les bruits de la forêt dominaient le silence. Nok Lek finit par émerger de la tente et il les invita à entrer. Edgar se glissa sous une moustiquaire où il installa son matelas. C'est seulement à ce moment-là qu'il aperçut les deux carabines dressées contre la paroi de la tente. Elles étaient chargées, armées, et sur leur métal se reflétait un mince filet de lune qui se faufilait par un trou de la toile.

Il fallut deux jours pour traverser la jungle et passer le col. Devant eux, la pente d'abord brève et raide s'adoucissait ensuite jusqu'au plateau, vaste damier de champs et de forêts. Au loin, au bout de la plaine, s'élevait une autre chaîne de montagnes, grises, indistinctes.

Ils descendirent par un sentier étroit, caillouteux, où

les sabots des poneys devaient tâtonner. Edgar se laissait bercer au rythme de leurs pas, content de détendre ses muscles contractés par les journées à cheval et les nuits de sommeil à même le sol. Il était tard, le soleil allongeait leurs ombres jusque dans la vallée. Edgar regarda par-dessus son épaule : une couronne de brouillard auréolait les pics des montagnes et se répandait sur les pentes. Dans la lumière faiblissante du crépuscule, les paysans Chan travaillaient au milieu des champs, couverts de grands chapeaux et en longs pantalons flottant jusqu'aux pieds. Au balancement du poney lent et rythmé, Edgar sentit ses yeux se fermer, le monde fantastique de rochers et de temples disparut brièvement. Peut-être rêvait-il ? Peut-être était-il dans un conte ? Bientôt ils galopèrent dans le noir de la nuit. Edgar se sentit tomber en avant.

Il rêva. Il rêva qu'il était à dos de poney, qu'ils galopaient, que la crinière du poney était tressée de fleurs qui tournoyaient dans l'air comme des soleils. Ils longeaient des rizières où dansaient des fantômes déguisés, formant des taches de couleur sur un fond vert, à l'infini. Il se réveilla, vit que la terre était déserte, que des tiges de riz calcinées se balançaient dans la brise légère, et de terre surgissaient des roches calcaires, des tours de pierre abritant des statues dorées du Bouddha dressées dans les grottes comme des stalagmites, si vieilles que la terre avait commencé à les recouvrir de chaux. Son rêve l'entraîna à l'intérieur des grottes, éclairées par les bougies des pèlerins qui se retournaient pour regarder l'étrange voyageur. Derrière eux les bouddhas tremblaient, secouaient leur cape de chaux en prenant eux aussi le temps de l'observer, car sur cette piste solitaire il était rare de voir passer un Anglais. Il se réveilla : devant lui, sur le dos d'un poney, dormaient un jeune garçon et une femme, des inconnus. Les cheveux de la femme flottaient, le frôlaient et des fleurs s'en échappaient. Comme il allait en attraper une, il se réveilla : c'était l'aube et ils traversaient un pont. Au-dessous d'eux un homme et un jeune garçon faisaient avancer une barque dans les tourbillons d'une eau brunâtre, brunâtre comme eux. Ombres parmi les ombres mouvantes, ils n'étaient pas seuls car, à peine étaient-ils passés sous le pont qu'arrivait un autre bateau, encore un homme et un jeune garçon, il rêvait, ils étaient seuls, il se réveilla, leva les yeux, ils étaient des centaines à pagayer car c'était eux le courant, il rêvait, il faisait toujours nuit, des rochers et des vallées surgissaient, non des hommes ni des fleurs épanouies, mais une sorte de lumière, de chant, et les paroles qu'ils chantaient disaient que la lumière était faite de mythes, qu'elle vivait dans les grottes avec les ermites en robe blanche, il se réveilla, ils lui racontèrent les mythes, comment l'univers avait été créé sous forme d'une rivière gigantesque, et que dans cette rivière qui était une mer il y avait quatre îles, les hommes vivaient sur l'une d'elles, mais les autres étaient habitées par des créatures qui n'existaient que dans les contes et il rêva qu'ils s'arrêtaient près d'une rivière pour se reposer et la femme se réveillait et dénouait ses cheveux que le vent avait noués autour de son corps, et le garçon et elle s'agenouillaient pour boire l'eau de la rivière et dans la rivière des poissons-chats tourbillonnaient, il se réveilla, ils avançaient, avançaient toujours, et c'était le matin.

Ils escaladèrent le flanc des collines de l'autre côté de la vallée. La terre devint montagneuse et bientôt ce fut à nouveau la nuit. Alors Nok Lek se retourna et dit : « Ce soir nous nous reposerons. Dans le noir, nous serons en sécurité. »

A côté d'eux il y eut un brusque craquement. Encore un cochon, se dit Edgar Drake, et il se retourna pour recevoir la crosse d'un pistolet en pleine figure.

A partir de là, ce n'est que coups, chutes, dégringolades. Choc du bois contre l'os, crachat qui fuse, corps plié en deux, glissade ralentie par les bottes dans les étriers métalliques, doigts toujours accrochés aux rênes, ils lâchent, chute, craquement des branchages, corps au sol. Plus tard, il se demandera combien de temps il est resté inconscient, il tentera de rassembler ses souvenirs, mais en vain, car l'important, ce sont les mouvements, pas seulement les siens mais les autres, hommes qui dégringolent des arbres, éclair fugitif des coutelas, canon brandi des fusils, poneys qui s'emballent. Si bien que, lorsqu'il se relève au milieu des branches écrasées, il voit une scène qui s'est peut-être composée en quelques secondes, ou beaucoup plus lentement si on la mesure en battements de cœur ou en respirations.

Ils sont encore sur le poney. Elle tient le fusil et le garçon une épée qu'il brandit au-dessus de sa tête. Ils font face à une bande de trois ou quatre hommes armés de couteaux, encadrant un grand type au bras tendu pointant un pistolet. Les armes luisent, les hommes s'accroupissent comme en dansant, il fait si noir que seul l'éclat des lames prouve qu'ils bougent. L'espace d'un instant, ils s'immobilisent tous, frémissant à peine, peut-être essayent-ils de reprendre leur souffle.

Les lames tressaillent imperceptiblement, clignotent comme des étoiles, il y a un craquement, puis un bref éclair, et de nouveau ils bougent, ils bougent, il fait noir mais malgré tout Edgar aperçoit le doigt du grand type qui se crispe et elle aussi doit le voir, car elle tire la première, le type crie et se tient la main, le pistolet vole au loin dans les sous-bois, les autres bondissent sur le poney, attrapent le canon du fusil avant qu'elle puisse tirer un second coup, ils agrippent la femme, elle ne hurle pas, tout ce qu'il entend c'est un petit cri de surprise lorsqu'elle touche le sol, un homme lui arrache le fusil des mains et le pointe sur le garçon, et voilà les deux autres sur elle, l'un qui lui saisit les poignets, l'autre qui tire sur sa *hta main*, et maintenant elle crie à pleins poumons, il aperçoit l'éclair de sa cuisse pâle dans la pénombre, il voit que la fleur est tombée de ses cheveux, il voit les pétales, les sépales, les étamines encore toutes poudrées de pollen, plus tard il se demandera s'il a imaginé la scène, il fait si noir. Mais pour l'instant il ne se demande rien, il bondit au milieu des ronces, vers la fleur et le pistolet tombé qui se trouve à côté.

Ce n'est que lorsqu'il lève la main en tremblant et qu'il dit lâchez-la lâ-chez-la lâ-chez-la qu'il se rappelle qu'il n'a jamais tiré de sa vie.

Tout s'arrête une fraction de seconde, et maintenant c'est son doigt qui bouge de quelques millimètres.

Edgar se réveilla au contact d'un linge frais et mouillé contre sa figure. Il ouvrit les yeux. Il était toujours allongé par terre, mais sa tête reposait sur les genoux de Khin Myo qui lui essuyait doucement la figure. Du coin de l'œil, il aperçut Nok Lek debout dans la clairière, la carabine à côté de lui.

« Qu'est-ce qui s'est passé ? demanda-t-il.

— Vous nous avez sauvés. » Elle chuchotait.

« Je ne me rappelle pas, je me suis évanoui, je n'ai pas... je ne leur ai pas tiré dessus... ? » Les mots lui échappaient, sans qu'il arrive à y croire lui-même.

« Vous les avez manqués.

— J'ai...

— Vous avez failli avoir le poney. Il a fait un écart. Mais ça a suffi. »

Edgar leva les yeux vers elle. Dans la tourmente, elle avait pris le temps de rajuster la fleur de ses cheveux.

« Suffi ? »

Elle désigna Nok Lek, qui surveillait la forêt avec inquiétude. « Je vous l'ai dit, c'est l'un des meilleurs soldats d'Anthony Carroll.

— Où sont-ils allés ?

— Ils ont fui. Les dacoits sont féroces, mais ils peuvent être lâches quand on leur résiste. Il faut partir. Ils peuvent revenir en force, surtout maintenant qu'ils ont vu un visage d'Anglais. C'est beaucoup plus profitable que de s'attaquer à de pauvres fermiers. »

Des dacoits. Edgar revit les hommes qui avaient embarqué sur le vapeur de Rangoon. Il sentit Khin Myo lui passer le linge sur le front. « Est-ce qu'on m'a blessé ?

— Non. Je pense que vous êtes peut-être tombé après avoir tiré parce que vous étiez encore sous le coup de votre première chute. Comment dit-on : vous vous êtes évanoui, c'est ça ?» Pleine de sollicitude, elle souriait, la main toujours posée sur le front d'Edgar.

Nok Lek prononça quelques mots en birman. Khin Myo replia le linge. « Monsieur Drake, il faut partir. Les dacoits risquent de revenir avec du renfort. Votre poney est de retour. Vous pouvez tenir en selle ?

— Je crois » dit-il en se relevant tant bien que mal. Il sentait encore sur sa nuque la chaleur de la cuisse de Khin Myo. Il tenta quelques pas, un peu tremblant, sans savoir si c'était de peur ou à cause de sa chute. Il remonta sur le poney. Khin Myo s'était assise sur l'autre poney, une carabine en travers des genoux, d'un air tout naturel. Edgar voyait le canon briller contre la soie de sa *hta main*. Nok tira une autre arme de sous sa selle, la tendit à Edgar et passa le revolver dans sa ceinture.

Nok Lek siffla. Les poneys repartirent dans la nuit.

Ils avançaient dans l'obscurité qui n'en finissait pas, descendant lentement une pente abrupte, puis traversant des rizières désertes. Finalement, alors qu'Edgar désespérait d'arriver quelque part, la lumière du soleil se répandit sur la colline d'en face. Ils s'arrêtèrent pour dormir chez un fermier et, quand Edgar se réveilla, c'était l'après-midi. A ses côtés, Khin Myo reposait paisiblement. Ses cheveux, répandus le long de sa joue, bougeaient doucement au souffle de sa respiration.

Edgar tâta la plaie à son front. En pleine lumière du jour, l'embuscade prenait des proportions moins terrifiantes. Il se leva sans bruit pour ne pas réveiller Khin Myo. Dehors, il retrouva Nok Lek, qui buvait du thé vert avec le fermier. Le thé était amer, si brûlant qu'Edgar sentit la sueur perler sur son visage rafraîchi par la brise légère. On entendit bientôt bouger à l'intérieur de la cabane ; Khin Myo passait derrière la maison pour faire sa toilette. Elle revint les cheveux mouillés, coiffés, le visage couvert de *thanaka* frais.

Ils remercièrent leur hôte, remontèrent en selle et s'engagèrent une fois de plus dans une côte abrupte. Edgar commençait à comprendre la topographie. Les fleuves qui descendaient de l'Himalaya creusaient dans le plateau de profondes vallées parallèles nord-sud, si bien que les pistes transversales n'étaient qu'une maudite succession de hauts et de bas. De l'autre côté de la colline s'étendait une autre chaîne de montagnes, qu'il fallut franchir aussi. Passé plusieurs vallées désertes, ils découvrirent un petit marché où des villageois étaient rassemblés autour de tas de fruits. En haut de la côte suivante, au moment même où le soleil se couchait derrière eux, ils dominèrent une longue pente abrupte au bas de laquelle grondait une rivière perdue dans l'ombre des collines.

« La Salouen », dit Nok Lek d'un air triomphant, et il siffla son poney.

Ils franchirent le sentier escarpé. Les bêtes trébuchaient souvent et butaient. Au bord de la rivière, ils trouvèrent un bateau, une lanterne et un homme qui dormait. Nok Lek siffla trois notes. L'homme sursauta et bondit sur ses pieds. Il ne portait qu'un pantalon bouffant. Son bras gauche pendait le long de son corps, tordu comme pour quémander un pourboire. Il sauta sur la rive.

Les voyageurs tendirent les rênes à l'homme au bras paralysé, tandis que Nok Lek déchargeait les paquets et les installait dans les bateaux. « Le batelier emmènera les poneys par voie de terre jusqu'à Mae Lwin. Mais nous, nous prenons le bateau, c'est plus rapide. S'il vous plaît, Ma Khin Myo. » Il lui prit la main pour l'aider à embarquer. « A vous, monsieur Drake. »

Edgar fit un pas mais sa botte glissa et s'enfonça dans la boue. Un pied dans le bateau, l'autre prisonnier de la boue gargouillante, Edgar ne put empêcher le bateau de s'éloigner du rivage. Il grogna, jura et tomba. Derrière lui, les deux hommes rirent, et Khin Myo mit la main devant sa bouche pour dissimuler un sourire. Edgar essaya de se relever, mais son bras ne fit que s'enfoncer davantage. Un nouvel essai n'eut pas plus de succès. Les hommes rirent de plus belle et Khin Myo les imita. Alors Edgar rit aussi, plié en deux dans une position acrobatique, une jambe enfoncée dans la boue jusqu'à la cuisse, l'autre tendue au-dessus de l'eau, les bras ruisselants. Il y a des mois que je n'ai pas ri comme ça, se dit-il, les larmes aux yeux. Il cessa de lutter et s'allongea sur le dos, regardant au-dessus de lui à travers les branches le ciel noir illuminé par la lanterne. Non sans mal, il finit par s'extirper de la boue, se releva, grimpa dans le bateau, tout ruisselant, sans même prendre la peine d'enlever la boue qui le recouvrait. Nok Lek poussait le bateau loin du bord avec une perche.

Une fois dans le courant, ils descendirent la rivière à bonne allure. Ils avaient laissé la lanterne au batelier mais la lune brillait à travers les arbres. Nok Lek ne s'écartait pas du bord. « Les amis ne peuvent pas nous voir, mais les ennemis, eux, oui », murmura-t-il.

La rivière serpentait entre les arbres penchés sur l'eau, parmi les troncs dérivant dans le courant ; le garçon naviguait avec habileté. Le vrombissement des insectes était moins fort que dans la jungle, comme assourdi par le murmure de la rivière qui caressait les branches frémissantes des arbres.

Parfois Edgar avait l'impression d'apercevoir quelque chose à travers les feuillages, mais il ne s'agissait que d'ombres mouvantes, du moins essayait-il de s'en convaincre. Au bout d'une heure de trajet, apparut un espace dégagé où se dressait une maison sur pilotis. « Ne vous inquiétez pas, dit le garçon, ce n'est qu'une cabane de pêcheur. En ce moment il n'y a personne. » La lune brillait au-dessus des arbres.

Plusieurs heures, ils descendirent la pente rapide de la rivière entre les défilés, les rochers et les falaises. Finalement, après un large coude, Edgar aperçut une série de lumières clignotantes. Le courant les en rapprochait à vive allure. Ils distinguèrent bientôt des maisons, puis des gens qui allaient et venaient sur la berge. Ils abordèrent près d'une petite jetée, sous les yeux de trois hommes qui les regardaient faire, tous vêtus de *pasos* sans chemise. L'un d'eux, le plus grand, la peau claire, fumait un mince cigare pendant au coin de sa bouche. Sitôt que le bateau ralentit, il jeta son cigare à l'eau et se pencha pour aider Khin Myo à monter sur l'appontement. Elle remercia d'un petit salut et s'avança au milieu des taillis avec l'aisance de quelqu'un qui connaît son chemin.

Edgar posa pied à terre.

L'homme le regarda sans rien dire. Les vêtements de l'accordeur de piano étaient encore maculés de boue, ses cheveux collaient à son front. Lorsqu'il sourit, il sentit la boue séchée se craqueler sur son visage. Il y eut un long silence, puis il leva lentement la main.

Cet instant, il y pensait depuis des semaines. Que dirait-il ? L'occasion réclamait des paroles à la hauteur de l'événement, des paroles dont on se souviendrait plus tard pour les citer lorsque les Etats Chan seraient enfin conquis et l'Empire raffermi sur ses bases.

« Je suis Edgar Drake, prononça-t-il. Je suis venu réparer un piano. »

LIVRE DEUX

Je suis devenu un nom ;
Car à toujours errer le cœur affamé
J'ai beaucoup vu, beaucoup connu — les cités des hommes,
Leurs coutumes, les climats, les conseils, les gouvernements,
Et moi-même surtout, mais honoré de tous —
Et l'ivresse délectable des combats avec mes pairs,
Là-bas, sur les plaines résonnantes de Troie la venteuse.
Tout ce que j'ai vu, c'est un peu moi
Mais l'expérience vécue est une arche à travers laquelle
Rayonne un monde inconnu dont les frontières
s'évanouissent
Sans fin, sans fin, tandis que j'avance.

> Alfred, Lord Tennyson, « Ulysse »

Certains disent que sept soleils, d'autres que neuf soleils
furent créés, et que le monde devint un tourbillon ; il ne
restait plus rien de solide.

> Mythe de la création dans la tradition Chan,
> d'après Leslie Milne, *Shans at Home* (1910)

12

Edgar Drake, précédé d'un porteur, emprunta un sentier, passa devant un poste de sentinelle puis s'enfonça dans les taillis. Devant eux des lumières dansaient, ici et là, parmi les feuillages. La piste était étroite, les branchages lui écorchaient les bras. Ce ne doit pas être commode de manœuvrer une colonne de soldats par ici, se dit-il. Comme pour lui répondre, la voix du Dr Carroll s'éleva derrière lui, sonore et sûre d'elle, avec un accent qu'Edgar ne reconnaissait pas. « Excusez la difficulté de la piste. C'est notre première ligne de défense par rapport au fleuve. Avec ces taillis, inutile de construire des remparts. Vous pouvez sans doute mesurer le problème pour transporter un Erard par ici.

— C'est déjà malcommode dans les rues de Londres.

— En effet. Et puis ils sont beaux, ces taillis. Nous avons eu un peu de pluie la semaine dernière, ce qui est rare en cette période de sécheresse, et les sous-bois soudain se sont couverts de fleurs. Demain, vous verrez les couleurs. » Edgar s'arrêta un instant, plissant les yeux, mais comme le porteur devant lui avait pris de la distance, il se remit en marche et pressa le pas. Bientôt, les taillis disparurent et ils pénétrèrent dans une clairière.

Plus tard, il essaierait de se remémorer comment il s'était représenté Mae Lwin en imagination, mais la première vision qu'il en eut dépassait tout ce qu'il aurait pu concevoir. Le clair de lune, par-dessus son épaule, balayait un groupe de constructions en bambou à flanc de coteau. Le fort avait été bâti au pied d'une montagne escarpée dont la paroi verticale dominait les maisons les plus hautes d'une centaine de mètres. Certaines habitations étaient reliées par des escaliers ou des ponts suspendus. Des lanternes pendaient aux poutrelles des toits. Avec sa vingtaine de huttes encerclées par la forêt épaisse, le camp était plus petit que l'avait cru Edgar. D'après les rapports qu'il avait lus, il savait qu'un village Chan de plusieurs centaines d'habitants se trouvait derrière la montagne.

Le Dr Carroll, dos à la lune, le visage estompé par l'obscurité, le tira de ses pensées : « C'est impressionnant, non ?

— On m'avait prévenu, mais je ne m'attendais pas à ça... Le capitaine Dalton m'a bien décrit l'endroit, mais...

— Le capitaine Dalton est un militaire. L'armée n'a pas encore songé à envoyer un poète à Mae Lwin. »

Seulement un accordeur de piano, pensa Edgar. Un couple d'oiseaux traversa la clairière en roucoulant. Comme pour répondre à leur chant, le porteur qui s'était chargé des bagages d'Edgar les appela d'un balcon. Le médecin lui répondit dans une langue étrange, qui ne ressemblait pas au birman, une langue moins nasale aux intonations différentes. L'homme quitta le balcon.

« Vous devriez aller vous coucher, suggéra le Dr Carroll. Nous avons beaucoup à nous dire, mais on peut attendre demain matin. »

Le médecin semblait lui-même décidé à partir. Edgar le salua donc de la tête en lui souhaitant bonne nuit, traversa la clairière et monta un escalier pour rejoindre le porteur. Sur le balcon, il s'arrêta pour reprendre son souffle. Ce doit être l'altitude, se dit-il, nous sommes très haut sur ce plateau.

Sous ses yeux, le terrain descendait vers le fleuve en pente douce, parsemé d'arbres et de taillis. Plusieurs canots étaient à sec sur le rivage sablonneux, groupés bord à bord. Le clair de lune était lumineux et Edgar chercha le lapin, comme il l'avait fait bien des fois depuis la traversée de la Méditerranée. Et là, pour la première fois, il le vit qui courait à côté de la lune, comme s'il dansait ou comme s'il cherchait à s'enfuir. Sous le lapin, la forêt dense et sombre était coupée par les méandres des eaux miroitantes. Dans le camp, rien ne bougeait. Il n'avait pas revu Khin Myo depuis leur arrivée. Tout le monde avait dû partir se coucher, se dit-il.

Dans l'air presque froid, Edgar resta immobile plusieurs minutes. Puis il se retourna et baissa la tête pour rentrer à l'intérieur. Un petit matelas attendait, enveloppé dans une moustiquaire. Le porteur n'était plus là. Edgar enleva ses bottes puis se glissa sous la moustiquaire.

Il avait oublié de fermer la porte à clé. Un coup de vent la rouvrit. Le clair de lune pénétra dans la pièce, porté par les ailes de minuscules papillons de nuit.

Le lendemain matin, Edgar se réveilla en sentant une présence proche, un frémissement de la moustiquaire, un souffle chaud sur sa joue, des gloussements étouffés d'enfants. Il ouvrit les yeux. Une demi-douzaine de prunelles le fixaient. Leurs propriétaires s'enfuirent en poussant de petits cris.

Il faisait déjà jour, et beaucoup plus frais que dans la plaine. Pendant la nuit, Edgar avait dû se couvrir du mince drap. Il était encore dans ses vêtements de voyage. Epuisé de fatigue, il avait oublié de se laver. Les draps étaient souillés de boue. Il jura, puis sourit en secouant la tête. Comment se fâcher lorsqu'on est réveillé par des rires d'enfants ? Des rais de lumière, à travers les lattes de bambou entrecroisées, parsemaient les parois de paillettes. On a fait entrer les étoiles, pensa-t-il. Il s'extirpa de la moustiquaire. Le bruit de ses pas sur le plancher provoqua la fuite précipitée des enfants, accompagnée de petits cris excités. Il glissa la tête par la porte entrouverte.

Au bout de la terrasse, une petite tête disparut derrière le coin du mur. Gloussements. Toujours souriant, il referma la porte et la bloqua avec une barre de bois coulissant dans un loquet. Quand il enleva sa chemise, des plaques de boue séchée s'en détachèrent et s'éparpillèrent par terre. Il chercha en vain une cuvette. Il roula dans un coin ses vêtements sales et passa un pantalon kaki, une chemise en coton de couleur claire et un gilet plus foncé. Il se peigna sommairement et prit le paquet qu'on lui avait confié au ministère pour le remettre au médecin.

Dehors, les enfants le guettaient. En le voyant apparaître, ils se sauvèrent dans l'allée. L'un d'eux trébucha et les autres tombèrent tous en tas sur lui. Edgar en releva un au hasard, le balança sur son épaule en le chatouillant, étonné lui-même de cette brusque humeur joueuse. Les autres enfants se collèrent à lui, enhardis en constatant que ce grand étranger n'avait de bras que pour un seul paquet et un seul enfant gigotant.

Sur les marches, Edgar faillit se cogner à un jeune Chan plus âgé que les autres. « Monsieur Drake, Dr Carroll veut parler avec vous. Il mange petit déjeuner. » Portant les yeux sur le gamin jeté comme un sac qui le regardait de bas en haut, il le houspilla en chan. Les autres se mirent à rire.

« Ne le grondez pas, dit Edgar. C'est entièrement ma faute. Nous étions en train de nous bagarrer, et...

— Bagarrer ?

— N'en parlons plus », coupa Edgar, soudain embarrassé. Il posa le gamin par terre et la petite troupe s'égailla comme une bande d'oiseaux à qui on ouvre la cage. Il ajusta sa chemise, lissa ses cheveux avec les doigts et suivit le garçon qui descendait les marches.

Au bord de la clairière, il s'arrêta. Les ombres bleu foncé peuplant ses souvenirs de la nuit précédente étaient devenues des fleurs tout juste écloses, des orchidées tombantes, des roses, des hibiscus. Partout volaient des papillons, petits morceaux de couleur virevoltants qui occupaient l'air comme une pluie de confettis. Des enfants jouaient avec une balle en jonc tressé, soulignant de leurs cris ses rebondissements erratiques sur le sol inégal.

Au travers des taillis, ils parvinrent jusqu'à la berge sablonneuse où le Dr Carroll était assis à une petite table préparée pour deux. La rivière coulait devant lui, rapide, brunâtre, charriant des flaques d'écume. Vêtu d'une chemise de toile blanche amidonnée aux poignets retroussés, coiffé avec soin, il accueillit l'accordeur d'un sourire. Edgar crut revoir la photo du médecin qu'on lui avait montrée à Londres. Elle avait sans doute été prise des années plus tôt, mais il reconnut immédiatement les larges épaules, le nez et la mâchoire fortement dessinés, les cheveux bien coiffés et la moustache brune, aujourd'hui parsemée de gris. Autre chose encore, d'indéfinissable, rappelait la photo : une mobilité dans l'expression, la vivacité du regard bleu... « Bonjour, monsieur Drake. » Il avait une poignée de main ferme, les paumes calleuses. « Vous avez bien dormi, j'espère.

— Oh, comme un bébé. Jusqu'au moment où quelques enfants ont découvert ma chambre. »

Le médecin se mit à rire. « Vous vous y ferez.

— Je l'espère bien. Voilà longtemps que je n'ai pas été réveillé par des bruits d'enfants.

— Vous-même, vous en avez ?

— Hélas, non. Seulement des nièces et des neveux. »

L'un des garçons lui approcha un siège. Edgar s'attendait à voir Khin Myo, mais le médecin était seul. Au début, cette absence lui parut bizarre, puisqu'on lui avait demandé à elle aussi de venir de Mandalay. Il pensa interroger le médecin, mais il n'osa pas. Pendant le voyage, elle n'avait pas dit un mot des raisons pour lesquelles elle l'accompagnait, et dès leur arrivée elle avait disparu.

Le médecin montra de la main le paquet que tenait Edgar. « Vous m'avez apporté quelque chose ?

— Bien sûr, excusez-moi. Des partitions. Vous avez un goût exquis.

— Vous avez donc ouvert le paquet ? » Le médecin haussait les sourcils.

Edgar rougit. « Oui, je suis désolé, je n'aurais sans doute pas dû. Mais... je reconnais que j'étais curieux de savoir quel genre de musique vous aviez réclamé. » Le médecin ne répondit pas. Edgar poursuivit : « Des choix remarquables... Mais il y a certaines pièces, sans titre, que je n'ai pas reconnues, des notes dont je n'ai pas compris l'agencement... »

Le médecin se mit à rire. « C'est de la musique Chan. J'essaie de la transcrire pour le piano. J'écris les notes, et puis je l'expédie en Angleterre où un de mes amis compositeur en fait des adaptations qu'il me renvoie. Je me suis toujours demandé ce qu'on penserait de ces partitions... Un petit cigare ? » Il dénoua le mouchoir qui enveloppait une boîte de sardines, découvrant une rangée de cigares semblables à ceux qu'il fumait la nuit précédente.

« Non, merci. Je ne fume pas.

— Dommage. Il n'y a rien de meilleur. C'est une femme du village qui me les roule. Elle fait bouillir le tabac dans du sucre de palme, elle y ajoute de la vanille, de la cannelle et Dieu sait quels autres népenthès. Puis elle les fait sécher au soleil. On raconte en Birmanie l'histoire d'une fille qui faisait sécher les cigares qu'elle fabriquait pour son bien-aimé en les tenant au chaud contre son corps... Je n'ai malheureusement pas cette chance. » Il sourit. « Du thé, peut-être ? »

Edgar le remercia et Carroll fit signe à l'un des boys qui apporta une théière en argent et remplit sa tasse. Un autre mit sur la table le petit déjeuner : des petites galettes de riz, une soucoupe de piments écrasés et un pot de marmelade non ouvert ; Edgar se douta qu'on l'avait sorti exprès pour lui.

Le médecin choisit un cigare dans la boîte, l'alluma et en aspira plusieurs bouffées. Même en plein air, l'odeur d'encens était forte, capiteuse.

Malgré son désir, Edgar savait que le savoir-vivre lui interdisait de parler musique avant d'avoir fait plus ample connaissance avec le médecin. « Votre fort a belle allure, dit-il.

— Merci. Nous avons voulu le construire dans le style Chan – c'est plus beau, et ce choix me permettait d'utiliser la main-d'œuvre locale. Certains éléments – les doubles étages, les ponts – sont mes propres innovations, imposées par le site. Il fallait que je reste à la fois près du fleuve et caché sous la crête. »

Edgar contempla la surface de l'eau. « Ce fleuve est beaucoup plus grand que je ne pensais.

— Moi aussi ça m'a étonné, quand je suis arrivé. C'est l'un des plus grands fleuves d'Asie, alimenté par l'Himalaya – mais vous devez déjà savoir ça.

— J'ai lu votre lettre. Son nom signifie-t-il quelque chose ?

— Salouen ? En fait, les Birmans disent "Thanlwin", et je ne suis pas très sûr du sens du mot. *Than-lwin*, ce sont de petites cymbales birmanes. Même si mes amis m'affirment que ce n'est pas de cet instrument que le fleuve tire son nom, je trouve cela assez poétique. Les cymbales font un bruissement doux, un peu comme l'eau sur les galets. "Le fleuve au doux bruissement", le nom lui irait bien, même si ce n'est pas vrai.

— Et le village... Mae Lwin ?

— Mae est un terme Chan qui veut dire fleuve. C'est le même en birman.

— C'est en chan que vous parliez, hier soir ?

— Vous avez reconnu ?

— Non, bien sûr que non. J'ai seulement reconnu que ça n'était pas du birman.

— Mes compliments, monsieur Drake. Il est vrai qu'on n'en attend pas moins d'un spécialiste des sons... attendez... chut... » Le médecin scrutait la rive opposée.

« Qu'est-ce que c'est ?

— Chut ! » Le médecin leva une main, concentré, sourcils froncés.

On entendit un faible bruissement dans les fourrés. Edgar se redressa sur son siège. « Il y a quelqu'un ? murmura-t-il.

— Chut. Pas de mouvement brusque. » Le médecin dit à voix basse quelques mots au boy, qui lui apporta un petit télescope.

« Il se passe quelque chose ? »

Les yeux rivés au télescope, le médecin lui imposa le silence d'un geste de la main. « Non... rien... ne vous inquiétez pas, attendez, là... Ah ! C'est bien ce que je pensais ! » Il se retourna vers Edgar, télescope brandi.

« Qu'est-ce que c'est ? répéta Edgar. Est-ce que... est-ce que nous sommes attaqués ?

— Attaqués ? » Le médecin lui tendit le télescope. « Non, non, c'est bien plus amusant. Pour votre premier jour, vous tombez déjà sur une *Upupa epops*, une huppe. On peut dire que c'est un jour de chance. Il faut que je note ça — c'est la première fois que j'en vois une près du fleuve. On en trouve en Europe, mais généralement elle préfère les terrains découverts et plus secs. C'est la sécheresse qui a dû l'amener jusqu'ici. Magnifique ! Regardez cette superbe crête sur sa tête, elle vole comme un papillon.

— Oui. » Edgar s'efforçait de montrer un minimum d'enthousiasme. Le télescope à l'œil, il aperçut enfin l'oiseau de l'autre côté du fleuve. Un oiseau petit, gris, sans rien de très remarquable. L'oiseau s'envola.

« Lu ! appela le médecin. Apporte-moi mon carnet ! » Le boy lui tendit un carnet marron fermé par un cordon. Le Dr Carroll chaussa un pince-nez et griffonna quelques mots. Il rendit le carnet au boy et regarda Edgar par-dessus ses verres. « Oui, on peut dire que c'est un jour de chance, répéta-t-il. Les Chan diraient que votre arrivée est un heureux auspice. »

Le soleil finit par apparaître au-dessus des arbres qui bordaient le fleuve. « Mon Dieu, il est déjà tard, s'écria le médecin. Il ne faut pas tarder à partir. Nous avons une longue route devant nous.

— Je ne savais pas que nous allions quelque part.

— Oh, je vous prie de m'excuser, monsieur Drake. J'aurais dû vous le dire hier soir. Nous sommes mercredi, et tous les mercredis je vais à la chasse. Votre compagnie m'honorerait. Et je crois que cela vous plairait.

— A la chasse ? Mais l'Erard ?...

206

— Bien sûr. » Le médecin frappa la table de la main.
« *L'Erard.* Je ne l'ai pas oublié. Vous avez fait plusieurs
semaines de voyage pour venir le réparer, je sais, je sais.
Ne vous inquiétez pas, vous allez le voir, ce piano, plus
que vous ne le souhaitez.

— Non, ce n'est pas cela. J'aurais juste voulu lui jeter
un coup d'œil. Je ne suis pas chasseur. Je n'ai pas touché
à un fusil depuis une certaine chasse à Rangoon. C'est
toute une histoire, assez affreuse... Et puis en venant ici...

— Vous avez été pris en embuscade, Khin Myo m'a
raconté. Vous vous êtes conduit en héros, à ce qu'il paraît.

— Un héros, parlons-en. Je me suis évanoui, j'ai failli
tuer le poney, et...

— Ne vous inquiétez pas, il est rare que j'utilise mon
fusil quand je vais à la chasse. J'aurai peut-être l'occasion
de tirer un ou deux sangliers, si nous avons assez
d'hommes pour les ramener ici. Mais ce n'est pas le but
de l'expédition. »

Edgar se sentit un peu découragé. « En ce cas, sans
doute dois-je vous demander quel est le but de
l'expédition.

— La cueillette. Ma curiosité est d'ordre botanique,
c'est-à-dire souvent médicinal. J'envoie des échantillons
aux jardins botaniques de Kew Gardens. C'est incroyable
ce qu'il y à apprendre. Il y a douze ans que je suis ici et
je suis loin d'avoir fait le tour de la pharmacopée Chan.
Quoi qu'il en soit, si je vous propose de venir avec moi,
c'est que l'endroit est magnifique, que vous venez d'arriver, que vous êtes mon hôte et que je m'en voudrais de
ne pas vous montrer les merveilles de votre nouveau chez-
vous.

— Mon nouveau chez-moi », répéta Edgar. Un autre
bruissement de l'autre côté du fleuve signala un oiseau
qui prenait son vol. Carroll saisit son télescope. « Un martin-pêcheur huppé. Ce n'est pas un oiseau rare, mais il est
joli quand même. On partira dans une heure. L'Erard
supportera bien de rester désaccordé un jour de plus. »

Edgar se força à sourire. « Est-ce que je peux au moins prendre le temps de me raser ? Il y a des lustres que... »

Le médecin se leva d'un bond. « Bien sûr. Mais ne faites pas trop de frais de toilette. En une heure, nous serons dégoûtants. » Il posa sa serviette sur la table et s'adressa de nouveau à l'un des boys, qui détala à l'instant. Il fit signe à Edgar de le précéder. « Après vous », dit-il, écrasant du talon son cigare dans le sable.

Quand Edgar rentra dans sa chambre, il trouva sur la table une petite cuvette d'eau à côté d'un rasoir, de crème à raser, d'un blaireau et d'une serviette de toilette ! Il s'aspergea la figure. L'eau le soulagea momentanément. Il ne savait quoi penser de Carroll, ni de l'obligation d'ajourner son travail pour aller cueillir des fleurs. D'autres doutes l'envahissaient, qu'il n'aurait su formuler. Il y avait quelque chose de déconcertant dans ses manières : comment concilier les légendes qui couraient sur le soldat-médecin avec l'affabilité quasi paternelle de l'homme qui offrait du thé et de la marmelade, et qui s'enthousiasmait pour les oiseaux ? Au fond, tout s'explique peut-être simplement parce qu'on est toujours chez les Anglais, pensa Edgar. Une excursion, appelons-la comme ça, c'est une façon classique d'accueillir un visiteur. N'empêche qu'il se sentait mal à l'aise. Il se rasa avec soin, passant soigneusement la lame sur sa peau et caressant ses joues de la paume des deux mains.

Deux poneys Chan attendaient dans la clairière, attachés et sellés. Quelqu'un avait noué des fleurs dans leur crinière.

Bientôt apparut Nok Lek sur un troisième poney. Edgar fut content de le revoir et il remarqua qu'il n'avait pas le même comportement que lors du voyage. Son assurance juvénile se faisait plus réservée en présence du Dr Carroll, plus déférente. Il salua les deux hommes et le médecin lui fit signe de prendre la tête. Nok Lek manœuvra avec adresse et s'engagea sur la route.

D'après le soleil, Edgar déduisit qu'ils faisaient route

vers le sud-est. Par une piste parallèle au fleuve, ils traversèrent une plantation de saules au feuillage si bas et si touffu qu'Edgar devait baisser la tête. Le chemin s'écarta progressivement du fleuve pour s'élever au-dessus des saules qui laissèrent place à une végétation plus sèche. Arrivés sur la crête qui surplombait le camp, ils firent halte. A leurs pieds, vers le nord-est, s'étendait une large vallée couverte de huttes de bambou. Vers le sud, une série de collines bosselait la plaine, comme les vertèbres d'un squelette déterré. Au loin, on discernait à peine, à cause de la lumière éblouissante du soleil, des montagnes plus élevées.

« Le Siam, dit le médecin en tendant le bras dans leur direction.

— Je ne me rendais pas compte que nous étions si près.

— Environ cent trente kilomètres. C'est la raison pour laquelle le ministère de la Guerre tient tellement à garder les Etats Chan. Les Siamois sont notre seul rempart contre les Français, qui ont déjà des troupes en place plus au nord, près du Mékong.

— Et ces villages ?

— Des villages Chan et birmans.

— De quoi vivent-ils ?

— De l'opium, principalement... même si la production n'est pas comparable à celle du Nord, à Kokang, ou plus loin dans le pays Wa. On dit qu'il y a tellement de pavots à Kokang que toutes les abeilles s'endorment d'un sommeil opiacé dont elles ne se réveillent pas. Mais la récolte d'ici n'est pas négligeable... Voilà une raison supplémentaire de ne pas vouloir perdre les Etats Chan, vous comprenez ? » Il plongea la main dans sa poche et en sortit la boîte de sardines. Il plaça un cigare entre ses lèvres et offrit de nouveau la boîte à Edgar. « Vous avez changé d'avis ? »

Edgar fit non de la tête. « J'ai entendu parler des pavots. Je croyais que la culture en était interdite par l'Indian Opium Act. Les rapports que j'ai lus disent que...

— Je sais ce que disent les rapports.» Le Dr Carroll alluma son cigare. «Si vous avez lu de près, vous devriez savoir que cette loi qui date de 1878 interdit la culture de l'opium en Birmanie au sens strict. A l'époque, nous ne contrôlions pas les Etats Chan. Cela n'empêche pas que certaines pressions aillent dans ce sens. On en fait beaucoup plus une histoire en Angleterre qu'ici, c'est sans doute pourquoi un certain nombre de... d'entre nous, qui rédigeons les rapports, choisissons de faire la part des choses.

— Voilà qui jette le doute sur tout ce que j'ai pu lire d'autre.

— Vous avez tort. Presque tout ce que vous lisez est vrai. Mais il faut s'habituer aux subtilités, aux différences entre ce qu'on lit en Angleterre et ce qu'on observe sur place, surtout en matière politique.

— Ecoutez, je n'y connais pas grand-chose, ma femme suit tout cela de plus près que moi.» Edgar marqua un temps. «Mais j'aimerais beaucoup avoir votre point de vue.

— Sur la politique ?

— A Londres, tout le monde, apparemment, a une opinion sur l'avenir de l'Empire. Vous devez en savoir beaucoup plus long que quiconque.»

Le médecin secoua son cigare. «Je ne pense pas grand bien de la politique, en fait. Elle n'a pas de rapport avec la réalité.

— Pas de rapport ?

— Prenez l'opium, par exemple. Avant la révolte des Sepoy, quand nos intérêts en Birmanie étaient administrés par l'East India Company, on encourageait l'usage de l'opium, c'était un commerce des plus lucratifs. Mais ceux qui lui reprochent son "influence corruptrice" ont toujours tenté de l'interdire ou de le taxer. L'année dernière, la Société pour la suppression du commerce de l'opium a réclamé que le vice-roi proclame son interdiction. La demande a été rejetée en douceur. Quoi d'étonnant ? C'est l'une des sources de revenus les plus importantes de l'Inde. L'interdiction n'y change pas grand-chose. Les trafiquants font de la contrebande par voie maritime. Ils s'y prennent très astucieusement. Ils mettent l'opium dans des sacs qu'ils attachent à des blocs de sel. En cas de fouille du bateau, ils balancent tout simplement la cargaison à la mer. Au bout d'un certain temps, le sel fond et la cargaison remonte à la surface.

— On dirait que vous approuvez ces agissements ?

— Que j'approuve quoi ? L'opium ? C'est l'un des meilleurs remèdes dont je dispose, un antidote contre la douleur, la diarrhée, la toux, les symptômes les plus courants auxquels j'ai affaire. Que ceux qui veulent légiférer sur la question commencent par venir faire un tour ici.

— Vous m'ouvrez des horizons. Que pensez-vous de l'autonomie, on dirait que c'est la question la plus brûlante...

— Monsieur Drake, s'il vous plaît. La matinée est magnifique. Ne la gâchons pas à parler de politique. Je comprends que venant de si loin, on s'intéresse à ces questions, mais je les trouve d'un ennui mortel. Vous verrez : plus on séjourne ici, moins on se sent concerné par ce genre de problèmes.

— Mais tout ce que vous avez écrit...

— Des récits, monsieur Drake, pas des discours politiques. » Le médecin pointa sur Edgar le bout allumé de son cigare. « La politique n'est pas un sujet que j'aborde volontiers. Si vous avez un peu entendu parler de mon travail ici, vous comprendrez pourquoi. »

Edgar bredouilla de vagues excuses, auxquelles le docteur ne répondit pas. Devant eux, à l'endroit où la piste devenait plus étroite, Nok Lek les attendait. Ils avancèrent en file indienne et se dirigèrent vers la forêt, de l'autre côté de la crête.

Ils progressèrent pendant près de trois heures à travers bois, puis ils atteignirent une vallée en pente douce, coupant au sud le flanc des collines vertèbres. La piste bientôt s'élargit assez pour accueillir deux poneys, et le médecin vint chevaucher aux côtés de l'accordeur, toujours derrière Nok Lek. Il devint vite évident que Carroll ne s'intéressait pas le moins du monde à la chasse. Il parla des montagnes à l'ombre desquelles ils avançaient, raconta comment, dès son arrivée, il avait dressé la carte de la région, mesurant l'altitude grâce à des ébulliomètres. Il donna des explications sur la géologie, l'histoire, les mythes locaux de chaque creux, chaque sommet, chaque rivière qu'ils traversaient. Voici l'endroit où les moines élèvent des poissons-chats, l'endroit où j'ai vu mon premier tigre, très rare, l'endroit où les moustiques se reproduisent, où je fais des expériences sur le développement de la malaria. Voici l'entrée du monde des *nga-hlyin*, les géants birmans, voici le rendez-vous des amoureux Chan, quelquefois on entend le chant des flûtes. Ses histoires semblaient inépuisables et celle qu'il avait à raconter sur une colline ne prenait fin que quand une autre était en vue. Edgar n'en revenait pas. Le médecin semblait connaître non seulement chaque fleur, mais ses vertus médicinales, sa classification botanique, son nom en birman et en chan, les légendes locales la concernant. A mainte occasion, montrant un buisson en fleur, il s'exclamait que cette plante n'était pas connue de la science occidentale et déclarait : « J'en ai envoyé des spécimens à la Société linnéenne et à la Société botanique royale de Kew Gardens, il y a même une espèce analogue qui porte mon nom, une orchidée qu'on a appelée *Dendrobium carrollii*, un lys qui s'appelle *Lilium carrollianum*, un autre que j'ai nommé *Lilium scottium*, d'après J. George Scott, l'administrateur civil des Etats Chan, un ami pour qui j'ai la plus grande admiration. Et puis il y a d'autres fleurs... » Là-dessus il arrêta son poney et regarda Edgar bien en face, les yeux brillants : « Ma découverte, c'est *Carrollium trigeminum*, autrement dit "aux trois racines" par référence au mythe Chan des trois princes, que je vous promets de vous raconter bientôt, ou peut-être faudrait-il que vous l'entendiez de la bouche même des Chan... Quoi qu'il en soit, de profil cette fleur ressemble au visage d'un prince. C'est un monocotylédon, avec trois paires de pétales et de sépales, comme trois princes avec chacun leur jeune mariée. » Le Dr Carroll s'arrêtait parfois pour cueillir un spécimen qu'il plaçait dans un album en cuir fatigué, en réserve dans une sacoche de selle.

Ils s'arrêtèrent près d'un buisson couvert de fleurs jaunes. « Quant à celle-ci, confia-t-il en la désignant d'un bras bronzé sur lequel sa manche de chemise était enroulée, elle n'a pas encore reçu de nom officiel, et j'ai l'intention d'en envoyer plusieurs à la Société linnéenne. J'ai eu beaucoup de mal à faire publier mes travaux de botanique. L'armée a l'air de redouter qu'en écrivant sur les fleurs je ne divulgue des secrets d'Etat... comme si les Français n'avaient pas entendu parler de Mae Lwin. » Il soupira. « Je suppose que je prendrai ma retraite avant d'avoir publié une pharmacopée. Parfois j'aimerais bien être un civil pour ne pas subir toutes ces contraintes et obligations. D'un autre côté, je ne serais sans doute pas ici. »

Peu à peu, le sentiment de malaise d'Edgar se dissipait sous l'effet de l'enthousiasme contagieux du médecin. Toutes les questions qui se bousculaient à propos de la musique, du piano, de l'opinion des Chan et des Birmans sur Bach et Haendel, des raisons pour lesquelles Carroll restait sur place et, finalement, de la raison de son propre voyage, toutes ces questions étaient soudain mises entre parenthèses. Bizarrement, rien ne lui paraissait plus naturel que cette randonnée à dos de poney, à la recherche de plantes dépourvues de nom, abreuvé par le médecin de légendes Chan, de nomenclatures en latin et de références littéraires. Au-dessus d'eux, un rapace qui volait en cercles fut pris par un courant ascendant ; Edgar se demanda ce que l'oiseau voyait de là-haut : trois silhouettes minuscules qui trottinaient sur une piste sinueuse encerclant les collines calcaires, les villages miniatures, la Salouen qui serpentait paresseusement, les montagnes à l'est, le plateau Chan incliné jusqu'à Mandalay, et puis toute la Birmanie, le Siam, l'Inde, les armées rassemblées, des colonnes de militaires français et anglais en attente, invisibles les unes pour les autres mais que l'oiseau, lui, distinguait, et entre elles trois hommes occupés à cueillir des fleurs.

Ils passèrent devant des maisons sur pilotis, croisèrent des villageois en chapeaux à large bord marchant sur des routes poussiéreuses jusqu'à des villages dont l'entrée était marquée par un portail de bois. Devant l'un d'eux, des branchages en vrac jonchaient le sol et une feuille de papier froissé couverte d'une écriture en festons était clouée au portail. Le Dr Carroll expliqua que la variole avait frappé le village, et que l'écriture était une formule magique destinée à combattre la maladie. « C'est terrible, dit-il. En Angleterre, nous vaccinons maintenant les gens – c'est obligatoire depuis plusieurs années – mais on ne me fournit pas de doses suffisantes pour que je puisse en faire autant ici. C'est une maladie épouvantable, terriblement contagieuse, qui défigure les gens... Ceux qui survivent. » Edgar eut un tressaillement nerveux. Quand il était petit, une épidémie de variole avait éclaté dans les taudis de l'est de Londres. On voyait tous les jours dans les gazettes des photos des victimes, des enfants couverts de pustules, des cadavres blêmes, décharnés.

Bientôt apparurent des reliefs rocheux, jaillis du sol comme des molaires usées. Le paysage jusqu'alors largement ouvert se resserra brusquement et ils s'enfoncèrent dans un ravin encastré entre deux murailles, avec le sentiment de pénétrer dans les entrailles de la terre.

« S'il pleuvait, cette piste serait entièrement inondée, fit remarquer Carroll. Mais nous connaissons actuellement l'une des pires sécheresses de l'histoire.

— Je me souviens que vous l'avez évoquée dans l'une de vos lettres, et tous les gens que j'ai rencontrés m'en ont parlé.

— Des villages entiers meurent de faim à cause des mauvaises récoltes. Si seulement l'armée voulait bien comprendre tout ce que nous pourrions réaliser en nourrissant les gens. Il suffirait de les alimenter, nous n'aurions plus à nous inquiéter de la guerre.

— Il paraît qu'on ne peut pas acheminer le ravitaillement à cause des dacoits et d'un chef de bande Chan du nom de Twet Nga Lu...

— Ah, vous avez aussi lu cette histoire », soupira le médecin.

Les falaises renvoyaient l'écho de sa voix. « Ce n'est pas entièrement faux, mais on exagère beaucoup la légende de Twet Nga Lu entre officiers. Ils ont besoin de mettre un visage sur le danger. Je ne dis pas que l'homme n'est pas dangereux – il l'est. Mais la situation est plus compliquée et, si nous désirons la paix, il ne suffira pas de réduire un seul homme à merci... Allez, voilà que je me mets à discourir, alors que je vous avais promis de ne pas le faire. Que connaissez-vous de cette histoire ?

— Oh, pas grand-chose. Pour dire la vérité, je m'emmêle encore dans tous ces noms.

— Nous nous emmêlons tous. Je ne sais pas quel rapport vous avez lu, ni de quand il datait. J'espère qu'on vous a donné une communication que j'ai écrite moi-même. Officiellement nous avons annexé la haute Birmanie l'année dernière, sauf que les Etats Chan ont résisté à tout contrôle et il est donc presque impossible d'établir des troupes ici. Dans notre effort pour pacifier la région – "pénétration pacifique", comme dit le ministère de la Guerre, formule que je trouve révoltante –, nous avons entrepris de nous battre contre une fédération de princes Chan qui ont pris le nom de confédération de Limbin. Il s'agit de *sawbwas* (le terme Chan pour « prince ») qui veulent renverser l'Empire britannique. Twet Nga Lu ne fait pas partie de la confédération. Lui n'est qu'un chef illégitime qui opère de l'autre côté de la Salouen. On ne peut pas le considérer comme un dacoit, car il a trop de partisans. Son nom est devenu une légende, peut-être parce qu'il fait cavalier seul. La confédération de Limbin a moins mauvaise réputation parce qu'elle est bien organisée, elle dispose même d'une délégation. Bref, les *sawbwas* donnent l'impression de représenter un vrai gouvernement. Mais Twet Nga Lu refuse de coopérer avec quiconque. »

Edgar s'apprêtait à interroger Carroll sur ce chef des bandits et ce qu'il en avait entendu dire pendant son voyage en bateau sur le fleuve, lorsqu'une sorte de crépitement au-dessus de leurs têtes attira leur attention. Un oiseau s'élevait au-dessus des rochers.

« Qu'est-ce que c'est ? demanda Edgar.

— Un rapace, mais je n'ai pas eu le temps de le reconnaître. Le danger par ici, ce sont les serpents. Ils sortent souvent vers cette heure-ci pour se réchauffer au soleil. L'an dernier, un de mes poneys s'est fait piquer par une vipère, ce qui a provoqué une énorme plaie. Dans le cas d'un être humain, la piqûre peut lui être fatale.

— Vous vous y connaissez en venins ?

— J'ai collecté des poisons pour les étudier. Je me suis fait aider par un guérisseur, un ermite qui vit dans les collines, et qui, disent les villageois, vend des poisons aux assassins.

— Quelle horreur. Je...

— Sans doute, mais comparée à d'autres méthodes, la mort par empoisonnement est relativement douce. » Le médecin ajouta : « Ne vous en faites pas, monsieur Drake, il ne s'intéresse pas aux accordeurs de piano anglais. »

La piste suivait une pente abrupte, et les poneys avaient du mal à garder leur équilibre sur les cailloux. Carroll montra du doigt le ravin. « Ecoutez bien, dit-il. Vous allez bientôt entendre la rivière. » Au cliquetis des sabots fit écho un grondement lointain, plus sourd. Carroll s'arrêta. « Il faut continuer à pied, dit-il. C'est trop risqué pour les poneys. » Il se laissa glisser au sol d'un mouvement plein d'aisance. Nok Lek l'imita, puis Edgar, qui pensait toujours aux serpents. Le bruit de la rivière s'intensifiait. Le ravin devenait de plus en plus étroit, si bien que les poneys peinaient à se frayer un chemin. Au-dessus d'eux, des branches, des troncs d'arbres coincés dans la fente étroite témoignaient d'anciennes inondations.

Bientôt le ravin s'incurva brusquement et le sol parut se dérober sous leurs pas. Carroll tendit les rênes de son poney à Nok Lek et s'avança prudemment jusqu'au bord. « Venez voir, monsieur Drake », cria-t-il, couvrant le tumulte de l'eau.

Edgar les rejoignit précautionneusement. La piste dégringolait jusqu'à la rivière, vingt pieds plus bas. Les galets, polis par l'eau courante, reluisaient dans les rayons de soleil qui pénétraient par une étroite ouverture donnant sur le ciel. Edgar sentait l'écume lui éclabousser le visage, le sol tremblait sous la force rugissante des rapides.

« A la saison des pluies, c'est une cascade, ici. La rivière est deux fois plus haute. L'eau vient de très loin, du Yunnan, en Chine, alimentée par la fonte des neiges. Ce n'est pas tout. Venez.

— Pardon ?

— Venez là, regardez. »

Edgar traversa tant bien que mal les galets glissants d'écume. Carroll, au bord du précipice, examinait les rochers.

« Qu'est-ce qu'il y a ? demanda Edgar.

— Regardez bien. Regardez les rochers. Vous les voyez ? Les fleurs. »

La surface du ravin était couverte d'une mousse uniforme, un tapis vert d'où jaillissaient des milliers de fleurs minuscules, si petites qu'il les avait d'abord prises pour des gouttes d'eau.

« Attendez, ce n'est pas tout », continua Carroll. Il montra une surface plane sur la muraille. « Mettez votre oreille là.

— Pardon ?

— Allez-y, collez votre oreille contre la muraille et écoutez. »

Edgar, avec un regard sceptique, s'exécuta.

Du tréfonds de la pierre lui parvint alors un chant étrange et fascinant. Il s'écarta. Le chant cessa. Il se pencha de nouveau, et de nouveau il l'entendit. C'était un son qu'il reconnaissait, on aurait dit des milliers de voix de sopranos qui s'exerçaient. « D'où ça vient ? cria-t-il.

— Le rocher est creux, il fait caisse de résonance et répercute les vibrations de la rivière. C'est une explication. Il en existe une autre : selon les Chan, c'est un oracle. On vient le consulter ici. Regardez là-haut. » Il montrait un empilement de rochers surmonté d'une petite couronne de fleurs. « Un autel en l'honneur des esprits qui chantent. J'ai pensé que cet endroit vous plairait. C'est un lieu tout désigné pour un amateur de musique. »

Edgar se releva, sourit et essuya pour la vingtième fois ses lunettes. Pendant qu'ils parlaient, Nok Lek avait déposé à terre des paniers remplis de feuilles de bananier farcies qu'il disposa sur les rochers, à plusieurs mètres du précipice, au sec. Ils s'assirent et se mirent à manger en écoutant la rivière. Contrairement aux currys épicés qu'Edgar avait goûtés dans la plaine, chaque feuille de bananier contenait un mets différent, morceaux de poulets émincés et séchés, courge fraîche, pâte épicée à odeur de poisson qui donnait au riz un goût agréablement sucré, petites boules collantes de riz presque transparent.

Le repas fini, ils se levèrent et firent escalader à leurs poneys le sentier jusqu'à ce qu'il devienne assez plat pour qu'ils puissent remonter en selle. Peu à peu, la fraîcheur du ravin cédait à la chaleur du plateau.

Pour rentrer au camp, Carroll choisit un trajet différent qui traversait une forêt squelettique. Par contraste avec la première piste, la terre était chaude et plate, la végétation desséchée. Le médecin s'arrêta plusieurs fois pour montrer des plantes à Edgar, de toutes petites orchidées cachées dans l'ombre, des sarracénies à l'air inoffensif dont Carroll exposa en détail les mœurs férocement carnivores, des arbres qui contenaient de l'eau, du caoutchouc, des remèdes.

Sur la route solitaire, ils passèrent devant un temple ancien fait de dizaines de pagodes disposées selon un plan géométrique. Il y en avait de toutes les tailles, de toutes les formes, de tous les âges, certaines fraîchement repeintes et

surmontées d'ornements, d'autres décolorées et déla-
brées. L'une d'elles évoquait la forme d'un serpent lové.
Dans le silence étrangement inquiétant, des oiseaux voletaient ici et là. Le seul être vivant était un moine, à peu
près aussi âgé que les temples eux-mêmes, à la peau brune
et ridée, au vêtement gris de poussière, qui balayait l'allée.
Edgar vit Carroll joindre les mains et s'incliner légèrement
devant lui. Le vieux moine ne répondit pas et continua à
balayer, les longues pailles de son balai se balançant au
rythme hypnotique de la mélopée qu'il marmonnait.

La piste n'en finissait pas. Edgar commençait à se sentir
las. Le médecin avait sûrement arpenté le plateau en long
et en large pour connaître si bien le moindre ruisseau, la
moindre colline. S'ils se trouvaient séparés, Edgar se disait
qu'il ne saurait jamais reconnaître son chemin. Un bref
instant, cette pensée l'inquiéta. Mais en décidant de venir
ici, je lui ai fait confiance, se raisonna-t-il, je n'ai pas de
raison de changer d'avis maintenant. Le sentier se rétrécit,
le Dr Carroll passa devant, le dos bien droit, une main
sur la hanche, aux aguets.

Ils quittèrent la forêt pour atteindre une crête arrondie,
puis redescendirent dans la vallée d'où ils venaient. Lorsque, du sommet d'une colline, Edgar aperçut enfin la
Salouen, le soleil se couchait. Ils atteignirent Mae Lwin à
la nuit tombée.

13

Le lendemain matin, Edgar se réveilla avant l'apparition des enfants et il descendit jusqu'au fleuve. Il s'attendait à trouver le médecin en train de prendre son petit déjeuner ou peut-être à voir Khin Myo, mais la berge était déserte. Edgar plissa les yeux pour repérer des oiseaux de l'autre côté du fleuve. Il entendit un battement d'ailes. Ah, encore un martin-pêcheur huppé, se dit-il, tout content. Je commence à m'y connaître un peu... Il retourna à la clairière. Nok Lek arrivait sur le chemin qui menait aux habitations.

« Bonjour, monsieur Drake, dit le jeune garçon.

— Bonjour, je cherchais le Dr Carroll. Pouvez-vous me dire où il se trouve ?

— Une fois par semaine, le docteur est dans son... comment dit-on ?

— Son dispensaire ?

— Oui, son dispensaire. Il m'a dit de venir vous chercher. »

Nok Lek conduisit Edgar jusqu'au QG du camp. Au moment où ils entraient, une femme d'un certain âge passa devant eux, portant dans les bras un bébé qui pleurait, emmailloté dans une toile à carreaux. Nok Lek et Edgar la suivirent.

La pièce était bourrée de monde, des dizaines d'hommes et de femmes en costumes et turbans de couleurs vives, accroupis ou debout, accompagnés d'enfants.

Tous jetaient des regards au-dessus les uns des autres pour apercevoir le médecin, assis à l'autre bout de la pièce. Nok Lek demanda doucement aux gens de s'écarter pour qu'Edgar et lui puissent passer.

Le médecin était en train d'ausculter un bébé avec un stéthoscope. Sans s'interrompre, il leva les sourcils pour les saluer. Le bébé était blotti, tout mou, sur les genoux d'une jeune femme, qu'Edgar supposa être sa mère. C'était une fille toute jeune, quinze ou seize ans peut-être, mais elle avait les yeux gonflés et fatigués. Comme la plupart des femmes, elle avait les cheveux noués dans un turban posé en équilibre sur sa tête. Elle portait une robe fermée devant, faite d'une toile tissée à la main en motifs géométriques. Elle la portait avec élégance, mais Edgar remarqua, à y regarder de plus près, que le tissu s'effilochait sur les bords. Il repensa à ce que le médecin lui avait dit de la sécheresse.

Au bout d'un moment, Carroll finit par poser son stéthoscope. Il s'adressa à la femme en chan, puis il se retourna pour fouiller dans une petite armoire derrière lui. Edgar nota les rangées de fioles d'apothicaire.

Le médecin surprit son regard. « Plus ou moins ce qu'on trouverait dans une armoire à pharmacie anglaise, dit-il en tendant à la femme une petite bouteille contenant un élixir brunâtre. De la teinture de Warburg et de l'arsenic pour la fièvre, des pilules de Cockle et de la chlorodyne, de la poudre de Goa pour la teigne, de la vaseline, du baume de Holloway, de la poudre de Dover et du laudanum pour la dysenterie. Et puis ceci. » Il montrait une rangée de bouteilles sans étiquette remplies de feuilles et de liquides glauques, d'insectes écrasés, de lézards flottant dans une solution. « Remèdes locaux. »

Carroll sortit de l'armoire une fiole de plus grande taille remplie d'herbes et d'un liquide opaque. Il enleva le bouchon, et dans la pièce se répandit une forte odeur sucrée. Le médecin attrapa avec les doigts un paquet de feuilles dégouttantes qu'il plaça sur la poitrine du bébé. Le liquide dégoulina le long de ses côtes. Carroll l'étala sur la gorge et la poitrine de l'enfant. Les yeux fermés, il murmurait des paroles indistinctes. Il rouvrit les yeux, remmaillota le bébé, laissant les feuilles en cataplasme. Puis il parla à la jeune femme qui se leva, s'inclina pour le remercier et disparut dans la foule.

« Qu'est-ce que c'était ? demanda Edgar.

— Je pense que l'enfant est phtisique. Cette petite bouteille contient le remède antiphtisie de Steven. Directement importé d'Angleterre. Je ne suis pas convaincu de son efficacité, mais nous n'avons rien de mieux. Vous connaissez les découvertes de Koch ?

— Seulement ce que j'en ai lu dans les journaux. Je ne connais le remède de Steven que parce que nous en avons acheté pour notre domestique ; sa mère est phtisique.

— Eh bien, cet Allemand pense qu'il a trouvé la cause de la tuberculose dans une bactérie qu'on appelle le "bacille de Koch". Mais c'était il y a cinq ans. J'ai beau essayer de suivre les progrès de la science, je suis bien isolé... C'est difficile de savoir ce qui a changé.

— Et la plante ?

— Les guérisseurs d'ici l'appellent *mahaw tsi*. C'est un remède réputé chez les Kachin, et leurs guérisseurs en gardent jalousement le secret. J'ai mis longtemps à les convaincre de me le montrer. Je suis à peu près certain que c'est une variété d'*Euonymus*, mais je n'en jurerais pas. Ils l'utilisent pour soigner de nombreuses maladies. Il y a des gens qui croient que le seul fait de prononcer les mots *mahaw tsi* suffit à vous guérir. On dit que c'est particulièrement efficace pour les maladies liées à l'air, or ce bébé tousse. Moi, je le mélange avec du baume de Holloway. J'ai longtemps douté des vertus médicinales de ces herbes, mais j'ai cru remarquer une amélioration chez ceux de mes patients qui en prennent. C'est ça ou prier. »

Edgar regarda le médecin. « Prier qui ? » Mais un autre patient était devant lui et Carroll ne répondit pas.

C'était un jeune garçon qui tenait sa main gauche serrée contre lui. Carroll fit signe à Edgar de s'asseoir sur une chaise derrière lui. Quand il voulut examiner la main du garçon, celui-ci refusa de la dégager. Sa mère, debout derrière lui, lui lança des paroles de reproche. Carroll finit par écarter doucement les bras du garçon.

A sa main gauche, trois doigts étaient presque complètement arrachés, retenus par des tendons déchiquetés, couverts de sang caillé. Carroll manipula la blessure avec délicatesse mais le garçon grimaça de douleur. « Ce n'est pas joli, joli », grommela-t-il, et il s'adressa à la femme en chan. Le garçon se mit à pleurer. Carroll se retourna pour lancer quelques mots à Nok Lek, qui sortit un paquet de l'armoire et le déroula sur la table. Il y avait un linge, des pansements et divers outils tranchants. Le garçon se mit à pousser des cris.

Edgar, embarrassé, jeta un œil vers la salle d'attente. Les autres patients regardaient la scène sans broncher, inexpressifs.

Carroll sortit une bouteille de l'armoire. Il posa la main du garçon sur le linge étalé et versa sur la blessure le contenu de la bouteille. Le garçon sursauta en hurlant. Carroll continua l'opération, essuyant vigoureusement la main avec le linge. Il prit dans l'armoire une petite fiole et imprégna un pansement du liquide épais, puis il en frotta la plaie. Le garçon se calma presque instantanément.

Le docteur se tourna vers Edgar. « Monsieur Drake, je vais avoir besoin de votre aide. Le baume devrait atténuer la douleur, mais quand il va voir la scie il va se mettre à hurler. D'habitude j'ai une infirmière, mais elle est occupée avec d'autres patients. Si ça ne vous ennuie pas, bien sûr. Je me suis dit que cela vous intéresserait sans doute de voir comment fonctionne notre infirmerie, étant donné son importance dans nos relations avec les gens d'ici.

— Les gens d'ici, répéta Edgar d'une voix mal assurée. Vous allez l'amputer ?

— Je n'ai pas le choix. J'ai vu des blessures comme celle-ci gangrener tout un bras. Je vais simplement enlever les doigts atteints. La blessure de la main a l'air superficielle. Malheureusement j'ai épuisé mes réserves d'éther la semaine dernière et on ne m'en a pas envoyé d'autre. On pourrait lui faire fumer de l'opium, mais il souffrirait quand même. Je préfère en terminer le plus vite possible.

— Que puis-je faire ?

— Juste lui tenir le bras. Il est petit, mais ça ne va pas l'empêcher de se démener comme un beau diable. »

Carroll se leva et Edgar derrière lui en fit autant. Le médecin, doucement, attacha un tourniquet au-dessus du coude de l'enfant et fit signe à Edgar de lui maintenir le bras. Edgar obtempéra, avec l'impression pénible de participer à un acte cruel. Puis Carroll fit un signe à Nok Lek, qui d'un geste brusque tordit l'oreille du garçon. Celui-ci poussa un cri et porta aussitôt sa main libre à son oreille. Avant qu'Edgar ait pu se retourner, le médecin avait scié un, puis deux, puis un troisième doigt. Le garçon les regarda d'un air perplexe, puis il poussa un hurlement, mais Carroll avait déjà enveloppé dans le linge la main sanguinolente.

Au fil de la matinée les patients se succédèrent dans le fauteuil d'examen près de la fenêtre : un homme entre deux âges qui boitait, une femme enceinte et une femme stérile, un enfant dont Carroll diagnostiqua qu'il était sourd. Trois personnes avaient des goitres, deux une diarrhée et cinq de la fièvre, symptômes liés, selon Carroll, à la malaria. A chacun des patients fiévreux, il préleva une goutte de sang qu'il déposa sur une lame de verre et qu'il examina sous un petit microscope dont l'oculaire était éclairé par la lumière qui venait de la fenêtre.

« Que cherchez-vous ? » demanda Edgar, encore secoué par l'amputation. Carroll le laissa regarder dans le microscope.

« Vous voyez des petits cercles ? demanda-t-il.

— Oui, il y en a partout.

— Ce sont les globules rouges. Tout le monde en a. Mais si vous regardez de plus près, vous distinguerez qu'à l'intérieur il y a des taches plus sombres.

— Je ne vois rien, dit Edgar qui se redressa, déçu.

— C'est normal, au début, c'est difficile. Il y a encore sept ans, personne ne savait ce que c'était, jusqu'au jour où un Français a découvert qu'il s'agissait des parasites responsables de la maladie. Cette découverte m'intéresse beaucoup, parce que la plupart des Européens s'imaginent que la maladie s'attrape en respirant des miasmes, le "mauvais air" des marais, c'est la raison pour laquelle les Italiens ont baptisé cette maladie *mala aria*. Mais quand j'étais en Inde, j'avais un ami, un médecin, qui m'a traduit certains des Veda hindous, où on appelle la malaria "la reine des maladies", et on l'attribue au courroux du dieu Shiva. Quant à la transmission, les Veda indiquent le vulgaire moustique. Personne n'ayant encore trouvé ce parasite dans le moustique, il n'y a là rien de certain. Mais comme les moustiques vivent dans les marais, il est difficile de dissocier les deux. En fait, il est difficile de dissocier toutes les causes possibles dans la jungle. Les Birmans, par exemple, l'appellent *hnget pyhar*, ce qui veut dire "la fièvre des oiseaux".

— Et vous, qu'en pensez-vous ?

— J'ai collecté des moustiques, je les ai disséqués, broyés en poudre, j'ai scruté leurs entrailles au microscope, mais je n'ai encore rien trouvé. »

Carroll donna des tablettes de quinine à tous les patients atteints de malaria, ainsi qu'un extrait de plante qui, disait-il, provenait de Chine, et une racine locale destinée à faire baisser la fièvre. Pour la diarrhée, il distribua du laudanum ou des graines de papaye moulues ; pour les goitres, des tablettes de sel. Il expliqua à l'homme qui boitait comment se fabriquer des béquilles. A la femme enceinte, il appliqua un onguent sur son ventre ballonné. Pour l'enfant sourd, il ne pouvait rien faire, et il déclara à Edgar que rien ne l'attristait autant que cette infirmité, car les Chan ne disposaient pas d'un langage des signes. De toute façon, ce gamin ne pourrait jamais entendre les chants des fêtes nocturnes. Edgar pensa à un autre petit garçon, le fils d'une cliente à lui qui était sourd et qui, lorsque sa mère jouait, collait son visage contre la caisse du piano pour en sentir les vibrations. Il se rappela aussi le vapeur qui l'amenait à Aden et l'Homme-d'un-seul-récit. Il y a des causes de surdité que même la médecine ne peut sans doute pas comprendre.

Quand ce fut le tour de la femme stérile, Carroll se retourna vers Nok Lek et lui parla longuement, puis il expliqua à Edgar : « C'est curieux. Elle est stérile et elle se promène dans son village en bavardant avec un enfant imaginaire. Je ne sais pas comment la guérir. J'ai dit à Nok Lek de l'emmener voir un moine qui vit dans le Nord et qui se spécialise dans ce genre de trouble. Il pourra peut-être faire quelque chose. »

Un peu avant midi, se présenta un homme maigre conduit par une femme beaucoup plus jeune que lui. Après avoir brièvement parlé avec la femme, Carroll se tourna vers la salle d'attente et fit une annonce en chan. Lentement, les gens se levèrent et s'en allèrent. « Ce cas risque de prendre un bon bout de temps. Il est malheureux que je ne puisse pas les voir tous. Mais il y en a tellement... »

Edgar reporta son attention sur l'homme. Il portait une chemise mangée aux mites, un pantalon élimé, mais pas de turban. Ses pieds nus montraient des orteils calleux et tordus. Son crâne était rasé, lisse, son visage et ses yeux creux. Sa mâchoire était animée de mouvements rythmiques, comme s'il se mâchait la langue ou l'intérieur des joues. Ses mains tremblaient, agitées d'un mouvement lent et saccadé.

Carroll s'entretint un long moment avec la femme, puis se retourna vers Edgar. « Elle dit qu'il est possédé, annonça-t-il. Ils arrivent des montagnes, à presque une semaine de route, d'un village près de Kengtung.

— Pourquoi venir ici ?

— Les Chan répertorient quatre-vingt-seize maladies. Celle-ci n'en fait pas partie. Tous les guérisseurs des alentours de Kengtung se déclarent impuissants. La rumeur concernant la maladie de cet homme a circulé, et ils ont peur de lui parce qu'ils pensent que l'esprit est trop fort. C'est pourquoi ils sont là.

— Vous ne pensez quand même pas qu'il est possédé ?

— Je n'en sais rien, j'ai vu ici des choses que je n'aurais jamais crues possibles auparavant. » Il marqua un temps d'arrêt. « Dans certaines régions du pays Chan, des hommes comme lui sont révérés, considérés comme des médiums. Je suis allé à des fêtes où des centaines de villageois venaient les voir danser. En Angleterre, on appellerait ces contorsions la danse de Saint-Guy, saint Guy étant le patron des hystériques et des personnes atteintes de maladies nerveuses. Mais je ne sais pas comment nommer cette danse, car saint Guy n'entend sûrement pas les prières en provenance de Mae Lwin. Et j'ignore quels esprits sont à l'origine d'une telle possession. »

Il s'adressa directement à l'homme, qui le fixait d'un regard vide. Puis Carroll le prit par le bras et le mena vers la sortie, sans lui donner de médicaments.

Après leur départ Carroll conduisit Edgar dans une autre salle à l'écart du QG. A l'intérieur, plusieurs malades étaient allongés sur des couchettes.

« C'est notre petit hôpital, expliqua le médecin. Je n'aime pas garder les patients ici, je pense qu'ils guérissent mieux chez eux. Mais je préfère surveiller certains des cas les plus sérieux, généralement des diarrhées ou la malaria. J'ai donné à Miss Ma une formation d'infirmière, dit-il en montrant une jeune femme qui épongeait l'un des malades avec une serviette humide. Elle s'occupe des malades quand je ne suis pas là. » Edgar la salua d'un signe de tête et elle s'inclina légèrement.

Ils passèrent devant les lits. « Ce jeune homme, expliqua Carroll, souffre d'une diarrhée aiguë, j'ai peur que ce soit le choléra. Le choléra a fait des ravages il y a quelques années, dix villageois en sont morts. Heureusement, pour le moment, personne d'autre n'est touché. Je le garde ici pour qu'il ne contamine pas les autres... Le cas suivant est terriblement triste et, malheureusement, terriblement courant. La malaria cérébrale. Je ne peux pas faire grand-chose pour ce garçon, il va mourir bientôt. Je veux que sa famille ne perde pas espoir, alors je le garde ici... Cette petite fille a la rage. Elle a été mordue par un chien sauvage. Beaucoup pensent aujourd'hui que c'est ainsi que se transmet la maladie, mais je suis trop éloigné des centres de recherche européens pour connaître l'état des connaissances. »

Ils s'arrêtèrent devant la fillette toute contorsionnée, les yeux grands ouverts avec une expression de terreur. Edgar eut un choc en constatant qu'elle avait les mains attachées derrière le dos.

« Pourquoi est-elle attachée ? demanda-t-il.

— Cette maladie rend fou : on l'appelle la rage, en latin *rabies*. Il y a deux jours, elle a voulu se jeter sur Miss Ma, il a fallu l'attacher. »

A l'autre bout de la salle était allongée une vieille femme. « Et celle-là, qu'est-ce qu'elle a ? » Edgar commençait à se sentir écrasé sous le poids de toutes ces maladies.

« Celle-là ? » reprit le médecin. Il lui dit quelques mots en chan et la femme se redressa. « Elle n'est pas malade. C'est la grand-mère d'un de nos patients, que vous voyez assis là-bas dans le coin. Quand elle vient lui rendre visite, il la laisse se reposer sur son lit parce qu'elle trouve qu'on y est si bien.

— Mais lui, il n'en a pas besoin ?

— Si, mais à la différence des autres, il n'est pas en danger immédiat.

— De quoi souffre-t-il ?

— Sans doute du diabète. J'ai un certain nombre de patients qui viennent me consulter parce qu'ils sont effrayés de voir que les insectes boivent leur urine. C'est parce qu'elle contient du sucre. Certains des Chan y sont particulièrement sensibles, ils ont l'impression que c'est leur corps qu'on dévore. Voilà encore un genre de diagnostic dû aux anciens brahmanes. Cet homme n'a pas vraiment besoin de séjourner dans mon petit hôpital, mais ça lui fait moralement du bien et donne à sa grand-mère l'occasion de se reposer. »

Carroll parla à l'homme, puis à Miss Ma. Quand enfin Edgar et lui sortirent, le soleil indiquait qu'on était au début de l'après-midi.

« Nous en avons fini pour aujourd'hui. J'espère que vous n'avez pas eu l'impression de perdre votre temps, monsieur Drake ?

— Pas du tout, même si j'ai été un peu désarçonné au début, je l'avoue. Rien à voir avec une consultation anglaise. C'est, disons, moins *privé*.

— Je n'ai guère le choix. De plus, ce n'est pas mauvais que les gens voient qu'un Anglais sait faire autre chose que tenir un fusil. » Après un silence, il reprit : « Vous me demandiez hier quelles étaient mes opinions politiques. Eh bien, en voilà une. » Il se mit à rire.

« En effet, dit Edgar, songeur. Malgré tout ce qu'on raconte, je n'en reviens pas...

— Puis-je vous demander de quoi ? »

Edgar regardait les patients qui s'éloignaient lentement du dispensaire. « De tout ce que vous avez réussi à faire. Introduire ici la musique, la médecine. On a peine à croire que vous n'avez jamais participé à la guerre. »

Anthony Carroll le regarda en face. « Parce que c'est ce que vous croyez ? Vous êtes bien innocent, cher ami.

— Sur le bateau, j'ai entendu dire que vous n'aviez jamais tiré un coup de feu.

— Alors réjouissez-vous de m'avoir vu quand je soigne les malades et pas quand nous interrogeons nos prisonniers. »

Edgar sentit son sang se glacer. « Vos prisonniers ? »

Le docteur baissa la voix. « On sait que les dacoits arrachent la langue de leurs ennemis. Je n'estime pas devoir échapper à cette règle... Mais que cela ne vous préoccupe pas. Comme vous le dites vous-même, vous êtes ici pour la musique. »

Edgar se sentit pâlir. « Je... je n'imaginais pas... »

Soudain, le visage de Carroll se fendit d'un large sourire, ses yeux pétillaient. « Je plaisantais, monsieur Drake, je plaisantais. Je vous ai prévenu, pour la politique. Il ne faut pas prendre les choses tellement au sérieux. Rassurez-vous, tout le monde repart avec sa langue. »

Il donna une petite tape dans le dos de l'accordeur. « Vous me cherchiez ce matin, dit-il. Sans doute à propos de l'Erard ?

— Oui, à propos de l'Erard, répondit Edgar encore mal remis. Mais ce n'est peut-être pas le bon moment, je m'en rends compte. Vous avez eu une longue matinée...

— Pas du tout, c'est le moment idéal. Après tout, accorder un instrument, c'est comme soigner quelqu'un. Ne perdons plus un instant. Vous avez été très patient. »

14

Malgré la brise fraîche en provenance du fleuve, il faisait chaud. Encore secoué, Edgar retourna dans sa chambre chercher ses outils et le médecin l'emmena par une piste étroite jusqu'à un sentier qui courait entre les bâtiments et la montagne. Edgar s'étonnait d'avoir pris au sérieux la plaisanterie de Carroll, mais la satisfaction de voir enfin l'Erard prenait le dessus. Depuis son arrivée, il se demandait où on l'avait installé et, quand il passait devant un bâtiment, il jetait un œil à l'intérieur des pièces ouvertes. Ils s'arrêtèrent devant une porte fermée par un gros verrou métallique. Carroll sortit de sa poche une petite clé qu'il introduisit dans la serrure.

La pièce était sombre, Carroll ouvrit les fenêtres, d'où on avait vue sur le camp et la Salouen aux eaux boueuses. Le piano était là, protégé par une couverture dans le tissu décoré de fines rayures multicolores que portaient la plupart des femmes. D'un geste large, le médecin découvrit l'instrument. « Et voilà, monsieur Drake. » A demi éclairée par la lumière venant de la fenêtre, la surface lisse et presque liquide de l'Erard se détachait de la pénombre ambiante.

En silence, Edgar posa la main sur le piano. Un moment, il se contenta de le regarder, puis il secoua la tête. « Incroyable, dit-il. Je suis... je suis sans voix... » Il prit une profonde inspiration. « Je n'arrive pas encore tout à fait à y croire. Il y a deux mois que j'y pense, mais je suis aussi abasourdi que si je tombais dessus à l'improviste. Excusez-moi, je ne pensais pas que je serais tellement ému. Il est... magnifique... »

Il passa devant le clavier. Parfois, tellement absorbé par la mécanique d'un piano, il en oubliait de remarquer la beauté de l'instrument. Les Erard construits à la même époque que celui-ci étaient souvent richement décorés de marqueterie, ils avaient des pieds sculptés, et même, au-dessus du clavier, un panneau à plate-bande. Celui-ci était plus simple. Un placage en acajou brun foncé descendait jusqu'aux pieds incurvés, féminins de forme, délicatement sculptés, presque suggestifs. Voilà pourquoi l'usage en Angleterre voulait qu'on cache d'un tapis les pieds des pianos. Sur le panneau, au-dessus du clavier où s'inscrivait en nacre le nom de la marque, un dessin élégant s'ornait à chaque extrémité d'un bouquet de fleurs. La caisse était lisse, sobre, monochrome.

« J'admire votre goût, docteur, dit Edgar. Comment avez-vous su choisir celui-ci ? Et pour commencer, choisir un Erard ?

— Et d'abord, choisir un piano, c'est ce que vous voulez dire ? »

Edgar eut un petit rire. « Exactement. Vous devez avoir l'impression que je suis toujours ma petite idée...

— Votre appréciation me touche. Vous et moi, nous suivons le même type de raisonnement... Le piano a quelque chose de différent des autres instruments, quelque chose qui en impose, qui suscite l'admiration. C'est toujours un grand sujet de discussion parmi les Chan que je connais. Ils se disent honorés de l'entendre jouer. Le piano est le plus complet des instruments de musique, qualité à laquelle tout le monde, je pense, est sensible.

— Pourquoi un Erard ?

— En fait, pour la marque je n'avais pas vraiment précisé. J'avais demandé un Erard un peu ancien. J'ai peut-être dit 1840, parce que je savais que Liszt avait joué sur un instrument de cette année-là. Mais c'est le ministère qui a choisi, ou bien j'ai tout simplement eu la chance que ce soit le seul sur le marché à ce moment-là. Je suis d'accord avec vous pour le trouver magnifique. J'espérais que vous m'initieriez peut-être à certains de ses aspects plus techniques.

— Bien sûr... mais par où commencer ? Je ne veux pas vous ennuyer.

— Votre modestie vous honore. N'ayez aucune crainte à ce sujet.

— Alors allons-y, mais arrêtez-moi quand vous voudrez. » Il caressa la caisse de la main. « Il s'agit d'un piano à queue de 1840 construit dans les ateliers parisiens de Sébastien Erard, ce qui en fait une rareté, car la plupart des Erard qu'on trouve à Londres proviennent des ateliers londoniens. Plaqué acajou. Il a une mécanique à double échappement – la mécanique étant la série de clés qui permet que le marteau vienne frapper les cordes. Une fois que le marteau a frappé les cordes, il retombe : c'est l'échappement. Le double échappement est une invention d'Erard, qu'on trouve maintenant sur la plupart des pianos. Sur les Erard, il est très mince, si bien que les marteaux se dérèglent facilement. Les têtes de marteaux sont faites d'une alternance de cuir et de feutre, ce qui est beaucoup plus difficile à manipuler que celles des autres pianos, simplement en feutre frappé. Avant même de l'examiner, je me doute que la sonorité doit être dans un état désastreux. J'aime mieux ne pas penser à ce que l'humidité a pu faire aux garnitures de feutre.

« Voyons... que puis-je vous dire d'autre, docteur ? Deux pédales : la pédale forte et la sourdine. Les étouffoirs vont jusqu'à la deuxième touche de *si* au-dessus de l'octave du milieu – c'est plus ou moins classique. Les étouffoirs des Erard sont situés au-dessous des touches et maintenus par un ressort, ce qui est inhabituel, car sur les autres pianos ils reposent généralement sur la corde au-dessus. Je le saurai quand j'examinerai l'intérieur, mais il doit y avoir des barres de tension en fonte entre le sommier et la ceinture externe, chose courante en 1840 ; cela servait à maintenir la tension des cordes d'acier, plus résistantes, qu'on utilisait à cause de leur son plus puissant.» Il toucha de la main le cartouche décoré au-dessus du clavier. « Regardez ce motif, c'est de la nacre.» Comme Carroll le regardait d'un air médusé, il se mit à rire. « Pardonnez-moi, je me laisse entraîner...

— Je suis ravi de voir que vous avez l'air content. Pour vous dire la vérité, j'avais peur que vous vous fâchiez.

— Et pourquoi donc, grands dieux ?

— Je ne sais pas, j'ai un peu le sentiment que c'est ma faute si le piano est dans cet état, j'ai pris de gros risques en le faisant venir jusqu'ici, et un amoureux des pianos pourrait m'en vouloir. Je ne sais pas si vous vous le rappelez, mais j'avais demandé au ministère de la Guerre de vous remettre une enveloppe avec consigne de ne pas l'ouvrir.» Il marqua un temps. « Maintenant, vous pouvez. Ce n'est rien, juste la description de la façon dont j'ai effectué le transport du piano jusqu'à Mae Lwin, mais je ne voulais pas que vous la lisiez avant d'avoir constaté qu'il était sain et sauf.

— Je m'interrogeais, je l'avoue. Je m'étais dit que cette lettre évoquait peut-être les dangers qui m'attendaient et que vous ne vouliez pas que ma femme la lise... Mais le voyage de l'Erard ? Vous avez peut-être raison, je devrais vous en vouloir. Mais je suis accordeur. Ce que j'aime encore plus que les pianos, c'est les réparer. Et de toute façon, il est là. Maintenant que je suis là aussi...» Il s'arrêta et regarda par la fenêtre. « Je ne peux pas imaginer un endroit plus stimulant et qui mérite mieux sa musique. D'ailleurs, les cordes résistent incroyablement aux mauvais traitements. Enfin, peut-être pas à ceux que cet instrument a subis. En tout cas, la décoration en nacre, elle, a souffert. Ce qui m'inquiète, ce serait plutôt le soleil et l'humidité, qui peut désaccorder un piano en quelques jours.» Il marqua un temps. « En fait, docteur, il y a une question que j'aimerais vous poser. Je ne vous en ai jamais parlé, et vous n'en avez rien dit dans vos lettres, mais je ne sais même pas si vous avez déjà joué sur ce piano, ni... comment il s'est comporté jusqu'ici.

— Ah, monsieur Drake, nous n'en avons pas parlé, parce que je n'ai pas grand-chose à vous en dire. Il y a eu une cérémonie peu après l'arrivée du piano. Dans des circonstances à la fois tristes et joyeuses – vous verrez, j'en parle dans ma lettre –, le village y tenait, je me suis exécuté. Ils m'ont fait jouer pendant des heures. A ce moment-là j'ai vu à quel point le piano était désaccordé. Si les Chan présents s'en sont aperçus, ils sont restés polis. De toute façon, c'est un instrument qui leur paraît fort étrange. Qu'il soit juste ou pas, c'est secondaire. Mais j'ai de grandes ambitions pour lui. Vous auriez dû voir le visage des enfants qui assistaient au spectacle.

— Vous n'avez pas rejoué depuis ?

— Une ou deux fois, mais le piano était au moins un ton au-dessous...

— Plutôt un ton au-dessus, si c'est la première fois qu'il se trouvait dans un pays humide. Maintenant, il est descendu d'un ou deux tons, à cause de la saison sèche.

— En tout cas, il joue très faux. Donc j'ai cessé de jouer. C'était insupportable.

— Et malgré tout vous pensiez **que** vous pouviez l'accorder vous-même..., dit Edgar, **comme** se parlant à lui-même.

— Vous disiez ?

— Quelqu'un qui s'y connaît assez en pianos pour choisir un Erard de 1840 devrait bien savoir qu'il va se désaccorder dans la jungle, et que seul un accordeur professionnel pourra le réparer. Pourtant, vous pensiez pouvoir vous en charger vous-même ? »

Le médecin prit son temps pour répondre. « C'est ce que j'ai prétendu, mais il y a d'autres raisons. J'étais fou de joie qu'on ait accédé à ma demande, et je n'osais pas en exiger davantage. Quelquefois j'ai les yeux plus grands que le ventre. J'ai déjà vu accorder un piano, et j'ai cru pouvoir essayer moi-même. Je pensais que, par rapport à la chirurgie, ce devait être facile.

— Je vous pardonne, dit Edgar sur un ton amical. Mais, si vous voulez, je peux vous apprendre les rudiments de mon métier. »

Carroll opina. « Volontiers, mais brièvement. Il faut que je vous laisse travailler. J'ai à faire de mon côté. Moi-même, j'ai mis longtemps à m'habituer à la présence d'observateurs dans mon dispensaire. J'imagine que c'est encore plus difficile lorsqu'on travaille sur des sons. »

« Voici, docteur, mes instruments. » Edgar ouvrit sa sacoche et les étala sur la banquette. « J'ai apporté l'équipement de base : un marteau d'accordeur, des tournevis à lame étroite – des outils d'usage courant –, un tournevis très fin et un tournevis de réglage du double échappement pour la mécanique. Voyons... Quoi d'autre ? Des pinces pour écarter les touches et un espaceur de touches, des pinces pliantes, des pinces pour couder les étouffoirs, un crochet pour ajuster les ressorts, des clés anglaises, un tournevis de pilote spécial pour les Erard, il est impossible sans cela d'ajuster la hauteur des marteaux. Il n'y a pas de diapason – j'ai l'oreille absolue, ce n'est donc pas nécessaire. Et puis des coins couverts de cuir pour l'accord, et des rouleaux de fil de différents calibres pour remplacer les cordes du piano. Parmi les autres outils, ceux-là servent à harmoniser : un fer pour les marteaux, de la colle, et tout un assortiment d'aiguilles pour piquer le feutre car elles se tordent souvent.

— Harmoniser ? Vous employez souvent ce terme.

— Excusez-moi, harmoniser consiste à traiter les marteaux du piano de manière qu'ils produisent un son agréable lorsqu'ils frappent les cordes. Je saute peut-être les étapes. Vous avez déjà vu accorder un piano, m'avez-vous dit ?

— Une ou deux fois, à l'occasion. Mais on ne m'a jamais expliqué la méthode.

— Je parierais que vous apprendriez très vite. Il y a trois opérations de base. Le plus souvent, un accordeur commence par régler la mécanique : il s'agit de mettre les marteaux à la même hauteur afin qu'ils frappent les cordes d'un mouvement vif et rebondissent en douceur pour pouvoir rejouer la note. C'est généralement la première étape. Moi, je préfère commencer par accorder l'instrument *grosso modo*. Il faut s'y prendre à plusieurs fois pour bien accorder un piano, parce que dès qu'on touche à une corde, on modifie l'ensemble de la table d'harmonie et donc toutes les autres cordes. Il existe des moyens d'éviter cet inconvénient, par exemple accorder les cordes au-dessus de la note, mais à mon avis cela ne permet pas vraiment de prévoir les changements. En plus, comme les cordes ont tendance à se détendre, il vaut mieux laisser le piano reposer jusqu'au lendemain et faire un deuxième essai. Donc je fais un accordage préliminaire, puis je règle la mécanique, et j'accorde une deuxième fois – c'est la technique que j'emploie. D'autres s'y prennent autrement. Ensuite vient l'harmonisation, c'est-à-dire qu'il faut réparer les feutres eux-mêmes. Les experts de pianos Erard sont généralement assez forts dans ce domaine, si vous me pardonnez ce manque de modestie ; la combinaison feutre et cuir rend le travail plus difficile. Il reste encore d'autres petites opérations à effectuer. Par exemple, il va falloir que je regarde s'il y aurait moyen d'imperméabiliser la table d'harmonie. Bien sûr, tout dépend de l'état du piano.

— Avez-vous une idée de ce qu'il va falloir réparer ? Ou faut-il attendre que vous l'ayez essayé ?

— En fait, je peux déjà faire une estimation. Ce n'est sans doute pas très différent de ce qu'on pense du cas d'un patient avant de l'avoir examiné. Je peux vous dire mon opinion, et puis je vous libérerai. » Il se pencha sur le piano.

« Pour commencer, la table d'harmonie. Est-elle fêlée, je n'en sais rien. C'est une chance que le piano ne soit en Birmanie que depuis un an, il n'a eu à subir qu'une saison humide. Heureusement, tant que les fêlures sont de peu d'importance, elles sont faciles à réparer, on peut se contenter de les masquer. Les fêlures importantes, c'est autre chose. »

Il tapa des doigts sur le coffre. « Bon, le piano est forcément désaccordé. La saison sèche a eu pour effet de contracter la table d'harmonie, de relâcher les cordes et d'abaisser le ton. Si l'effet est assez important, il faudra peut-être que je monte d'un demi-ton et que je laisse le piano reposer vingt-quatre heures avant d'accorder définitivement. Le problème, bien sûr, c'est qu'à la saison des pluies, la table d'harmonie va jouer, et le surcroît de tension pourrait causer des dégâts considérables. On aurait pu le prévoir, mais les militaires, semble-t-il, n'y ont pas pensé. Il va falloir que j'y réfléchisse ; il faudra peut-être que j'apprenne à quelqu'un d'ici comment accorder le piano. » Il s'arrêta brusquement. « Mon Dieu, j'oubliais. Dans le mot que vous m'avez envoyé à Mandalay, vous disiez que le piano avait reçu une balle. Comment l'ai-je oublié ? Ça change tout. Est-ce que je peux regarder ? »

Le médecin passa sur le côté du piano et souleva le couvercle. Une odeur âcre se dégagea. Une odeur forte, épicée, inconnue. « Désolé pour l'odeur, monsieur Drake. Du curcuma. L'un des Chan a suggéré que j'en mette dans le piano pour le protéger des termites. Vous ne faites sans doute pas ça à Londres. » Il se mit à rire. « Mais on dirait que ça marche. »

Le couvercle s'ouvrait à l'opposé de la fenêtre, et l'intérieur du piano était dans l'obscurité. Edgar aperçut immédiatement le trou provoqué par la balle, une fente ovale dans la table d'harmonie au travers de laquelle on voyait le plancher. Carroll avait raison : la balle avait fendu les trois cordes de la touche *la* de la troisième octave, elles pendaient du côté des chevilles et des pointes d'accroche comme des mèches de cheveux mal coiffés. Atteint d'une balle dans le ventre, se dit-il, et l'idée l'effleura de raconter au médecin ce qui s'était passé sous la Terreur. Mais il se retint et examina l'intérieur. Il repéra une éraflure à l'intérieur du couvercle, sur la trajectoire de la balle, mais pas de trou signalant sa sortie ; elle n'avait probablement pas eu l'élan suffisant pour percer le couvercle. « Vous avez extrait la balle ? » demanda-t-il. Et pour répondre lui-même, il frappa une touche. On entendit un raclement métallique. A Londres, on faisait souvent appel à lui à cause d'un « raffut de tous les diables », qui se révélait dû à une pièce de monnaie ou à une vis tombée à l'intérieur du piano, produisant un bruit de grelot contre la table d'harmonie quand celle-ci vibrait. Edgar tâtonna, trouva la balle et la ramassa. « Un souvenir, dit-il. Je peux la garder ?

— Bien sûr, répondit le médecin. Les dégâts sont importants ? »

Edgar fourra la balle dans sa poche et replongea la tête à l'intérieur du piano. « Pas trop, en fait. Il faudra que je remplace les cordes et que j'examine la table d'harmonie de plus près, mais je crois que ça ira.

— Vous devriez peut-être vous y mettre. Je ne veux pas vous retenir plus longtemps.

— Vous avez sans doute raison. J'espère que je ne vous ai pas assommé ?

— Pas du tout, monsieur Drake. J'ai pris grand plaisir à vos explications, et j'ai appris beaucoup de choses. J'ai fait un bon choix avec vous. » Il tendit la main à Edgar. « Bonne chance avec le patient. Appelez si vous avez besoin de quoi que ce soit. » Il sortit de la pièce et referma la porte derrière lui. Le choc se transmit au parquet. On entendit les marteaux vibrer contre les cordes.

Edgar retourna vers la banquette. Il ne s'assit pas. Il expliquait toujours à ses apprentis qu'un bon accordeur travaille debout.

Allons-y, se dit-il. Il frappa le *do* de l'octave centrale. Trop bas. Il essaya une octave au-dessous, puis le *do* des autres octaves. Même problème : presque un demi-ton au-dessous de la note. Dans les aigus, c'était encore pire. Edgar joua le premier mouvement des *Suites anglaises* de Bach, sans utiliser la touche aux cordes brisées. Il n'avait pas grande confiance dans ses compétences de pianiste, mais il aimait le toucher de l'ivoire sous ses doigts et la vivacité des mélodies. Il n'avait pas joué depuis des mois, il s'en rendit compte, et il s'arrêta au bout de quelques mesures. Le piano était tellement faux que c'était pénible à écouter. Il comprenait pourquoi le médecin n'avait pas voulu jouer.

Ses premières tâches consisteraient en réparations « de structure », comme il aimait à dire. Autrement dit, réparer les cordes brisées et la table d'harmonie. Il fit le tour du piano jusqu'aux gonds du couvercle, ôta les vis et les mit dans sa poche. Il fit glisser le couvercle le long du piano jusqu'à ce qu'il se trouve en équilibre sur le bord de la caisse, le souleva et alla le poser avec précaution contre un mur. Une fois le couvercle enlevé, on y voyait assez clair à l'intérieur du piano pour pouvoir travailler.

D'en haut, il était difficile de constater les dégâts qu'avait subis la table d'harmonie, aussi Edgar se glissa-t-il sous l'instrument pour l'examiner. De là, le point d'impact se voyait mieux. Une fissure apparaissait dans le fil du bois, mais seulement sur quelques centimètres. Tant mieux, se dit-il. Le trou ne disparaîtrait pas, mais Edgar n'aurait pas de mal à réparer la fissure en l'obturant avec du bois de remplissage. Avec un peu de chance, cette réparation n'altérerait pas le son. Certains accordeurs affirmaient que cette opération était nécessaire pour redonner une tension correcte à la table d'harmonie. Edgar, lui, estimait que c'était une réparation inutile, mais certains clients ne supportaient pas qu'il y eût de longues fentes dans le bois de leur piano. Il n'avait donc pas prévu l'utilisation de copeaux et il n'avait pas emporté de rabot pour polir le bois. Pourtant la beauté de l'Erard l'incitait à revoir sa position.

Un autre problème se posait. Cette opération se faisait généralement avec du sapin de Hongrie, mais Edgar n'en avait pas apporté et il ne savait pas s'il en poussait dans la région. Il parcourut la pièce des yeux et tomba en arrêt devant les murs de bambou. Je serai bien le premier à utiliser du bambou pour réparer un piano, se dit-il, non sans une pointe d'orgueil. C'est un bois qui a une telle résonance qu'il produirait un son plus beau que le sapin de Hongrie. Il avait vu les Birmans arracher des lamelles de bambou, c'est donc qu'on pouvait sans doute le tailler au canif, sans rabot. Cette solution n'était pas sans risque. Si l'on utilisait deux types de bois différents, leur réaction à l'humidité ne serait pas forcément la même et la fissure se rouvrirait. Mais l'idée de se lancer dans une innovation lui plaisait et il décida de tenter l'aventure.

Il fallut d'abord limer le trou, ce qui lui prit près d'une heure. Il travaillait lentement. Les fissures risquaient de s'étendre et d'endommager toute la table d'harmonie. Quand il eut fini, il alla scier un morceau de bambou pris sur le mur. Il le tailla, l'enduisit de colle et l'introduisit dans le trou. Grâce aux cordes brisées, il pouvait travailler d'en haut ; il lissa le tout. Le travail prit un long moment – il avait une petite lame – et, tout en travaillant, il pensa qu'il aurait pu demander de l'aide à Carroll, lui emprunter un rabot ou un couteau plus grand, ou une autre sorte de bois. Mais il n'en avait pas vraiment envie. Il aimait l'idée d'utiliser le mur du fort, à fonction militaire, pour le transformer en mécanique musicale.

Quand il eut réalisé l'obturation, il s'attaqua aux cordes brisées. Il les enleva, les enroula et les mit dans sa poche. Un souvenir de plus. Dans sa sacoche, il trouva de la corde du bon calibre, la déroula, la fit passer de la cheville à la pointe d'accroche et retour. Il attacha la troisième corde à sa propre pointe d'accroche, puis la tendit au côté des deux autres. Quand il la coupa, il laissa un morceau de la largeur de sa main, qui permettait de l'enrouler trois fois autour de la cheville. A côté des cordes anciennes, ternies, les neuves brillaient d'un éclat argenté. Edgar les régla au-dessus de la note, car elles allaient se détendre.

Ce travail terminé, il repassa à l'avant du piano. Pour remonter l'ensemble d'un ton, il commença par le centre du clavier, frappant successivement les touches et resserrant les cordes. Même en faisant vite, il lui fallut près d'une heure.

Enfin, il entreprit le réglage. La mécanique du piano est complexe, expliquait-il toujours à ses clients, c'est un système de communication entre la touche et le marteau, et donc entre le pianiste et le son qu'il produit. Il enleva le panneau vertical qui surmontait le clavier pour atteindre la mécanique. Il égalisa la hauteur des marteaux, donna du jeu aux échappements qui en avaient besoin, ajusta le bouton de réglage de l'échappement. De temps en temps il s'interrompait pour remplacer des feutres, assouplir les touches, ajuster la position de la sourdine. Quand il se redressa fatigué, couvert de poussière, le piano était en état de marche. Par chance, il n'y avait pas de dégâts majeurs, par exemple un sommier fêlé. Il n'avait pas les outils nécessaires pour ce genre de réparation. Le temps passait sans qu'il s'en aperçoive. A son départ, le soleil se couchait au-dessus de la forêt.

Il retrouva le médecin dans son cabinet. La nuit était tombée. Sur le bureau se trouvait une assiette à moitié pleine de riz et de légumes. Carroll était assis devant une pile de papiers, il lisait.

« Bonsoir, docteur. »

Le médecin leva les yeux. « Ah, monsieur Drake, vous avez enfin terminé. Le cuisinier voulait aller vous chercher, mais je lui ai dit que vous préfériez sûrement ne pas être dérangé. Il a protesté, mais lui-même est grand amateur de musique et j'ai réussi à lui expliquer que plus vite vous en auriez fini, plus tôt il pourrait écouter le piano. » Il sourit. « Asseyez-vous donc.

— Excusez-moi, je ne me suis pas changé, dit Edgar en s'asseyant sur un tabouret de bois de teck. Je meurs de faim. Je me suis dit que je prendrais un bain tout de suite après le dîner et que j'irais me coucher. Je veux être sur pied de bonne heure demain matin. Mais je voulais vous demander une chose. » Il se pencha un peu, comme pour adopter le ton de la confidence. « Je vous en ai déjà touché un mot. Je ne sais pas si la table d'harmonie pourra supporter une nouvelle saison des pluies. C'est une opinion personnelle, mais je pense qu'il faudrait essayer de l'imperméabiliser. A Rangoon et à Mandalay, j'ai vu plusieurs types d'instruments en bois soumis au même risque. Connaissez-vous quelqu'un qui pourait nous renseigner ?

— Absolument. Il y a ici un joueur de luth birman, marié à une femme Chan. Il jouait jadis pour le roi Thibaw. Quand le roi a été déposé, il est revenu à Mae Lwin travailler comme fermier. Si j'ai des visiteurs, parfois il joue pour moi. Je vous l'amènerai demain.

— Merci. Peindre le dessous de la table d'harmonie sera aisé ; le dessus, c'est plus difficile parce qu'il faut passer sous les cordes, mais il y a de la place sur le côté, donc je devrais arriver à me glisser par là. J'espère que la peinture aura pour effet de le protéger de l'humidité, même si ce n'est pas la solution idéale. Ah, j'ai une autre question. Demain, j'aurai besoin d'un appareil pour chauffer la pince d'harmonisation, un petit réchaud par exemple. Vous pourriez me trouver ça ?

— Bien sûr, aucun problème. Je demanderai à Nok Lek de vous installer un brasero de style Chan dans la pièce. Ça chauffe très bien, mais c'est petit. A quoi ressemble l'instrument ?

— Il est petit aussi.

— En ce cas, parfait, dit le médecin. Tout ça prend bonne tournure, monsieur Drake. Dites-moi, quand pensez-vous terminer ?

— Oh, le piano sera utilisable dès demain soir. Mais il serait bon que je reste un certain temps. Généralement j'effectue une visite de contrôle quinze jours après le premier accordage.

— Prenez tout le temps qu'il vous faut. Vous n'êtes pas pressé de retourner à Mandalay ?

— Non, pas du tout. » Il eut un moment d'hésitation. « Vous voulez dire qu'une fois le piano accordé, je retournerai à Mandalay ? »

Le médecin sourit. « Vous savez, monsieur Drake, en

permettant à un civil de venir ici, nous courons un vrai risque. »

L'accordeur baissa les yeux sur ses mains. « Je crois que vous commencez à comprendre certaines des raisons pour lesquelles je réside depuis si longtemps ici.

— Oh ! s'exclama Edgar, je ne suis vraiment pas fait pour vivre ici ! C'est seulement que, vu l'état du piano, j'ai peur qu'à l'arrivée des pluies il se désaccorde et réclame toutes sortes de réglages. Si bien que, quinze jours plus tard, je recevrai une lettre me demandant de revenir à Mae Lwin pour le réparer de nouveau.

— Mais bien sûr, prenez tout votre temps », répéta poliment le docteur avant de se replonger dans ses papiers.

Cette nuit-là, Edgar ne parvint pas à trouver le sommeil. A l'intérieur du cocon de la moustiquaire, il passait et repassait ses doigts sur le cal tout neuf à l'intérieur de son index. Le cal de l'accordeur, Katherine, à force de pincer les cordes.

Certes, il avait déjà vu des pianos plus beaux que l'Erard. Mais ce qu'il n'avait jamais vu, c'était l'image de la Salouen, encadrée par la fenêtre, réfléchie par le couvercle à l'envers. Il se demanda si le médecin l'avait fait exprès, ou même s'il avait aménagé la pièce en fonction du piano. Il se rappela soudain la lettre cachetée dont Carroll avait parlé l'après-midi même. Il se glissa hors de la moustiquaire, fouilla dans ses bagages et finit par la trouver.

Revenu dans son lit, il alluma une bougie.

« A monsieur l'accordeur, à n'ouvrir qu'une fois arrivé à Mae Lwin, A.C. »

Il se mit à lire.

L'accordeur de piano

23 mars 1886

*Rapport sur le transport d'un piano Erard
de Mandalay à Mae Lwin, Etats Chan
Médecin-major Anthony J. Carroll*

Messieurs,

Par la présente, je viens vous rendre compte du transport et de l'arrivée à bon port du piano à queue Erard de 1840 que votre ministère a expédié le 21 janvier 1886 de Londres à Mandalay et qui est ensuite parvenu jusqu'à moi. Vous voudrez bien excuser le ton parfois peu officiel de cette lettre, mais il m'est apparu nécessaire de vous informer des conditions assez dramatiques d'une entreprise aussi risquée.

Vous avez déjà reçu un rapport du colonel Fitzgerald concernant le transport du piano de Londres à Mandalay. En bref, il fut confié à un courrier de la ligne maritime P & O en route vers Madras puis Rangoon. La traversée se passa sans incident notable. Il paraît seulement qu'on aurait sorti le piano de sa caisse, et qu'un sergent membre d'un orchestre militaire en aurait joué, pour le plus grand plaisir de l'équipage et des passagers. A Rangoon, on le transféra sur un autre vapeur, qui lui fit remonter l'Irrawaddy vers le nord. Trajet classique qui lui aussi se déroula sans incident. C'est ainsi que le piano débarqua à Mandalay le 22 février au matin, où je me trouvai pour l'accueillir en personne. Je ne suis pas sans savoir que certains m'ont reproché d'avoir quitté mon poste pour venir le réceptionner, et qu'on a critiqué le coût et la nécessité d'une telle opération. En ce qui concerne le premier point, les services de l'administrateur politique pourront attester que l'on m'avait convoqué à une réunion concernant un soulèvement récent dans l'Etat Chin fomenté par le moine U Ottama. Je me trouvais donc déjà à Mandalay lorsqu'il fallut recevoir le piano. Quant au second, je dirai que ce genre d'attaque médisante est dirigée contre ma personne, et je ne peux m'empêcher de soupçonner une certaine jalousie de la part de mes détracteurs. Je continue à contrôler le seul avant-poste des Etats Chan qui n'ait jamais été attaqué par les forces rebelles, et personne n'a plus que moi contribué à respecter nos objectifs de pacification et de signature d'un traité.

Ceci est une digression dont je vous prie, messieurs, de

m'excuser. Poursuivons : nous avons reçu le piano sur le port et l'avons transporté en ville par voiture à cheval. Là, nous avons fait le nécessaire pour assurer la suite de l'acheminement. Le trajet jusqu'à Mae Lwin comporte deux types de terrain : de Mandalay jusqu'au pied des collines, c'est une plaine sèche. Pour cette première étape, j'ai loué les services d'un éléphant birman affecté au transport du bois de charpente, malgré ma réticence à confier l'instrument à un animal habitué à déplacer des troncs d'arbres. On m'avait suggéré d'employer des vaches brahmanes, mais à certains endroits la piste devient trop étroite pour deux bêtes marchant de front, et il est apparu qu'un éléphant ferait mieux l'affaire. La seconde partie du parcours présentait des risques autrement plus importants, car les pistes sont trop étroites et trop raides pour un tel animal. Notre seule possibilité était donc de poursuivre à pied. Heureusement, le piano était plus léger que je ne l'aurais cru, il suffisait de six hommes pour le soulever. Même si j'avais envisagé une escorte plus importante, y compris une escouade de soldats, je ne voulais pas que les populations locales puissent associer notre déplacement à un mouvement militaire. Je pouvais me contenter de mes hommes : je connaissais bien le parcours, et il n'avait été que rarement question d'embuscades tendues par des dacoits. Nous entreprîmes aussitôt de préparer une litière pour y installer le piano.

Nous prîmes le départ le 24 février au matin, une fois terminées mes démarches officielles au QG de l'armée. On chargea le piano sur un chariot à munitions. Puis on attela celui-ci à un éléphant, bête immense aux yeux tristes, nullement troublée par une charge aussi inhabituelle. Il avançait d'un bon pas. Par chance, le piano était arrivé au moment de la saison sèche et il fit très beau pendant tout le voyage. S'il avait plu, je crois que nous n'aurions jamais réussi, le piano aurait subi des dégâts considérables et nos hommes auraient terriblement souffert. Même ainsi, le voyage ne pouvait être que difficile.

Nous sortîmes de Mandalay suivis par un cortège d'enfants curieux. J'étais à cheval. Les ornières de la route faisaient résonner les marteaux contre les cordes du piano, ce qui accompagnait d'un son mélodieux notre marche laborieuse. Nous fîmes notre premier bivouac à la tombée du jour. Même si l'éléphant avançait d'un bon pas, je me rendis compte qu'une fois que nous serions à pied, notre progression serait beaucoup plus lente, ce qui me préoccupait. J'avais déjà passé une semaine à Mandalay. J'envisageai de rentrer à Mae Lwin sans attendre le piano. Mais les hommes risquaient de le malmener, et même si je leur avais bien expliqué la fragilité des parties internes, je devais sans cesse leur répéter de ne pas le brutaliser. Etant donné les efforts consentis par l'armée pour son transport, et les effets bénéfiques que j'en attendais, il ne semblait pas raisonnable de risquer de perdre l'instrument par impatience au moment où nous étions si près du but.

Chaque fois que nous nous arrêtions, nous attirions une foule de curieux intrigués par cet instrument. Les premiers jours, soit moi, soit l'un des hommes leur expliquions la nature du piano et on nous suppliait d'en jouer. C'est ainsi que je me suis trouvé amené à l'utiliser pas moins de quatorze fois au cours des trois premiers jours. Les curieux étaient ravis, mais j'étais épuisé de jouer aussi souvent, car les gens ne consentaient à se disperser que lorsque j'expliquais que le piano était « à bout de souffle », signifiant par là que c'était l'interprète qui l'était. Le troisième jour, je donnai pour consigne à mes hommes de ne plus donner d'explications. Si on posait des questions, ils prétendaient qu'il s'agissait d'une arme redoutable et, du coup, on nous laissait le passage.

Le trajet le plus court pour se rendre à Mae Lwin consiste à suivre la direction nord-est jusqu'à la Salouen, et de là, à descendre la rivière jusqu'au camp. Mais avec la sécheresse, l'eau était très basse et, inquiet pour le piano, je décidai de rejoindre la rive en face de Mae Lwin et de traverser à cet endroit-là. Au bout de trois jours, la route devint plus escarpée, quittant le bassin de l'Irrawaddy pour monter jusqu'au plateau Chan. A regret, nous déchargeâmes le piano de son chariot pour l'installer dans la litière que nous avions construite sur le modèle des palanquins qu'on voit dans les fêtes Chan — deux montants parallèles tenus par les hommes, supportant des barres transversales pour soutenir le piano. Le piano était installé clavier vers l'avant, car c'est ainsi qu'il tenait le mieux en équilibre. Le conducteur de l'éléphant ramena l'animal à Mandalay.

La piste devenant plus raide, je compris que j'avais eu raison de choisir de faire porter le piano — il aurait été bien trop dangereux de le traîner sur un chariot comme nous l'avions fait en plaine. Mais ma satisfaction était tempérée par le spectacle de mes hommes ployant sous le fardeau, glissant et trébuchant, attentifs à l'empêcher de s'écraser par terre. J'avais réellement pitié d'eux et je m'efforçais de soutenir leur moral. Une belle fête était prévue à Mae Lwin pour célébrer l'arrivée du piano.

Les jours passaient selon la même routine. On se levait avec le soleil, on avalait un petit déjeuner rapide, on soulevait la litière et on se mettait en marche. Il faisait plus chaud qu'à l'accoutumée et le soleil était implacable. Cependant, si je souffrais d'imposer à mes hommes une tâche aussi rude, je dois reconnaître que c'était une vision saisissante que ces six hommes trempés de sueur soutenant le piano miroitant, évoquant une de ces nouvelles photographies trichromes maintenant à la mode en Angleterre et qui parviennent parfois jusqu'ici – les turbans et les pantalons blancs, les corps brun foncé, le piano noir.

Et puis, à quatre journées environ du camp, alors que restait à accomplir la partie la plus escarpée du voyage, soudain, ce fut le désastre.

Sur une piste particulièrement éprouvante, je chevauchais devant en élaguant les branches du sous-bois avec mon épée. J'entendis tout d'un coup un cri et un bruit de chute retentissant. Je rebroussai chemin. La première chose que je vis fut le piano et, après l'avoir cru en mille morceaux, j'eus un premier mouvement de soulagement. Mais alors mes yeux glissèrent vers la gauche, et je vis cinq corps tatoués penchés sur un sixième. Un des hommes hurla « *Ngu* », c'est-à-dire « Serpent » en montrant son camarade à terre. Je compris aussitôt. Le garçon n'avait pas vu le serpent que le bruit de mes pas avait dû alerter et qui l'avait mordu à la jambe. Le garçon avait lâché le piano et il était tombé. Les autres avaient fait de leur mieux pour garder l'Erard en équilibre et l'empêcher de s'écraser.

Quand j'arrivai près du garçon, il avait déjà les paupières qui se fermaient, la paralysie le gagnait. Il avait apparemment réussi, lui ou l'un de ses camarades, à attraper le serpent et à le tuer. L'animal gisait, désarticulé, près de la piste. Les hommes le désignèrent par un nom Chan que j'ignorais, mais l'appelèrent également *mahauk* en birman, ce qui est pour nous le naja, ou cobra d'Asie. Mais je n'avais guère le cœur à des considérations scientifiques. La blessure saignait encore par deux plaies parallèles. Les hommes attendaient mon avis de médecin, mais il n'y avait pas grand-chose à faire. Je m'accroupis près du garçon et lui pris la main. Le seul mot que je pouvais prononcer, c'était « pardon », car il était tombé à mon service. La mort par morsure de cobra est terrible : le venin paralyse le diaphragme, si bien que le patient suffoque. En une demi-heure, il était mort. En Birmanie, il n'existe guère d'autres serpents qui tuent aussi vite que le cobra. Un remède Chan contre la morsure consiste à poser un garrot, ce que nous fîmes (tout en sachant que cela ne servirait pas à grand-chose), à aspirer la blessure (ce que je fis) et à appliquer dessus des araignées écrasées (nous n'en avions pas mais, en vérité, je n'ai jamais trop cru à l'efficacité de ce remède). Un des hommes se mit à réciter une prière. Sur le côté de la piste, les mouches avaient commencé à se rassembler autour du serpent. Certaines venaient se poser sur le garçon, l'un de nous les chassait.

Je savais que la coutume Chan ne nous permettait pas de laisser le corps dans la forêt, et ç'aurait été, de toute façon, un manque de respect envers un camarade tombé dans l'action, donc contraire à l'un des grands principes de nos forces armées. Et le cheval s'effraya quand nous nous en approchâmes avec le corps. Mais sur le plan de la simple arithmétique, je voyais mal comment le sortir de la jungle. Six hommes avaient souffert sous le poids du piano. Comment cinq hommes arriveraient-ils à porter l'instrument plus leur ami ? J'ai compris que je devrais moi aussi porter la litière. Les hommes commencèrent par protester et suggérèrent que l'un d'eux aille au village le plus proche chercher deux autres porteurs. Mais je m'y opposai : nous avions déjà plusieurs jours de retard par rapport à la date d'arrivée prévue à Mae Lwin.

Nous soulevons le garçon, nous allongeons son corps sur le dessus du piano. Je cherche de la corde, mais il n'y en a pas suffisamment pour l'arrimer en toute sécurité. Voyant cela, l'un des hommes enlève le turban du garçon et le déroule. Il l'attache à l'un de ses poignets, le fait passer sous le piano, l'attache à l'autre poignet. Puis il le fait repasser dessous pour en faire autant avec la jambe opposée. Pour la deuxième jambe, nous utilisons le bout de corde disponible.

La tête du garçon aux longs cheveux noués en chignon retombait sur le couvercle du clavier. Heureusement que nous avions trouvé le moyen d'arrimer le corps ; nous frémissions à l'idée qu'il aurait pu glisser le long du piano pendant que nous avancions sur la piste. Je ne sais pas comment nous nous y serions pris si l'un des Chan n'avait pas suggéré de se servir du turban. Je reconnais que l'idée m'était venue à l'esprit, mais enlever son turban à un Chan lorsqu'il est vivant est une insulte mortelle. Dans le cas d'une mort comme celle-là, j'ignorais quelle était la coutume.

J'ai donc pris la place du garçon, à gauche du piano, et j'ai senti un certain soulagement de la part du reste de l'équipe, car je soupçonne que la superstition y voyait une place maudite. D'après mes calculs, si nous poursuivions notre route au même rythme que précédemment, il nous faudrait quatre jours pour atteindre Mae Lwin, et le cadavre dégagerait une odeur insupportable. *In petto*, j'ai pris la décision de marcher de nuit comme de jour, sans le dire à mes compagnons, car je voyais qu'ils étaient démoralisés par la mort de leur ami. Me voici donc à mon tour dans la photographie trichrome, et nous repartons, notre ami allongé les bras en croix sur le piano, le cheval attaché derrière, marchant d'un pas nonchalant et broutant les feuilles des arbres.

Que puis-je communiquer des heures qui suivirent sinon qu'elles comptent parmi les pires que j'aie connues ? Nous trébuchions, nous ahanions sous le poids du piano. La litière nous sciait les épaules. J'ai essayé de pallier cet inconvénient en enlevant ma chemise et en la roulant en tampon sur mon épaule, mais cela n'empêchait pas les montants de frotter et j'ai bientôt eu l'épiderme en sang. J'avais pitié de mes amis, car ils n'avaient à aucun moment réclamé de quoi alléger leur peine, et je voyais qu'ils avaient eux-mêmes la chair à vif. L'état de la piste ne faisait qu'empirer. L'un des porteurs de devant était obligé de manier une épée de sa main libre pour dégager la voie. Le piano s'accrochait aux ronces et aux branches. Nous avons failli tomber plus d'une fois. Sur le dos du piano, le corps du jeune garçon commençait à être atteint par la rigidité cadavérique et, lorsqu'il glissait, ses bras semblaient tirer sur leurs liens, donnant fugitivement l'impression qu'il cherchait à se sauver, impression démentie par ses yeux grands ouverts, vides.

Tard le soir, j'annonçai à mes aides que nous continuerions à marcher pendant la nuit. C'était une décision cruelle, car j'avais moi-même peine à remuer les jambes. Mais ils n'élevèrent pas de protestation : ils s'inquiétaient peut-être eux aussi pour le cadavre. Et donc, après une courte pause pour dîner, nous avons de nouveau chargé le piano sur nos épaules. Par chance, le ciel était dégagé et la piste en partie éclairée par le deuxième quartier de la lune. Mais dans les zones les plus denses de la jungle, nous plongions dans le noir en trébuchant. J'avais une petite lanterne que j'ai allumée, accrochée au tissu qui enveloppait une jambe du mort. Elle éclairait le piano par en dessous, donnant l'impression qu'il flottait.

Nous avons marché deux jours pleins. Finalement, un soir, le porteur de tête a crié, épuisé et ravi à la fois, qu'on distinguait la berge de la Salouen à travers les arbres. Cette nouvelle suffit à alléger notre fardeau et nous avons pressé le pas. Au bord de la rivière, nous avons crié pour alerter le garde qui se trouvait de l'autre côté. Il a été tellement étonné de nous voir qu'il a détalé à toute vitesse vers le camp. Nous avons déposé le piano sur la berge boueuse avant de nous effondrer.

Tout de suite après, un groupe d'hommes rassemblés sur l'autre rive monta dans une barque et traversa la rivière. Le choc causé par la vue du cadavre ne fut atténué que par le soulagement de constater que nous étions saufs. Ils nous croyaient morts. Après bien des palabres, deux hommes repartirent chercher une seconde barque. On l'arrima à la première et on y plaça le piano et le garçon. C'est ainsi que l'instrument traversa la Salouen. Comme il n'y avait de place que pour deux hommes sur l'espèce de radeau ainsi constitué, je restai sur le bord. C'était un spectacle étrange en vérité — le piano flottait au milieu du courant, deux hommes accroupis dessous, le corps d'un troisième allongé dessus. Quand on déposa le piano sur la plage, la position du corps me rappela la *Descente de croix* de Van der Weyden, c'est une image qui restera fixée pour toujours dans ma mémoire.

C'est ainsi que se termina notre voyage. On organisa une cérémonie d'enterrement pour le jeune homme et, deux jours plus tard, une fête pour célébrer l'arrivée du piano. C'est là que j'eus l'occasion d'en jouer pour la première fois devant les gens du village, mais brièvement, car j'ai le regret de dire qu'il était déjà désaccordé. C'est un problème que je vais tâcher de régler moi-même. Le piano a été provisoirement entreposé dans la grange et nous avons entrepris en toute hâte de faire construire une salle de musique. Mais ceci fera l'objet d'un autre courrier.

Médecin-major Anthony J. Carroll
Mae Lwin, Etats Chan

Edgar souffla sa bougie et se rallongea. Il faisait frais dans la chambre. Les branches des arbres râclaient le chaume du toit. Il essaya de dormir, mais il pensait à ce récit, à son propre voyage jusqu'au camp, aux champs brûlés, aux pentes ardues, à l'attaque des dacoits, au temps qui s'était écoulé depuis son départ. Il finit par se redresser. Il faisait nuit, la moustiquaire rendait les contours flous.

Edgar ralluma la bougie, examina de nouveau la lettre. La flamme projetait son ombre sur l'intérieur de la moustiquaire. Il se mit à la relire, se proposant de l'envoyer à Katherine avec son prochain courrier. Il se promit d'écrire bientôt.

Quelque part au cours du transport de l'Erard à travers le plateau, la bougie s'éteignit.

Quand Edgar se réveilla, la lettre était encore sur sa poitrine.

Il ne prit pas la peine de faire sa toilette, mais s'habilla en hâte et alla droit à la salle qui abritait le piano. Devant la porte, il réfléchit et se dit qu'il serait plus correct de saluer d'abord le médecin, et il repartit en courant vers la rivière. A mi-chemin, il tomba sur Nok Lek.

« Est-ce que le docteur prend son petit déjeuner au bord de l'eau ?

— Non, monsieur, pas ce matin. Le docteur n'est pas là ce matin.

— Il n'est pas là ? Où est-il allé ?

— Je ne sais pas. »

Edgar se gratta la tête. « C'est bizarre. Il ne vous a rien dit ?

— Non, monsieur Drake.

— Il part souvent ?

— Oui. Très souvent. C'est un homme important. Comme un prince. »

« Un prince... » Edgar réfléchit. « Et quand pensez-vous qu'il va rentrer ?

— Je n'en sais rien. Il ne me prévient pas.

— Bon, bon. A-t-il laissé un message pour moi ?

— Non, monsieur.

— Bizarre... J'aurais cru...

— Il a dit que vous passeriez la journée à accorder le piano.

— En effet. » Edgar marqua un temps. « Eh bien, j'y vais de ce pas.

— Voulez-vous que je vous apporte votre petit déjeuner là-bas ?

— Volontiers, je vous en remercie. »

Il commença par harmoniser les marteaux, répara le feutre abîmé pour qu'en frappant le marteau produise un son bien clair. En Angleterre, il attendait souvent pour pratiquer cette opération que le piano soit accordé une deuxième fois, mais là le son ne lui paraissait pas satisfaisant : il était soit trop métallique, soit trop sourd et mou. Si le feutre était trop dur, il le piquait avec une aiguille pour l'assouplir. S'il était trop mou, il le durcissait avec le fer, remodelant les têtes de marteaux pour qu'elles frappent les cordes sous le même angle et présentent la même surface. Il contrôla la sonorité en frappant les touches par gammes chromatiques, par arpèges brisés, et finalement en frappant chaque touche individuellement pour vérifier le degré de dureté du son rendu par le feutre.

Enfin prêt pour le dernier accordage, il commença une octave au-dessus de la corde brisée par la balle. Il inséra des coins pour étouffer le son des cordes latérales de chaque note de cette octave, afin que seule vibre la corde centrale lorsqu'on frappait la touche. Chaque fois qu'il frappait la touche, il allait dans le corps du piano tourner la clé d'accord. Il s'occupait alors des cordes latérales. Lorsque la note était accordée, il descendait d'une octave : comme, quand on construit une maison, on commence par en jeter les fondations, ainsi qu'il le disait toujours à ses apprentis. Il retrouvait la succession des gestes familiers : tourner la clé d'accord, contrôler, touche, clé, touche. Seule venait briser le rythme une tape distraite de la main pour éloigner les moustiques. Une fois l'octave réglée, il s'attaqua aux notes intermédiaires. L'étape finale consistait à régler le tempérament égal, c'est-à-dire à égaliser les intervalles entre les notes à l'intérieur de l'octave. C'était un concept que beaucoup d'apprentis avaient du mal à comprendre. Chaque note produit un son d'une fréquence particulière, expliquait-il. Les cordes accordées entre elles peuvent s'harmoniser, alors que celles qui ne le sont pas produisent des fréquences qui se recoupent en produisant une oscillation rythmique connue sous le nom de battement, une synchronie de sons légèrement discordants. Plus il y en a, plus il y a discordance. Sur un piano parfaitement accordé dans une certaine tonalité, lorsqu'on joue deux notes, il ne doit pas se produire de battement. Mais dans ce cas, on ne peut pas jouer de l'instrument dans une autre tonalité. Le tempérament égal est une innovation qui a permis que sur un même instrument on puisse jouer dans plus d'une tonalité, le sacrifice étant qu'aucune tonalité ne sera, du coup, parfaitement juste. Accorder selon un tempérament égal signifie créer délibérément des battements, ajuster les cordes assez finement pour que seule une oreille avertie puisse discerner une très légère et inévitable dissonance.

Lorsqu'il travaillait, Edgar se laissait généralement absorber par ce qu'il faisait, au point que Katherine en prenait ombrage. Quand tu travailles, est-ce que tu *vois* quelque chose ? lui avait-elle demandé un jour, peu après leur mariage. Est-ce que je vois quoi ? avait-il répondu. Eh bien, je ne sais pas, n'importe quoi, le piano, les cordes, moi. Bien sûr que je te vois, avait-il dit en l'attirant à lui. Edgar, voyons ! C'est sérieux, je te demande comment tu travailles. Est-ce que, pendant que tu travailles, tu vois quoi que ce soit ? Forcément. Pourquoi ? Parce qu'on a l'impression que tu disparais dans un autre monde, peut-être le monde des notes. Edgar avait ri : ce serait un monde bien bizarre, mon ange. Et il l'avait embrassée. Mais, en vérité, il comprenait ce qu'elle voulait dire. Il travaillait les yeux ouverts, mais une fois qu'il avait fini, s'il repensait à sa journée, aucune image ne lui venait à l'esprit, il ne retrouvait que des sons, un paysage fait de tons et de timbres, d'intervalles, de vibrations. Ce sont mes couleurs.

Et donc en cet instant, tandis qu'il travaillait, il pensait peu à l'Angleterre, à Katherine, à l'absence du médecin ou à celle de Khin Myo. Il ne remarqua pas non plus qu'il avait des observateurs, trois petits garçons qui le regardaient par les fentes de la cloison de bambou. Ils chuchotaient et pouffaient, et si Edgar n'avait pas été absorbé par ses labyrinthes pythagoriciens de tons et de mécanique, s'il avait parlé chan, il les aurait entendus se demander si c'était vraiment là le grand musicien, l'homme qui réparerait leur éléphant chantant. Ils sont bizarres, ces Anglais, disaient-ils à leurs amis. Ils ont des musiciens qui jouent tout seuls, et des drôles de musiques, si lentes qu'on ne peut ni danser ni chanter dessus. Mais au bout d'une heure, jouer aux détectives perdit de son charme et ils repartirent, bredouilles, se baigner dans la rivière.

Un peu après midi, Nok Lek apporta son déjeuner à Edgar, un grand bol de nouilles baignant dans une sauce épaisse dont le garçon lui dit qu'elle était préparée avec des haricots, de la viande hachée et des poivrons. Il apporta aussi un pot de pâte constituée d'enveloppes de riz brûlées. Edgar en tartina le fond de la table d'harmonie avant de manger. Après quelques bouchées, il reprit son travail.

Au début de l'après-midi, les nuages arrivèrent, mais il ne se mit pas à pleuvoir. L'humidité envahit la salle. Edgar travaillait toujours lentement, mais cette fois il s'étonnait lui-même de son absence de hâte. Une inquiétude qui l'avait tracassé lorsqu'il avait commencé à s'occuper du piano lui revenait. Dans quelques heures, il aurait fini de l'accorder et il n'aurait plus rien à faire à

Mae Lwin. Il serait obligé de retourner à Mandalay, puis en Angleterre. C'est ce que je désire, se dit-il, car je vais rentrer chez moi. Cependant, il continuait son travail, les doigts à vif à cause des cordes, hypnotisé par la monotonie de sa tâche, clé, touche, écoute, clé, touche, écoute. L'accordage se répandait sur l'ensemble du piano comme de l'encre renversée sur du papier.

Edgar n'avait plus que trois touches à régler lorsque le ciel se dégagea. Le soleil entra par la fenêtre, éclairant la pièce. Il voyait à nouveau le paysage se refléter dans l'acajou poli du couvercle. Il contempla la Salouen qui coulait dans ce carré de lumière, sur la surface du piano, puis il alla à la fenêtre observer la rivière.

Dans deux semaines il faudrait réaccorder le piano, avait-il dit au médecin. Ce qu'il n'avait pas précisé, c'est que, maintenant que le piano était accordé, réglé et harmonisé, fixer l'accord était une tâche relativement facile, il aurait pu apprendre au Dr Carroll à le faire, ou même à un de ses assistants. Il lui laissait les outils, Oui, c'est ce que je devrais faire. Il y a longtemps que je suis parti de chez moi, peut-être trop longtemps.

Il pouvait l'expliquer au médecin, mais il réfléchit qu'il n'était pas nécessaire de bousculer le cours des choses.

Et puis en somme, pensa-t-il, je viens d'arriver.

15

Le Dr Carroll ne rentra pas le lendemain comme prévu, ni le surlendemain. Le camp semblait vide. Edgar ne vit pas non plus Nok Lek ni Khin Myo. Absorbé par toute l'agitation autour du piano, il n'avait plus pensé à elle – ce qui l'étonna. Ils s'étaient croisés une fois tandis qu'il bavardait avec le médecin, elle avait fait un signe de tête poli en murmurant quelques mots en birman à Carroll. Edgar avait guetté, dans leur échange, un sourire peut-être, ou un frôlement de main. Mais Khin Myo avait gracieusement continué son chemin.

Edgar passa sa matinée à effectuer des ajustements mineurs sur l'Erard, affinant l'accordage de certaines cordes, retouchant les zones de la table d'harmonie qui n'avaient pas reçu assez de résine. Mais il en termina vite. Le piano était bien accordé. Certes, ce n'était pas ce qu'il avait fait de mieux dans sa carrière, car il ne disposait pas de tous les outils nécessaires, mais il ne pouvait plus guère apporter d'améliorations, étant donné les circonstances.

A midi, il quitta l'Erard et marcha jusqu'à la Salouen. Au bord de la rivière, sur les rochers escarpés qui avançaient dans l'eau, des hommes, accroupis, lançaient des filets, puis attendaient. Edgar déploya une couverture, s'assit à l'ombre d'un saule et regarda deux femmes qui battaient des vêtements contre un rocher, vêtues seulement de leurs *hta mains* qu'elles avaient relevées et nouées autour de leur poitrine.

Son esprit vagabondait, de la rivière aux montagnes, jusqu'à Mandalay, plus loin encore. Il se demanda ce que l'armée pensait de son absence. Peut-être qu'on ne l'a même pas remarquée, se dit-il, car Khin Myo elle aussi est partie et le capitaine Nash-Burnham est à Rangoon. Combien de jours se sont écoulés depuis mon départ ? Il espéra qu'on n'avait pas cherché à se renseigner auprès de Katherine, car elle se ferait forcément du souci. Ce qui le rassurait, c'était qu'elle était fort loin et que les nouvelles voyageaient lentement. Il recommença à calculer depuis combien de temps il avait quitté l'Angleterre, mais à sa grande surprise il s'aperçut qu'il ne savait même pas exactement depuis combien de temps il stationnait à Mae Lwin. La traversée du plateau Chan lui semblait hors du temps, un pur instant, un kaléidoscope de temples argentés, de jungle touffue, de rivières boueuses et de poneys aux pieds légers.

Hors du temps, se répéta Edgar. Le monde extérieur paraissait en suspens. C'est comme si j'avais quitté Londres ce matin. L'idée lui plaisait. Mais c'est peut-être vrai, après tout ma montre s'est arrêtée à Rangoon. En Angleterre, Katherine est en train de rentrer de l'embarcadère, notre lit garde encore la chaleur de nos deux corps. Peut-être que quand je reviendrai il n'aura pas totalement refroidi. Ses pensées l'entraînaient. Un jour je sortirai de la vallée de la Salouen et je retraverserai à pied les montagnes jusqu'à Mandalay, je passerai encore une soirée à regarder le *yôkthe pwè*, cette fois ce sera une autre histoire, une histoire de retour, et je prendrai le vapeur pour redescendre le fleuve, sur le bateau je rencontrerai des soldats et en buvant du gin avec eux j'ajouterai mon récit aux leurs. On avancera plus vite cette fois, car nous suivrons le sens du courant, et à Rangoon je retournerai à la Shwedagon, et je verrai si l'enfant de la femme couverte de curcuma a grandi, je monterai à bord d'un autre vapeur, mes bagages seront plus lourds car je transporterai des cadeaux, des colliers d'argent et des tissus brodés, des instruments de musique pour ajouter à ma collection, et sur le bateau je passerai mes journées à regarder les montagnes que j'avais vues en arrivant, mais cette fois je me tiendrai à tribord. Le train traversera encore l'Inde à grande vitesse, il jaillira du Gange comme une prière, le soleil se lèvera derrière nous et se couchera devant nous, nous le poursuivrons dans sa course. Peut-être qu'ici ou là, dans une gare déserte, j'entendrai la fin de l'histoire du wallah de poésie. Sur la mer Rouge je rencontrerai un homme que je saluerai en ami, je lui dirai que j'ai entendu des chants, mais pas le sien. Sur la mer Rouge il fera sec, l'humidité s'exhalera de ma montre en vapeurs invisibles et elle se remettra en marche, le temps n'aura pas bougé depuis le jour où je suis parti.

Un bruit de pas vint interrompre sa rêverie. Il se retourna : Khin Myo se tenait à l'ombre du saule. « Je peux vous tenir compagnie ? demanda-t-elle.

— Ma Khin Myo, quelle bonne surprise. Je vous en prie, venez vous asseoir. » Il lui fit place sur la couverture. Elle s'installa, sa *hta main* sur ses genoux. Je pensais justement à vous ce matin, reprit-il. Depuis votre arrivée, vous avez disparu. Je vous ai à peine vue.

— Je vous ai laissés tranquilles, le docteur et vous. Je sais que vous avez du travail.

— J'ai été très pris, oui. Mais j'ai regretté de ne pas vous voir. » Sa formule lui parut manquer de chaleur, il ajouta : « J'ai beaucoup aimé nos conversations à Mandalay. » Il voulait dire plus, mais il se sentait soudain comme embarrassé par la présence de la jeune femme. Il avait oublié à quel point elle était charmante. Elle avait les cheveux tirés en arrière et retenus par une épingle d'ivoire. Sa blouse frissonnait légèrement dans la brise qui passait à travers les branches du saule. Sous la bordure damassée de ses manches, ses bras étaient nus, elle tenait ses deux mains jointes posées sur sa *hta main*.

« Nok Lek m'a dit que vous aviez terminé.

— Oui, ce matin, en principe, mais il reste à faire. Le piano était en triste état.

— C'est ce que m'a dit le Dr Carroll. Il se sent responsable, je crois. »

Il nota que, pour accompagner une remarque amusante, elle balançait légèrement la tête d'arrière en avant, habitude qu'il avait observée chez de nombreux Indiens. C'était un mouvement presque imperceptible, comme si elle s'amusait *in petto* d'une plaisanterie beaucoup plus subtile et plus profonde que celle qu'exprimaient ses paroles.

« Je sais. Mais il se trompe. Je suis très content. Le piano va retrouver une sonorité de toute beauté.

— Oui, le docteur dit que vous avez l'air heureux. » Elle sourit. « Vous savez ce que vous allez faire, maintenant ?

— Maintenant ?

— Maintenant que vous avez fini. Vous retournez à Mandalay ? » demanda-t-elle.

Il rit. « Bien entendu, c'est ce qui est prévu. Peut-être pas immédiatement. Je veux attendre d'être certain que le piano n'a pas d'autres problèmes. De plus, après tout ce long voyage, je ne voudrais pas repartir sans l'avoir entendu en concert. Ensuite, je ne sais pas. »

Silencieux, ils portèrent leurs regards vers la rivière. Puis Khin Myo baissa les yeux, comme embarrassée par une pensée qui lui venait, et elle caressa du doigt la soie chatoyante de sa jupe. « Tout va bien ? » s'inquiéta Edgar.

Elle rougit un peu. « Oui, je pensais à quelque chose. » De nouveau, un silence, puis elle ajouta soudain : « Vous n'êtes pas comme les autres. »

Edgar hésita. Elle n'avait pas parlé plus fort qu'un bruissement de branches. « Pardon ?

— J'ai passé de nombreuses heures avec vous, à Mandalay, puis pendant le voyage jusqu'ici. Quelqu'un d'autre, dans la même situation, se serait mis à parler de lui. Mais tout ce que je sais de vous, c'est que vous venez d'Angleterre, et que vous êtes venu accorder le piano. » Elle joua avec l'ourlet de sa *hta main*. Edgar se demanda si c'était un signe d'embarras, comme un Anglais ferait tourner son chapeau entre ses doigts.

« Excusez-moi d'être aussi directe, monsieur Drake, ajouta-t-elle en voyant qu'il ne répondait pas. Je ne voulais pas vous offenser.

— Non, ça ne m'ennuie pas », dit-il. Mais il ne savait pas trop comment réagir, surpris par sa question, et plus encore par le fait qu'elle l'ait posée, elle qui s'était montrée jusque-là si réservée. « Je ne suis pas habitué à recevoir des questions personnelles. Surtout lorsqu'elles viennent de...

— D'une femme ? »

Edgar ne répondit pas.

« Je ne vous en veux pas du tout, reprit Khin Myo. Je sais ce qu'on écrit sur les Orientales. Je lis vos magazines, je comprends vos conversations. J'ai vu comment vos dessinateurs nous représentent dans vos journaux. »

Edgar se sentit rougir. « C'est idiot.

— Pas toujours. Et puis... mieux vaut être représentée comme une jeune et jolie danseuse que comme une sauvage. Car c'est ainsi qu'ils voient les hommes d'Orient.

— C'est stupide, insista Edgar. Ça ne mérite pas la moindre attention.

— Oh, ça m'est égal, mais je me demande quelle impression ont les gens qui viennent ici avec de telles idées en tête. »

Edgar se sentait gêné. « Une fois sur place, ils s'aperçoivent de leur erreur.

— Ou bien ils nous transforment pour que nous correspondions à cette image.

— Je... » Edgar s'arrêta, frappé par ses paroles.

« Excusez-moi, je me suis laissé emporter.

— Non non, pas du tout. » Il hocha la tête, pensif. « J'aurais vraiment plaisir à vous parler, mais je suis d'une nature réservée. C'est la même chose chez moi, à Londres.

— Je comprends. Mais j'aime bien vous parler. Je me sens assez seule ici. Je parle un peu chan, et certains des villageois parlent un peu birman, mais ils sont très différents, la plupart d'entre eux n'ont jamais quitté leur village.

— Vous avez le docteur... » Il regretta aussitôt ses paroles.

« Je regrette de ne pas vous en avoir parlé à Mandalay. Ne serait-ce que pour vous éviter de me poser la question. »

Il éprouva le soulagement que l'on connaît lorsqu'un soupçon se voit confirmé. « Il est souvent en déplacement », dit-il.

Khin Myo parut étonnée de sa remarque. « C'est quelqu'un d'important, dit-elle.

— Savez-vous où il va ?

— Où il va ? Non. » Elle releva la tête. « Il s'en va, c'est tout. Ce n'est pas mon affaire.

— Je l'aurais cru, car vous dites que vous vous sentez seule. »

Elle posa longuement les yeux sur lui. « Ce n'est pas la même chose », dit-elle simplement.

Il perçut une pointe de tristesse dans sa voix. « Je suis désolé, dit-il. Je ne voulais pas vous blesser.

— Non, non. » Elle baissa les yeux. « Vous me posez beaucoup de questions. Encore une différence. » Un souffle de vent passa dans les branches. « Vous avez quelqu'un, monsieur Drake ?

— Oui, dit Edgar, soulagé que la conversation se soit un peu éloignée du médecin. Elle s'appelle Katherine.

— C'est un joli nom, dit Khin Myo d'un ton neutre.

— Oui, oui, sans doute. J'y suis tellement habitué que je ne l'entends plus comme un nom. A force de connaître quelqu'un, on oublie qu'il porte un nom. »

Elle lui sourit. « Je peux vous demander si vous êtes marié depuis longtemps ?

— Dix-huit ans. Nous nous sommes connus quand j'étais apprenti. J'étais allé accorder un piano dans sa famille.

— Elle doit être belle...

— Belle... » Avec quelle innocence elle avait posé cette

question ! « Oui, mais... nous ne sommes plus très jeunes. » Il poursuivit pour meubler le silence : « Elle a été très belle, du moins à mes yeux... En parlant d'elle je mesure à quel point elle me manque.

— Je suis désolée...

— Non, non, pas du tout, c'est merveilleux, en un sens. Il y a tant d'hommes qui, au bout de dix-huit ans de mariage, n'ont plus de sentiment pour leur femme... » Il regarda la rivière. « Je ne suis sans doute pas comme les autres, vous avez peut-être raison, mais ces mots n'ont pas forcément le même sens pour nous deux. J'aime la musique, j'aime les pianos, j'aime la mécanique du son, j'aime mon travail. Voilà ce qui me rend différent. Et je parle peu. Je suis souvent dans les nuages... Mais je vous ennuie avec ça.

— On peut parler d'autre chose, si vous préférez.

— En fait, c'est un plaisir pour moi. Ce qui m'a étonné, c'est que vous me posiez la question, que vous ayez remarqué cette particularité chez moi. Les femmes s'intéressent généralement peu à ce que je viens de vous raconter. Les Anglaises aiment les hommes d'action, qui entrent dans l'armée, qui composent des poèmes. Qui deviennent médecins, qui savent tirer au pistolet. » Edgar sourit. « Je n'ai jamais rien accompli de ce genre. En Angleterre, de nos jours, il s'agit de réaliser des choses, de développer les conquêtes, la culture. Moi, j'accorde les pianos pour que d'autres fassent de la musique. Beaucoup de femmes trouveraient ce métier peu excitant, j'imagine. Pas Katherine. Un jour je lui ai demandé pourquoi elle m'avait choisi moi, si peu expansif. Elle m'a répondu que c'était mon travail qu'elle entendait à travers la musique... Des bêtises de jeune fille romantique, sans doute, il faut dire que nous étions très jeunes...

— Non, pas des bêtises. »

Après un silence, Edgar reprit : « C'est bizarre, je viens à peine de vous rencontrer et je vous raconte des choses que je n'ai jamais dites à mes propres amis.

— Peut-être justement parce que vous venez de me rencontrer.

— Peut-être. Je vous connais à peine », répéta-t-il, et un coup de vent vint agiter les branches du saule.

« Mon histoire est brève », commença Khyn Myo. Née en 1855, elle avait trente et un ans. Elle était la fille d'un cousin éloigné du roi Mindon. Edgar eut l'air surpris, mais elle ajouta aussitôt : « Ça ne signifie pas grand-chose. La famille royale est tellement étendue que mes quelques gouttes de sang royal ont eu pour seul effet de me mettre en danger quand le roi Thibaw est monté sur le trône.

— Vous n'approuvez quand même pas la présence anglaise ?

— J'ai beaucoup de chance », répondit-elle simplement.

Edgar insista : « Beaucoup, en Angleterre, estiment que les colonies doivent avoir leur propre gouvernement. Je ne suis pas loin d'en penser autant. Nous avons fait des choses épouvantables.

— Et des choses excellentes.

— Je ne m'attendais pas à entendre ces mots dans la bouche d'une Birmane.

— C'est peut-être une erreur des gouvernants de penser qu'on peut changer les gouvernés. »

Elle s'était exprimée lentement, sa pensée s'étalait autour d'eux comme de l'eau répandue. Edgar attendait qu'elle poursuive, mais lorsqu'elle reprit la parole, ce fut pour raconter que son père l'avait envoyée dans une école privée réservée à l'élite birmane de Mandalay, où elle était l'une des deux seules filles de sa classe. Ses matières fortes étaient les mathématiques et l'anglais, et à la fin de ses études, on l'avait engagée pour enseigner l'anglais à des élèves qui n'avaient que trois ans de moins qu'elle. Elle avait beaucoup aimé cette expérience et s'était liée avec d'autres professeurs, parmi lesquels des Anglaises. Le directeur de l'époque, un sergent de l'armée britannique qui avait perdu une jambe au combat, avait remarqué son talent et lui avait lui-même donné des cours en dehors des heures de classe. Edgar ne lui posa pas de question sur cet épisode. Le sergent était tombé malade, la gangrène ayant gagné sa blessure. Elle avait quitté son travail pour s'occuper de lui. Il était mort au bout de quelques semaines. Bien que bouleversée, elle était retournée travailler. Le nouveau directeur l'avait à son tour invitée dans son bureau en dehors des heures de classe, mais avec des intentions différentes, dit-elle en baissant les yeux.

Quinze jours plus tard, on la mit à la porte. Le directeur éconduit l'accusait de voler des livres pour les revendre sur le marché. Elle n'avait guère de moyens de défense, et elle n'avait rien voulu entreprendre. Le comportement du directeur la faisait encore frémir. Deux de ses amies étaient reparties pour l'Angleterre avec leurs maris. Le capitaine Nash-Burnham, un ancien ami de son père, se présenta chez elle deux jours après son licenciement. Il ne parla pas du directeur, elle savait qu'il ne pouvait rien en dire. Il lui proposa un poste d'intendante à la maison des hôtes. Elle est souvent vide, lui expliqua-t-il, vous pourrez y recevoir des amis ou y donner des leçons. Elle avait emménagé la semaine même et, la suivante, elle avait commencé à donner des cours d'anglais. Elle y vivait maintenant depuis quatre ans.

« Et comment avez-vous rencontré le Dr Carroll ?

— Comme vous, il a été reçu à Mandalay. »

Ils passèrent le reste de l'après-midi sur les bords de la rivière, à bavarder sous les saules. Khin Myo parla de la Birmanie, des fêtes populaires, des histoires qu'on lui racontait quand elle était petite. Edgar lui posa mille questions. Ils ne parlèrent ni de Katherine ni du médecin.

Des familles Chan passaient devant eux, se rendant à la rivière pour pêcher, se baigner ou jouer sur les bancs de sable, et ils ne semblaient pas remarquer le couple. Qu'un étranger soit traité avec hospitalité, c'est naturel. Cet homme tranquille venu réparer l'éléphant chantant est timide, il marche comme un homme peu confiant dans le monde qui l'entoure, nous aussi nous lui tiendrions volontiers compagnie pour qu'il se sente bien accueilli, mais nous ne parlons pas anglais. Quant à lui, il ne parle pas chan, mais il fait des efforts. Lorsqu'il nous croise sur la piste, il dit *som tae-tae kha* et, pour montrer qu'il apprécie les plats du cuisinier, il dit *kin waan*. Seulement *som tae-tae kha* veut dire « merci ». Quelqu'un devrait le renseigner, car il croit dire « bonjour ». Il joue avec les enfants, pas comme la plupart des hommes blancs, peut-être qu'il n'a pas d'enfants à lui. Il parle peu. Pour les astrologues, il est à la recherche de quelque chose, ils le savent d'après la position des étoiles le jour de son arrivée, et parce que dans son lit il y avait trois grands lézards *taukte*, tous les trois la tête vers l'est, qui ont couiné deux fois. La femme de ménage qui s'occupe de sa chambre s'en est souvenue, elle est allée consulter les astrologues. Ils disent que c'est le genre d'homme à faire des rêves mais à n'en parler à personne.

Le jour tomba. Il faut que je parte, déclara Khin Myo sans expliquer pourquoi. Edgar la remercia de lui avoir tenu compagnie. J'ai passé un délicieux après-midi, j'espère que nous nous reverrons.

Moi aussi, dit-elle, et il pensa : Je ne vois pas quel mal il y aurait. Il resta près de la rivière jusqu'au moment où l'odeur de cannelle et de noix de coco se fut dissipée.

Edgar se réveilla au milieu de la nuit, claquant des dents. Il étendit sur lui une couverture supplémentaire, frissonna, se rendormit.

Il se réveilla de nouveau, en sueur. Il avait la tête brûlante. Il s'assit dans son lit, se passa la main sur la figure, constata qu'elle était trempée. Il avait l'impression de ne pas pouvoir respirer. Cherchant l'air, il rejeta sa couverture, écarta la moustiquaire. Il se glissa au-dehors, la tête lui tournait. Sur le balcon, il inspira une grande gorgée d'air, sentit une nausée l'envahir et il vomit. Voilà que je suis malade, se dit-il. Il se mit en boule, sentit la sueur sécher et refroidir sur sa peau, sous le vent venu de la rivière. Il se rendormit.

Une main posée sur son épaule le réveilla. Le médecin était penché sur lui, son stéthoscope autour du cou. « Monsieur Drake, ça va ? Qu'est-ce que vous faites dehors ? » C'était l'aube. Edgar roula sur le dos en gémissant : « Oh, ma tête, ma tête...

— Qu'est-ce qui est arrivé ?

— Je ne sais pas, j'ai passé une très mauvaise nuit, j'étais gelé, je frissonnais, j'ai mis une couverture, puis j'ai terriblement transpiré. » Le médecin lui posa la main sur le front.

« Qu'est-ce que vous pensez que j'ai ? demanda Edgar.

— Le paludisme. Je n'en suis pas absolument certain, mais ça y ressemble beaucoup. Il faudra que je vous fasse une prise de sang. » Il se retourna pour dire quelques mots à un jeune Chan qui se tenait debout derrière lui. « Je vais vous donner du sulfate de quinine, ça devrait vous soulager. » Il avait l'air soucieux. « Venez. » Il aida Edgar à se lever et le conduisit jusqu'à son lit. « Regardez, les couvertures sont encore humides. Vous avez attrapé un sale truc. Couchez-vous. »

Le médecin parti, Edgar se rendormit. Un boy le réveilla en apportant de l'eau et plusieurs petites pilules qu'Edgar avala aussitôt. Il se rendormit, se réveilla encore, c'était l'après-midi. Le médecin était assis près de son lit. « Comment vous sentez-vous ?

— Mieux, je crois. Je meurs de soif. »

Le médecin lui donna de l'eau. « C'est le déroulement habituel de la maladie. D'abord des frissons, puis de la fièvre. On se met à transpirer. Et souvent ensuite, comme maintenant, on se sent brusquement mieux.

— Est-ce que la crise revient ?

— Ça dépend. Tous les deux jours, d'autres fois tous les trois jours. Parfois plus souvent, ou alors de façon irrégulière. La fièvre est terrible. Je le sais, j'ai subi moi-même d'innombrables attaques de paludisme. Dans ces cas-là, je délire. »

Edgar essaya de s'asseoir dans son lit, mais il était trop faible. « Dormez », dit le médecin.

Il dormit.

Quand il se réveilla, il faisait de nouveau nuit. Miss Ma, l'infirmière, dormait sur un lit improvisé près de la porte. Il se sentait de nouveau oppressé. Il faisait chaud, l'air était étouffant. Ressentant le besoin urgent de sortir de la chambre, il souleva la moustiquaire, se glissa hors de son lit. Debout, flageolant, il se sentait faible, mais il pouvait marcher. Il avança sans bruit jusqu'à la porte. La nuit était noire, sans lune. Il respira l'air goulûment plusieurs fois, leva les bras, s'étira. Il faut que je marche, se dit-il, et il descendit doucement l'escalier. Le camp semblait vide. La fraîcheur du sol sous ses pieds nus était délicieuse. Il prit le sentier qui menait à la rivière.

Il faisait frais au bord de l'eau. Edgar s'assit, respira à fond. L'air lui faisait du bien. Interminablement, la Salouen coulait sans bruit. De quelque part lui parvint un frou-frou, un cri léger. Il se leva, traversa la plage jusqu'à un petit chemin qui longeait la rivière au milieu des taillis.

Au fur et à mesure qu'il avançait à travers les buissons, le bruit se précisait – des cris étouffés comme ceux d'un animal. Au bout du sentier, il aperçut quelque chose qui bougeait sur la berge. Il avança encore de deux pas dans les buissons, et là il les vit. Il resta figé sur place, sous le choc. Un jeune couple Chan était allongé sur un banc de sable. Les cheveux du garçon étaient noués en chignon au-dessus de sa tête, ceux de la femme flottaient librement sur le sable. Sa *hta main* mouillée, relevée sur son corps, lui couvrait les seins et révélait une hanche lisse saupoudrée de sable. Elle entourait de ses bras le dos du jeune homme, ses ongles s'enfonçant dans les tatouages. Ils se mouvaient en silence. Les seuls bruits étaient le crissement du sable et le clapotis des vaguelettes qui léchaient leurs pieds. La femme gémit de nouveau, plus fort cette fois, et son dos s'arqua, les plis de sa *hta main* ondulèrent contre ses bras, elle pivota. Edgar Drake recula précipitamment et disparut dans les buissons.

Les fièvres revinrent, plus fortes. Le corps d'Edgar était secoué de frissons, ses mâchoires se crispaient. Les bras serrés contre sa poitrine, il essayait d'agripper ses épaules, mais ses mains tremblaient si fort que le tremblement gagnait le lit et la moustiquaire. Miss Ma se réveilla et ajouta une couverture, mais rien n'y faisait. Edgar voulut la remercier, mais aucun son ne sortit de sa gorge.

De nouveau il étouffe, comme la nuit précédente. Il rejette ses couvertures. La sueur perle sur son front et coule dans ses yeux. Il enlève sa chemise d'un seul geste, elle est trempée. Ses sous-vêtements de coton lui collent à la peau, il s'en débarrasserait aussi volontiers, mais il faut rester correct, se dit-il. Il a mal partout, il passe ses mains sur son visage, sa poitrine, ses bras, pour essuyer la sueur. Il se retourne dans son lit, dans ses draps chauds et mouillés. Il suffoque, il déchire sa moustiquaire. Il entend un bruit de pas et voit Miss Ma qui va tremper un linge dans la cuvette d'eau. Soulevant la moustiquaire, elle lui passe le linge humide sur la figure. C'est rafraîchissant. Elle lui essuie le corps et il se sent mieux un bref instant, mais la sensation de brûlure revient aussitôt. Miss Ma agit patiemment contre la fièvre qui le consume. Il perd conscience.

Il flotte au-dessus du lit, il se voit allongé sur la couche. De l'eau ruisselle de sa peau, forme des flaques. Ça bouge, ce n'est plus de la sueur mais des fourmis qui grouillent par ses pores. Edgar est noir de fourmis. Il retombe dans son corps et hurle, se frappe pour chasser les fourmis qui retombent sur les draps où elles forment mille petits foyers incandescents, plus il les balaye plus il en vient, on dirait que son corps est une fourmilière, le mouvement est régulier, continu, il est entièrement couvert de fourmis. Il hurle, il entend un bruissement près de son lit, devine des formes, il croit reconnaître le médecin et Miss Ma, et une autre silhouette debout derrière les deux autres. La chambre est sombre, rougeoyante, comme en feu. Il aperçoit des visages qui se brouillent, fondent, les bouches deviennent des museaux de chiens, montrent les dents, ils cherchent à l'atteindre de leurs pattes et partout où ils le touchent, c'est comme de la glace, il hurle, il se débat pour chasser tous ces bras. L'un des chiens se penche vers lui, presse son museau contre sa joue, son haleine a une odeur infecte de chaleur et de souris, ses yeux brillent d'un éclat coupant comme du verre, et dedans il voit une femme assise au bord d'une rivière, elle regarde deux corps allongés, il les voit lui aussi, les bras bruns enserrent un dos large et pâle, tout sali de sable, les visages rapprochés, haletants. Un bateau est échoué sur la rive, la femme y monte, elle s'éloigne à la rame, il s'efforce de se lever mais il est maintenant pris dans l'étau des bras bruns et il sent quelque chose qui glisse, s'échappe, il sent le chaud puis le froid, et voilà le museau qui entrouvre ses lèvres, une langue râpeuse s'introduit dans sa bouche. Il essaie de se lever, mais les autres l'entourent, il essaie de lutter et retombe, épuisé. Il dort.

Il se réveille des heures plus tard, une serviette humide et fraîche sur sa tête. Khin Myo est assise à côté de son lit. Une main tient la serviette contre son front. Il prend l'autre dans sa main à lui. Elle le laisse faire. « Khin Myo, dit-il.

— Chut, monsieur Drake, dormez. »

16

La fièvre tomba à l'aube du troisième jour. Quand il se réveilla, il était seul. Deux serviettes séchaient à côté d'une cuvette vide posée par terre près de son lit. Il avait mal à la tête. La nuit précédente n'était dans son souvenir qu'un brouillard fébrile. Allongé sur le dos, Edgar essayait de s'en souvenir. Des images lui revenaient, bizarres, troublantes. Il se tourna de côté. Les draps étaient frais et humides. Il dormit.

Une voix d'homme prononça son nom. Le Dr Carroll était assis près du lit. « Monsieur Drake, vous avez l'air d'aller mieux, ce matin.

— Oui, je crois.

— Tant mieux. La nuit dernière a été affreuse. Même moi qui ai vu tant de malades, je me suis inquiété...

— Je ne me souviens pas. Je ne me souviens que de vous avoir vu, et aussi Khin Myo et Miss Ma.

— Khin Myo n'était pas là. C'était un effet du délire. »

Edgar leva les yeux. Le médecin, le visage sévère et inexpressif, ne le quittait pas du regard. « Oui, peut-être du délire », dit Edgar qui se retourna et se rendormit, une fois de plus.

Au cours des quelques jours suivants, les accès de fièvre furent moins forts et sans rêves horribles. Miss Ma quitta son chevet pour aller s'occuper des malades de l'hôpital, mais elle revint le surveiller plusieurs fois dans la journée, lui apportant des fruits, du riz, et une soupe au goût de gingembre qui faisait transpirer et donnait des frissons. Un jour, elle apporta des ciseaux et lui coupa les cheveux. Le Dr Carroll lui expliqua que pour les Chan c'était un moyen de combattre la maladie.

Edgar put marcher un peu. Il avait perdu du poids, ses vêtements flottaient plus que jamais sur son corps frêle. La plupart du temps il se reposait sur le balcon en regardant la rivière. Le médecin invita un joueur de flûte qu'Edgar écouta, assis dans son lit.

Une nuit, alors qu'il était seul, il crut entendre de la musique en provenance du piano. Les notes s'égrenaient à travers le camp. Il pensa d'abord reconnaître Chopin, mais la mélodie changea pour un air évanescent, mélancolique, totalement inconnu de lui.

Il reprit des couleurs, et recommença à partager ses repas avec le docteur. Celui-ci le questionna sur Katherine, et Edgar lui raconta comment il l'avait connue. Mais, la plupart du temps, il se contentait d'écouter. Des histoires sur la guerre, sur les coutumes Chan, sur des bateliers qui ramaient avec leurs pieds, sur des moines dotés de pouvoirs mystiques. Le médecin lui raconta qu'il avait envoyé à la Société linnéenne la description d'une nouvelle fleur et qu'il avait commencé à traduire l'*Odyssée* en chan. « Mon récit préféré, monsieur Drake, celui où je trouve plus que dans tout autre des résonances personnelles.» Il faisait cette traduction, expliqua-t-il, à l'intention d'un conteur Chan qui lui avait demandé une légende « comme celles qu'on raconte la nuit autour d'un feu de camp». « J'en suis au chant de Demodokos, je ne sais pas si vous vous en souvenez. Il chante la chute de Troie, et Ulysse, le grand guerrier, pleure, "comme pleure une femme".»

Le soir, ils écoutaient jouer des musiciens, un mélange de tambours, de cymbales, de harpes et de flûtes, jusque tard dans la nuit. A peine rentré dans sa chambre, Edgar ressortait sur son balcon pour écouter encore.

Un jour, le médecin lui demanda : « Comment vous sentez-vous ?

— Bien. Pourquoi cette question justement aujourd'hui ?

— Je dois repartir, sans doute pour deux ou trois jours. Khin Myo reste ici. Vous ne serez pas seul. »

Le médecin ne dit pas à Edgar où il allait, et Edgar ne le vit pas s'en aller.

Le lendemain matin, il descendit jusqu'à la rivière observer les pêcheurs. Au milieu des buissons en fleurs, il regardait les abeilles butiner les massifs de toutes les couleurs. Il joua au football avec des gamins, mais se fatigua vite et remonta sur son balcon, d'où il regarda la rivière au loin et le soleil qui se déplaçait lentement. Le cuisinier lui apporta son déjeuner, un bouillon contenant des nouilles sucrées et de petits morceaux d'ail grillé. « *Kin waan* », dit Edgar et le cuisinier sourit.

Cette nuit-là, Edgar dormit d'un doux sommeil au cours duquel il rêva qu'il dansait dans une fête. Les villageois jouaient sur d'étranges instruments et lui dansait la valse, mais seul.

Le jour suivant, il décida d'écrire à Katherine, enfin. Une pensée le tracassait : l'armée lui avait peut-être annoncé qu'Edgar avait quitté Mandalay. Heureusement, vu le manque d'intérêt qu'ils avaient manifesté pour elle avant son départ et qui, sur le moment, l'avait contrarié, il était peu probable qu'ils prennent contact avec elle maintenant.

Il sortit du papier et une plume, commença à écrire, mais s'arrêta au bout de quelques lignes. Il voulait lui parler du village en haut de la montagne, mais il se rendit compte qu'il ne l'avait vu que de loin. Il faisait encore frais dehors – le bon moment pour aller me promener, se dit-il, l'exercice me fera du bien. Abandonnant sa lettre, il mit son chapeau et, malgré la chaleur, un gilet qu'il portait généralement en Angleterre l'été à la campagne. Il se rendit au centre du camp.

Deux femmes revenaient de la rivière, portant chacune un panier de linge, l'une contre la hanche, l'autre en équilibre au sommet de son turban. Edgar les suivit sur l'étroit sentier de la forêt qui escaladait la côte. Dans le silence du sous-bois, les femmes entendirent des pas derrière elles. Elles se retournèrent et échangèrent de petits rires aigus tout en chuchotant en chan. Edgar les salua, soulevant légèrement son chapeau. Les arbres se raréfiaient peu à peu.

Le premier groupe de maisons à pilotis apparut. Edgar vit une vieille femme accroupie sur un seuil, sa jupe aux motifs réguliers bien tirée sur ses genoux. Deux cochons étiques dormaient à l'ombre, grognant et tortillant la queue sous l'emprise de quelque rêve mystérieux.

Elle fumait un cigare aussi gros que son poignet. Edgar la salua. « Bonjour, madame. » Elle retira lentement de sa bouche le cigare serré entre ses troisième et quatrième doigts déformés, couverts de bagues. A la surprise d'Edgar, son visage se fendit en un large sourire édenté, découvrant des gencives noircies de bétel et de tabac. Son visage était couvert de tatouages, formés non de traits continus comme ceux des hommes, mais de centaines de petits points, évoquant un tamis. Edgar devait apprendre plus tard qu'elle n'était pas Chan mais Chin, une tribu venue de l'ouest, ce que confirmaient les détails des décorations. « Au revoir, madame », dit Edgar. La femme porta de nouveau son cigare à ses lèvres et aspira la fumée à fond, ses joues ridées disparaissant dans la caverne de sa bouche. Edgar revit les réclames affichées partout à Londres : « Cigares de Joy : un seul suffit à combattre l'asthme, la toux, la bronchite et l'essoufflement. »

Edgar, continuant sa promenade, passa devant des petits champs noirâtres étagés en terrasse. Avec la sécheresse, on n'avait pas commencé à planter, les mottes retournées étaient dures et sèches. Les murs des maisons sur pilotis, dressées à des hauteurs variables, rappelaient ceux du camp : un treillis de tiges de bambou formant des motifs géométriques. La route était déserte, à l'exception de bandes de gosses couverts de poussière. On apercevait des gens à l'intérieur des maisons. Il faisait chaud, si chaud que les villageois assis à l'ombre ne comprenaient pas cet Anglais qui marchait dehors par une telle chaleur.

Un bruit métallique attira son attention : accroupis, deux hommes torse nu, en pantalons bouffants à la mode Chan, martelaient du métal. Edgar avait entendu parler de la réputation de forgerons des Chan. Sur le marché de Mandalay, Nash-Burnham lui avait montré des couteaux de leur fabrication. D'où vient le métal, se demanda-t-il en allant y regarder de plus près. L'un des hommes maintenait entre ses orteils, contre une enclume, un crampon de voie ferrée sur lequel il tapait. On ne construit pas un chemin de fer à côté de forgerons affamés, se dit Edgar. Cette formule avait un petit air d'aphorisme.

Il croisa deux hommes sur la route. L'un portait un immense chapeau à large bord semblable à ceux des paysans des rizières qu'on voit sur les cartes postales, sauf que le bord du chapeau retombait sur ses oreilles, encadrant le visage de l'homme qui ressemblait à un énorme ornithorynque. C'est vrai qu'ils ressemblent à des highlanders écossais, constata Edgar qui avait lu quelque part cette comparaison et ne l'avait jamais comprise avant de voir lui-même le chapeau à large bord et les pantalons en forme de kilt. Devant une maison se tenait une jeune femme portant un bébé. Edgar s'arrêta pour regarder s'envoler un mainate et il vit la femme qui l'observait depuis le seuil.

Edgar s'approcha d'un groupe d'adolescents qui jouaient au *chinlon*, comme le faisaient les enfants dans la clairière du camp. Quand Edgar les rejoignait, le jeu finissait toujours en football. Un des enfants lui tendit le ballon comme pour lui proposer de jouer avec eux, mais il secoua la tête et leur fit signe de continuer. Ravis d'avoir un public, les garçons se remirent en mouvement. Ils donnaient des coups de pied dans la balle de jonc tressé, plongeaient et multipliaient les acrobaties pour envoyer la balle le plus haut possible. Soudain, une balle égarée tomba près d'Edgar, qui la bloqua du pied, la relança dans le cercle où l'un des garçons la rattrapa. Les autres félicitèrent bruyamment Edgar qui, légèrement essoufflé par l'effort, le sang aux joues, ne put s'empêcher de sourire en se penchant pour épousseter ses bottes. Il resta encore un peu, mais, craignant de les décevoir la fois suivante, il reprit son chemin.

Devant un autre groupe de maisons, des femmes étaient assises à l'ombre du mur, près d'un métier à tisser. Un petit garçon tout nu qui courait après des poulets s'arrêta pour regarder le promeneur. Apparemment ce nouvel animal présentait bien plus d'intérêt qu'une bande de poulets caquetants. Edgar s'arrêta près de lui. Le visage entièrement couvert de *thanaka*, il était pâle comme un lutin.

« Comment ça va, bonhomme ? » demanda Edgar qui s'accroupit en tendant la main. Le gosse restait planté, impassible, le ventre gonflé et poussiéreux. Il se mit à faire pipi. « Aïe ! » Une jeune fille dévala les marches d'une maison pour tourner le gosse dans l'autre sens tout en pouffant. Quand il eut terminé, elle le cala et le gronda en pointant sur lui un doigt accusateur. Plusieurs autres gamins s'étaient attroupés derrière Edgar.

Ils s'écartèrent pour laisser place à une femme qui conduisait un buffle couvert de boue séchée. La queue de l'animal, en forme de brosse épaisse, chassait paresseusement les mouches.

Edgar poursuivit sa marche, suivi à distance par les enfants. Bientôt la route se mit à monter, découvrant au loin une petite vallée couverte de rizières en friche, étagées en terrasse. Au bord de la route, deux hommes assis le saluèrent du grand sourire Chan auquel Edgar commençait à s'habituer. L'un des hommes montra du doigt la troupe de gamins en prononçant quelques mots, auxquels Edgar répondit : « Eh oui, toute une bande ! »

L'homme et lui se mirent à rire sans avoir rien compris de ce que l'autre avait dit.

Il était bientôt midi. Edgar transpirait à grosses gouttes. Il s'arrêta un instant à l'ombre d'une petite graineterie et regarda un lézard faire des tractions sur une pierre sèche. Edgar s'épongea le front. Il avait passé tellement de temps à accorder le piano ou à se reposer sur son balcon qu'il n'avait pas encore vraiment souffert du soleil ni de la sécheresse. Les champs morts vibraient sous la canicule. Les enfants finiraient par se lasser de voir qu'il ne se passait rien, pensa-t-il, mais leur nombre ne faisait qu'augmenter.

La route qu'il suivait semblait revenir vers le camp. Un sanctuaire s'y dressait, où l'on voyait diverses offrandes, des fleurs, des pierres, des amulettes, des tasses dont le contenu s'était évaporé depuis longtemps, du riz gluant desséché, des statuettes de terre cuite. Le sanctuaire lui-même avait la forme d'un temple, semblable à ceux qu'il avait vus dans la plaine, construits, lui avait expliqué le médecin, pour s'assurer la bienveillance d'un esprit que les Chan appelaient le « Seigneur du Lieu ». Edgar, qui prétendait ne pas être superstitieux, chercha dans ses poches quelque chose à déposer, mais ne trouva que la balle qu'il avait ramassée en souvenir. Il regarda autour de lui. Les enfants étaient toujours là. Il s'éloigna.

Au loin, une femme marchait sous un parasol. Cette image, il l'avait souvent vue dans la plaine, mais jamais encore sur le plateau : le soleil au zénith, une femme seule cachée sous son parasol, sa robe qui miroite sur la route brouillée par la chaleur. Edgar s'arrêta pour regarder la trace que laissaient ses pas dans la poussière. Puis il s'aperçut soudain de l'incongruité de la scène : avec leurs chapeaux à large bord ou leurs turbans, les femmes Chan n'utilisaient presque jamais un parasol !

C'est alors qu'il reconnut Khin Myo.

Elle portait une jolie *hta main* de soie rouge et une blouse de coton blanc qui flottait librement au gré de la brise. Son visage était peint de traits épais et réguliers de *thanaka*, ses cheveux étaient tirés en arrière et retenus par une épingle en bois de teck poli, délicatement sculpté. Une ou deux mèches échappées tombaient sur son visage. Elle les écarta de la main. « Je vous ai cherché, dit-elle. Le cuisinier m'a dit qu'il vous avait vu marcher vers le village. Je voulais venir à votre rencontre. Une des jeunes Chan m'a annoncé que la *nwé ni*, vous l'appelez je crois l'ipomée, avait commencé à fleurir, et j'ai pensé que nous pourrions aller la voir ensemble. Vous n'êtes pas trop fatigué ?

— Non, je vais enfin beaucoup mieux.

— Je suis contente. Je m'inquiétais.

— Moi aussi... J'ai fait beaucoup de rêves, des rêves étranges, terribles, où il m'a semblé vous voir. »

Elle resta silencieuse un instant. « Je ne voulais pas que vous soyez seul. » Elle toucha son bras. « Venez, allons nous promener. »

Le groupe d'enfants suivait toujours. Khin Myo les désigna de la main : « Vous comptez emmener votre... comment dites-vous ?

— Entourage ?

— C'est un terme français, non ?

— Peut-être. Je ne savais pas que vous parliez français.

— Quelques mots, c'est tout. Le Dr Carroll aime bien m'en expliquer le sens.

— Voilà : j'aimerais savoir dire à mon entourage "Rentrez chez vous." Ils sont gentils, mais je n'ai pas l'habitude d'être l'objet d'une telle attention. »

Khin Myo leur adressa quelques paroles qui les firent pousser des petits cris aigus et ils reculèrent en courant de plusieurs pas, avant de s'immobiliser de nouveau. Khin Myo et Edgar reprirent leur marche. Les enfants ne les suivirent pas.

« Qu'est-ce que vous leur avez dit ? demanda Edgar.

— Que les Anglais mangent les enfants Chan. »

Edgar sourit. « Ce n'est peut-être pas fameux pour notre réputation.

— Oh, ne croyez pas ça. Parmi les esprits Chan les

plus connus, un grand nombre mangent les enfants. On les vénérait longtemps avant que vous arriviez ici. »

La piste qui gravissait une colline passait devant une maison qui, expliqua Khin Myo, était habitée par une vieille femme. Il fallait s'en méfier car elle avait le mauvais œil. Khyn Myo s'exprimait avec entrain et même gaieté ; la tristesse qu'Edgar avait cru percevoir au cours de leur conversation au bord de la rivière semblait un souvenir lointain. Ils entamèrent la montée. Les arbres se firent plus clairsemés, le sol se couvrit de fleurs.

« Ce sont celles que vous cherchez ? demanda Edgar.

— Non, elles sont dans une prairie de l'autre côté de la crête. Venez. »

Au sommet de la colline, ils découvrirent un champ où poussaient des buissons couverts de fleurs rouge foncé et saumon.

« Oh, comme c'est joli ! » s'exclama Khin Myo qui dévala la pente en galopant comme une enfant. Edgar la suivit d'abord au pas, puis ses jambes se mirent à courir toutes seules. Khin Myo s'en aperçut, commença une phrase, mais Edgar emporté par son élan ne pouvait plus s'arrêter et il dut faire deux ou trois petits bonds pour réussir à stopper devant elle.

Khin Myo le taquina : « Vous gambadiez, dites-moi ?

— Moi ?

— Je crois bien vous avoir vu gambader.

— Mais non, voyons, c'est juste que je courais trop vite et que je ne pouvais pas m'arrêter. »

Khin Myo se mit à rire. « Je vous ai vu gambader, je l'affirme ! Et maintenant, ma parole, vous rougissez.

— Jamais de la vie !

— Mais si, je vous jure, vous êtes tout rouge !

— A cause des coups de soleil. C'est ce qui arrive aux Anglais quand ils s'exposent trop longtemps.

— Monsieur Drake, même une peau d'Anglais ne prend pas aussi brusquement des coups de soleil sous un chapeau.

— Alors, c'est l'exercice. Je ne suis plus tout jeune.

— Disons que c'est l'exercice, d'accord.» Elle lui toucha le bras. «Allons regarder les fleurs.»

Ce n'était pas le genre de prairies auxquelles Edgar était habitué, ces prés verts, humides de rosée, caractéristiques de la campagne anglaise. Celle-ci était sèche, les tiges et les buissons jaillissaient du sol dur et explosaient en centaines de fleurs, aux couleurs inimaginables, même pour un homme capable de discerner les subtilités des sons. «S'il pleuvait, dit Khin Myo, il y en aurait encore plus.

— Vous savez leurs noms?

— Un ou deux seulement. Je connais mieux les fleurs de la plaine. Mais le docteur m'en a indiqué quelques-unes. Là, c'est du chèvrefeuille. Et là, une espèce de primevère, qu'on trouve aussi en Chine. Celle-ci, c'est du millepertuis, et là, des églantines, je crois.» Elle cueillit quelques spécimens sur son chemin.

Un chant, en provenance de l'autre côté de la colline, fut bientôt suivi de l'apparition d'une jeune Chan, la tête d'abord, puis le torse, les jambes et enfin les pieds. Elle trottinait sur le sentier d'un bon pas et les salua en s'inclinant. Sitôt passée, elle se retourna pour les regarder, accéléra l'allure et disparut derrière un monticule.

Edgar et Khin Myo restèrent silencieux. Il se demandait si elle avait saisi le sens du regard appuyé de la jeune fille. «On va peut-être se faire des idées, à nous voir seuls ici, hasarda-t-il, et il regretta aussitôt ses paroles.

— Que voulez-vous dire?

— Non, non, rien, excusez-moi.» Elle se tenait tout près de lui, et la brise qui passait sur la prairie mêlait à son parfum l'odeur des fleurs.

Peut-être perçut-elle une certaine gêne, car elle ne répéta pas sa question, mais porta son bouquet à ses narines en disant: «Sentez, c'est délicieux.» Lentement, il baissa la tête tout contre la sienne. Seule l'odeur des fleurs qui flottait dans l'air maintenait une distance entre leurs lèvres si proches. Il n'avait jamais vu de si près l'iris de ses yeux, la forme de ses lèvres, la poudre délicate de *thanaka* sur ses joues.

La première, elle rompit le silence : « Il fait chaud, monsieur Drake. Vous venez d'être malade. Nous devrions rentrer. Peut-être le Dr Carroll est-il lui-même déjà là. » Sans attendre sa réponse, elle choisit une ipomée qu'elle piqua dans ses cheveux. Puis elle prit le chemin du camp.

Une minute, Edgar la regarda s'éloigner, puis il se mit en route à son tour.

Le Dr Carroll ne rentra pas cet après-midi-là mais, après six mois de sécheresse sur le plateau Chan, la pluie, elle, fit son retour. Edgar et Khyn Myo, surpris par l'averse, durent courir, en riant, pour échapper aux lourdes gouttes chaudes aussi dures que des grêlons. Mais, en quelques minutes, ils furent trempés. Khin Myo courait devant, son parasol à la main, les cheveux noyés. L'ipomée resta en place un instant, collée par les goutte- lettes, puis elle tomba. Avec une agilité dont il fut surpris lui-même, sans ralentir sa course dans la boue, Edgar se baissa et la ramassa.

A la lisière du village, ils tombèrent sur une foule de gens chassés de la rivière par la brusque averse torren- tielle. Ils riaient, poussaient des cris. Pour une femme qui rentrait s'abriter, protégeant son turban si soigneusement noué sur sa tête, on voyait surgir de la maison deux enfants qui se mettaient à danser sous la pluie, dans les flaques. Edgar et Khin Myo finirent par se mettre au sec devant la chambre de la jeune femme. L'eau qui coulait du rebord du toit tombait comme un rideau, les coupant du brouhaha de la foule.

« Vous dégoulinez, dit Khin Myo en riant. Regardez- vous. — Vous aussi ! » Les longs cheveux noirs de la jeune femme étaient plaqués contre son cou, sa blouse légère collait à sa poitrine. A travers le tissu transparent on devinait sa peau, la courbe de ses seins. Elle écarta de la main ses cheveux mouillés.

Il la regarde et elle soutient un moment son regard. Lui, au tréfonds de son être, ressent un trouble, le désir qu'elle l'invite dans sa chambre – pour se sécher, il n'en demanderait pas plus. Et là, dans la pénombre de la chambre qui sentirait bon la noix de coco et la cannelle, leurs mains se frôleraient, par accident d'abord, puis, avec plus d'audace, intentionnellement, leurs doigts s'entrelaceraient... Il se demande si elle pense à la même chose. Pour l'instant, ils sont dehors, et l'eau rafraîchit leur peau.

Les choses auraient pu se dérouler ainsi à condition qu'Edgar s'abandonne à la spontanéité de la pluie qui tombe, à sa détermination. Mais c'est trop demander à un accordeur de piano qui consacre sa vie à créer de l'ordre pour permettre à d'autres de créer de la beauté. C'est trop demander à quelqu'un qui établit des règles que de les enfreindre. Alors, après un long silence à peine troublé par la pluie, la voix un peu brisée, il dit : « Eh bien, nous ferions mieux de nous changer. Il faut que je me trouve des vêtements secs. » Quelques mots anodins qui en disent peu, qui en disent long.

Il plut tout l'après-midi et toute la nuit. Le lendemain matin, quand le ciel se dégagea, le Dr Anthony Carroll rentra à Mae Lwin, ayant voyagé à dos de poney toute la nuit sous l'averse, au galop à travers l'orage en compagnie de l'émissaire du prince Chan de Mongnai.

17

Comme souvent, Edgar était assis sur le balcon devant les eaux écumeuses de la Salouen, lorsqu'il entendit un bruit de sabots. Trois cavaliers entrèrent dans le camp : le Dr Carroll, suivi de Nok Lek et d'un homme qu'Edgar ne reconnut pas. Un groupe de boys se précipita pour les aider à descendre de cheval. Ils paraissaient trempés. Le médecin enleva son casque colonial et le cala sous son bras. En levant les yeux, il aperçut Edgar au balcon. « Bonjour, monsieur Drake, s'écria-t-il. Pouvez-vous descendre ? Je voudrais vous présenter à quelqu'un. »

Edgar s'arracha à son siège. Quand il rejoignit le groupe, les boys avaient emmené les poneys et Carroll essuyait ses gants. Il portait une veste d'équitation et des bandes molletières éclaboussées de boue. Un cigare mouillé finissait de se consumer entre ses lèvres. Il avait le teint coloré, l'air fatigué. « Vous avez survécu en mon absence, cher ami ?

— Oui, docteur, merci. Les pluies sont arrivées. J'ai encore un peu travaillé sur le piano. Je crois qu'il est au point.

— Tant mieux, tant mieux, monsieur Drake. C'est exactement ce que je voulais entendre, et je vais vous expliquer pourquoi dans un instant. Mais d'abord laissez-moi vous présenter à Yawng Shwe. » Il se tourna vers son compagnon, qui s'inclina légèrement, la main tendue.

« Comme vous voyez, notre visiteur connaît nos coutumes, dit Carroll.

— Enchanté de faire votre connaissance, dit Edgar.

— Il ne parle pas anglais. Une poignée de main suffira, précisa Carroll, légèrement narquois. Yawng Shwe est ici en tant qu'émissaire du *sawbwa* de Mongnai, au nord. Vous en avez sûrement entendu parler. Le prince Chan — le *sawbwa* — de l'Etat de Mongnai est traditionnellement l'un des plus puissants chefs d'Etat de ce côté-ci de la Salouen. Nous avons fait aussi vite que possible, car le *sawbwa* sera demain à Mae Lwin, et je l'ai invité à séjourner au camp. C'est la première fois qu'il vient ici. » Le médecin s'interrompit. « Bon, dit-il en repoussant de la main ses cheveux mouillés, je suggère que nous buvions quelque chose avant de poursuivre cette conversation. La nuit de voyage nous a desséché le gosier. Malgré toute cette pluie ! »

Les quatre hommes partirent en direction du QG. Carroll s'adressa à Edgar : « Je suis très heureux que le piano soit prêt. J'ai l'impression que nous en aurons besoin plus tôt que prévu.

— Pardon ?

— J'aimerais que vous jouiez pour le *sawbwa*, monsieur Drake. » Il ne laissa pas Edgar répondre : « Je vous expliquerai plus tard. Le *sawbwa* est un musicien accompli et je lui ai beaucoup parlé du piano. »

Edgar s'arrêta net. « Docteur, protesta-t-il, je ne suis pas pianiste. Je vous l'ai dit bien des fois.

— Allons donc. Je vous ai entendu jouer en accordant le piano. Vous ne pourriez peut-être pas donner un récital dans une salle de concert à Londres, mais au cœur de la jungle birmane, croyez-moi, vous êtes plus que qualifié. Et puis nous n'avons pas le choix. J'ai prétendu que vous étiez venu exprès pour lui, et je dois quant à moi rester à ses côtés pour lui expliquer la musique. » Il posa la main sur l'épaule de l'accordeur et planta son regard dans le sien. « Il y a des choses importantes en jeu. »

Edgar secoua de nouveau la tête, mais le médecin ne le

laissa pas ouvrir la bouche. « Je dois installer notre invité. Je vous retrouverai dans votre chambre. » Il interpella en chan un boy qui se tenait à la porte du QG. L'émissaire du *sawbwa* se mit à rire et les deux hommes disparurent à l'intérieur.

Edgar, rentré dans sa chambre pour y attendre le médecin, marchait de long en large. C'est ridicule, je n'ai pas à entrer dans son jeu, ce n'est pas pour cela que je suis venu jusqu'ici. Je lui ai dit mille fois que je ne jouais pas. Il est comme Katherine. Il n'y a pas moyen de leur faire comprendre !

Une heure passa, peut-être deux, il n'aurait su le dire. Sa montre brisée était rangée dans ses bagages.

Le temps s'écoulait. Lentement, l'anxiété montait. Peut-être que le Dr Carroll a changé d'avis, supposa Edgar. Il a réfléchi, il a compris que c'était une mauvaise idée, que je ne ferais pas l'affaire dans ce genre de cérémonie. Plus le temps avançait, plus il était sûr d'avoir raison. Il sortit sur le balcon, mais vit seulement des femmes au bord du fleuve.

Enfin, enfin, il entendit des pas sur les marches. L'un des boys au service du médecin lui tendit un papier : « Dr Carroll envoie ça à vous », dit-il s'inclinant.

Edgar ouvrit la lettre, rédigée sur du papier Chan comme les précédentes, mais l'écriture était penchée, hâtive.

Monsieur Drake,

Je vous présente mes excuses, je n'ai pas pu venir vous chercher comme promis, car l'émissaire du *sawbwa* réclame plus d'attention que prévu et, malheureusement, je ne vais pas pouvoir parler avec vous du concert. Tout ce que je vous demande, c'est ceci : comme vous le savez, le *sawbwa* de Mongnai est l'un des chefs de la confédération de Limbin, avec laquelle les forces anglaises sont en guerre depuis deux mois sous le commandement du colonel Stedman. J'espère pouvoir proposer un traité préliminaire au prince au cours de sa visite à Mae

Lwin et, plus important, lui demander d'organiser une rencontre avec la confédération. Je voudrais que vous choisissiez et jouiez un morceau qui éveillera chez le prince des sentiments de bienveillance et d'amitié, qui témoignera de nos bonnes intentions dans cette affaire. Je vous fais une *confiance absolue* pour trouver et jouer devant lui le morceau le plus approprié.

A.C.

Edgar, des yeux, chercha quelqu'un auprès de qui protester. Mais le boy était déjà reparti. Par la fenêtre, il constata que le camp était vide et marmonna un juron. Il passa la nuit dans la salle de musique, sur la banquette. Il réfléchissait, commençait un morceau, s'arrêtait, non, ça ne va pas, non, je ne peux pas jouer ça, il essayait autre chose. Les pensées se croisaient dans sa tête, il se demandait ce que pouvait signifier cette visite, quelle était la personnalité du *sawbwa*, dans quelle intention le médecin avait organisé le concert, la rencontre. Aux premières lueurs de l'aube, il posa sa tête sur le clavier et s'endormit.

On était en plein après-midi lorsqu'il se réveilla avec l'impression de s'être endormi dans son atelier à Londres. Il traversa le camp pour regagner sa chambre, stupéfait des changements intervenus depuis la veille au soir. On avait balayé le chemin, enlevé tous les détritus laissés par la pluie, installé des planches toutes neuves pour faciliter la marche. Des bannières flottaient aux fenêtres dans la lumière. Le seul signe de la présence britannique était le drapeau suspendu devant le QG, lui-même converti en salle de banquet. Ce pavillon détonne bizarrement, se dit Edgar qui ne se rappelait pas l'avoir vu précédemment. Ce qui était étonnant, à bien réfléchir, étant donné qu'on était dans une place-forte anglaise.

Edgar attendit dans sa chambre jusqu'au soir. Averti par un boy, il fit sa toilette, s'habilla, et suivit le boy jusqu'au QG, où un garde le pria d'enlever ses chaussures avant d'entrer. A l'intérieur, les tables et les chaises avaient été remplacées par des coussins disposés à même le sol devant des tables basses en bambou. La salle était silencieuse ; le *sawbwa* et sa suite n'étaient pas encore arrivés. On conduisit Edgar jusqu'à l'endroit où étaient assis le Dr Carroll et Khin Myo. Le médecin était habillé en costume Chan, une élégante veste blanche cintrée en coton sur un *paso* d'un violet aux reflets irisés. Sur lui, le costume avait une allure royale et Edgar revit l'image, au jour de son arrivée, de Carroll au bord du fleuve, habillé comme ses hommes. Depuis, Edgar ne l'avait plus vu qu'en costume européen — ou en vêtements militaires.

Il y avait un coussin vide entre lui et Khin Myo. Le médecin, en pleine conversation avec un invité Chan d'un certain âge assis à sa gauche, fit signe à Edgar de prendre place. Khin Myo parlait à un boy accroupi à ses côtés et Edgar l'observa. Elle portait une blouse de soie, ses cheveux, plus foncés que d'habitude comme si elle venait de prendre un bain, étaient retenus par la même épingle en bois de teck qu'il avait remarquée lors de la promenade. Le boy reparti, elle se pencha vers Edgar et murmura : « Vous avez préparé vos partitions ? »

Edgar esquissa un vague sourire. « On verra. » Il balaya du regard la salle où il avait du mal à reconnaître l'infirmerie et le cabinet austères auxquels il était habitué. Des torches brûlaient dans tous les coins, répandant lumière et odeur d'encens. On avait recouvert les murs de tapis et de peaux de bêtes. Tout autour de la pièce se tenaient des serviteurs, certains qu'Edgar reconnaissait, d'autres pas, tous vêtus d'élégants pantalons flottants, de chemises bleues, et de turbans propres impeccablement noués.

Un bruit à la porte provoqua le silence dans la pièce. Un homme de grande taille, en costume d'apparat, entra. « C'est lui ? demanda Edgar.

— Non, il est plus petit. » Au même instant, un petit homme replet vêtu d'une extravagante robe à paillettes pénétra dans la salle. Les serviteurs Chan tombèrent à genoux, prosternés devant lui. Même Carroll s'inclina, ainsi que Khin Myo et, jetant un œil à l'oblique pour imiter le médecin, Edgar Drake en fit autant. Le *sawbwa* et sa suite traversèrent la salle jusqu'au coussin vide situé à côté de Carroll. Tous étaient vêtus d'uniformes impeccables, de chemises plissées retenues par des ceintures de soie, de turbans d'un blanc immaculé. Tous sauf un, un moine, qui s'assit loin de la table, ce qu'Edgar interpréta comme un refus de manger, étant donné que les moines ne prennent plus de nourriture après l'heure de midi. Il y avait quelque chose de spécial chez celui-là et, à force de l'examiner, Edgar comprit que ce qu'il avait au premier abord pris pour un teint particulièrement foncé était en réalité un tatouage bleu qui lui couvrait entièrement le visage et les mains. Lorsqu'un serviteur alluma une grande torche au milieu de la salle, le contraste éclata entre la peau bleue du moine et son habit safran.

Carroll parla au *sawbwa* en chan. Bien qu'Edgar ne comprît rien, il sentit que des murmures d'approbation parcouraient la salle. La hiérarchie des places l'étonnait : lui, Edgar Drake, était assis tout près du *sawbwa*, plus près que les représentants du village, et plus près de Carroll que Khin Myo. Les serviteurs apportèrent de l'alcool de riz fermenté dans des coupes en métal ciselé et, quand tous furent servis, Carroll fit une déclaration en chan, coupe levée. La salle applaudit et le *sawbwa* eut l'air particulièrement content. « A votre santé, murmura Carroll à Edgar.

— Qui est le moine ?

— Les Chan l'appellent le Moine bleu. Je pense que vous voyez ‘pourquoi. C'est le conseiller personnel du *sawbwa*, qui ne se déplace jamais sans lui. Quand vous jouerez ce soir, pensez à conquérir aussi le cœur du moine. »

Le repas fut alors servi, un festin comme Edgar n'avait pas eu l'occasion d'en voir depuis son arrivée dans les Etats Chan : une abondance de plats et d'assaisonnements, plats de curry, bols de nouilles servies dans un épais bouillon, coquillages cuisinés avec de jeunes pousses de bambou, citrouille frite à l'oignon et au piment, porc séché à la mangue, lamelles de buffle servies avec de l'aubergine verte, salade de poulet à la menthe. On mangea beaucoup et on parla peu. De temps en temps, le médecin se tournait vers le *sawbwa* pour lui dire un mot, mais la plupart du temps ils se taisaient, le prince se contentant de marquer son approbation pour tel ou tel mets. Enfin, après des plats innombrables dont chacun aurait pu constituer l'apogée du repas, on déposa au milieu des convives un plat de noix de bétel, et les Chan se mirent à mastiquer avec énergie, expectorant dans les crachoirs que les invités avaient apportés eux-mêmes. Enfin, le *sawbwa* se rejeta en arrière, une main sur le ventre, et s'adressa au médecin. Carroll se tourna vers l'accordeur : « Notre prince est prêt à entendre de la musique. Vous pouvez nous précéder pour vous préparer. N'oubliez pas de le saluer et gardez la tête baissée en quittant la salle. »

Dehors, le ciel était dégagé, le sentier éclairé par la lune et des rangées de torches. Edgar avait l'estomac noué d'appréhension. Un garde se tenait devant la salle de musique, un jeune Chan qu'il reconnut pour l'avoir vu lors des matinées passées avec Carroll au bord de la Salouen. Edgar le salua de la tête et le garçon plongea pour faire une révérence, ce qui était excessif vu que l'accordeur était seul.

A la lumière des torches, la salle semblait beaucoup plus grande que d'habitude. Le piano en occupait une extrémité et on avait disposé des coussins par terre. On dirait un vrai salon, se dit Edgar. A l'autre bout de la pièce, les fenêtres qui donnaient sur la Salouen avaient été ouvertes, permettant d'admirer la courbe sinueuse de la rivière. On avait enlevé la couverture qui protégeait le piano ; Edgar s'assit sur la banquette. Il ne fallait pas qu'il touche au clavier — il ne voulait pas révéler quelle œuvre il allait jouer, ni faire croire qu'il avait commencé sans attendre les invités. Il resta donc assis, les yeux fermés, répétant dans sa tête le mouvement de ses doigts sur les touches, écoutant d'avance la musique qu'ils allaient produire.

Il entendit bientôt des voix sur le sentier et des bruits de pas. Carroll, le prince et le Moine bleu entrèrent, suivis de Khin Myo, puis des autres invités. Edgar se leva et fit une profonde révérence, comme les Birmans ou comme un pianiste de concert. De ce point de vue, se dit-il, un pianiste se rapproche des cultures orientales, à la différence des Occidentaux qui saluent un visiteur en lui prenant la main. Il resta debout cependant que les hôtes s'installaient sur les coussins, puis il s'assit sur la banquette. Il avait décidé de commencer sans introduction, sans discours. Le nom du compositeur ne dirait rien à l'ancien prince de Mongnai. Quant à Carroll, il connaissait sûrement l'œuvre, il pourrait lui expliquer ce qu'elle signifiait ou ce qu'il souhaitait lui faire signifier.

Il joua d'abord les prélude et fugue en *do* dièse mineur du *Clavier bien tempéré* de Jean-Sébastien Bach, le quatrième morceau de la suite. C'était une pièce bien connue des accordeurs, une exploration de toutes les variations de sons possibles, Edgar s'en servait toujours lorsqu'il travaillait sur des pianos professionnels. Pour lui ce recueil était le monument de l'art de l'accord. Avant la découverte du tempérament égal, ou égalisation des intervalles entre les notes, il était impossible de jouer toutes les tonalités sur le même instrument. Grâce aux intervalles réguliers, les possibilités étaient sans fin.

Il joua le prélude en entier, porté par le mouvement. Je pourrais en dire long au médecin sur la raison de mon choix. C'est un morceau qui obéit aux règles les plus strictes du contrepoint et, comme dans toutes les fugues, l'air n'est que l'élaboration d'une mélodie très simple, les règles sont établies dès les premières mesures et le reste du morceau ne fait que les suivre. Pour moi, cela signifie que la beauté se trouve dans le respect de l'ordre, des règles – il traduira comme il voudra en termes de droit et de traités. C'est un morceau où il n'existe pas de thème mélodique dominant, en Angleterre on le trouve généralement trop mathématique, il manque d'un air qu'on puisse fredonner. Il le sait sans doute. Mais étant donné qu'un Chan n'est pas habitué aux mêmes musiques, le prince risquait d'être dérouté par nos mélodies comme je l'ai été par les leurs.

C'est pourquoi j'ai choisi une œuvre mathématique, universelle : tout le monde peut apprécier la complexité, le charme captivant de l'architecture des sons.

Il y a d'autres choses qu'il pourrait dire, il pourrait expliquer pourquoi il a choisi le quatrième prélude plutôt que le premier. Ce qui est chanté dans le quatrième, c'est l'ambiguïté, dans le premier c'est l'accomplissement. Mieux vaut commencer modeste lorsqu'on veut gagner les faveurs de quelqu'un. Ou peut-être l'a-t-il simplement choisi parce qu'il a si souvent été ému en l'écoutant : ces notes contiennent de l'émotion et, si elle est moins directement accessible que dans d'autres morceaux, elle en est d'autant plus forte.

Le morceau commençait dans les graves, puis, au fur et à mesure qu'il progressait en complexité, les voix de dessus faisaient leur entrée, et Edgar sentait son corps se déplacer vers le haut du clavier et y terminer sa course. Je suis comme les marionnettes que j'ai vues sur scène à Mandalay. Gagnant en confiance au fur et à mesure qu'il jouait, il en oubliait presque la présence du public. Le chant ralentit, c'était fini. Edgar releva la tête et chercha du regard le *sawbwa*, qui disait quelque chose au Moine bleu. Le prince fit signe à Edgar de continuer. A côté de lui, il crut deviner que le docteur souriait. Il reprit donc, d'abord en *ré* majeur, puis en *ré* mineur. Les variations se succédaient, évoluaient chacune vers une autre possibilité, selon la structure même du morceau. Il atteignit les gammes extrêmes, comme les appelait son vieux maître, et Edgar pensa que le terme « extrême » convenait on ne peut mieux à un morceau interprété au fin fond de la jungle. On ne me fera plus croire que Bach n'a jamais quitté l'Allemagne.

Il joua pendant près de deux heures, jusqu'au point, à mi-distance, où l'œuvre contient une pause, comme un abri sur une route solitaire, dans le sillage des prélude et fugue en *si* mineur. A la dernière note, ses doigts s'immobilisèrent sur le clavier, Edgar tourna la tête et balaya la salle du regard.

18

Ma chère Katherine,

Nous sommes en mars, mais je ne suis pas certain de la date exacte. Je t'écris du fort et du village de Mae Lwin, sur les bords de la Salouen, dans les Etats Chan du sud, en Birmanie. Il y a longtemps que je suis arrivé, je te demande pardon de ne pas avoir envoyé de lettre plus tôt. Je suppose que tu dois t'inquiéter de mon silence, car tu t'étais habituée à recevoir les courriers que je t'ai adressés régulièrement jusqu'à mon arrivée ici. Malheureusement, je crains que tu ne lises pas celle-ci de sitôt, car nous n'avons aucun moyen de transmettre le courrier à Mandalay. C'est sans doute pour cette raison que j'ai hésité à prendre la plume, mais il y en a d'autres, certaines que je comprends, d'autres pas. Jusqu'à présent, je t'écrivais toujours pour te confier des impressions, un événement ou une pensée qui me venait. Je me demande donc ce qui m'a retenu, étant donné qu'il s'est passé beaucoup de choses depuis mon arrivée. Toutes mes dernières lettres, me semble-t-il, avaient ceci de commun qu'elles décrivaient quelque chose d'accompli. Il y a plusieurs semaines, je t'ai dit que ce qui m'attristait, c'était l'idée de repartir d'ici avant d'avoir le sentiment d'un aboutissement. Bizarrement, depuis que j'ai quitté Mandalay, j'ai vu plus de choses que je n'aurais cru possible, et j'ai mieux compris ce que je voyais. En même temps, le sentiment d'inachèvement se fait plus aigu. Chaque jour j'attends une forme de réponse, comme un baume, ou de l'eau pour étancher ma soif. Voilà pourquoi j'ai tardé à t'écrire, et la réponse ne vient toujours pas. Donc si je me décide aujourd'hui, c'est parce que vraiment trop de temps a passé. Quand je te reverrai, les événements dont je parle seront dépassés, les impressions défraîchies. D'où peut-être le besoin de mettre des mots sur le papier, même si je risque d'être le seul à les lire.

Je suis assis sous un saule, sur les bords sablonneux de la Salouen. C'est l'un de mes endroits favoris, tranquille, abrité, d'où je peux voir le fleuve et entendre les gens autour de moi. On est à la fin de l'après-midi. Le soleil commence à décliner, le ciel est violet, envahi par les nuages qui annoncent peut-être encore des orages. Les pluies ont commencé depuis quatre jours. Je me souviendrai mieux du moment de leur arrivée que de celui où j'ai quitté Mandalay, car cet instant a marqué un changement radical sur le plateau. Je n'ai jamais rien vu de comparable. Ce que nous appelons pluie en Angleterre n'est que modeste bruine par rapport aux trombes d'eau de la mousson. Le ciel s'ouvre d'un coup et inonde la terre, tout le monde court s'abriter, les chemins se changent en coulées de boue, en rivières, la tornade secoue les arbres, l'eau tombe des feuillages à pleins seaux, rien ne reste sec. Katherine, comme c'est étrange : je pourrais noircir des pages sur ce seul sujet, sur la façon dont tombe la pluie, la taille des gouttes et leur effet sur la peau, son goût, son odeur, son bruit. Oui, rien que le bruit qu'elle fait sur le chaume, les feuilles, le métal, le saule.

Oh, chère âme, comme ce pays est beau ! La forêt a subi un changement incroyable. En quelques jours seulement, les buissons desséchés se sont transformés en une explosion de couleurs. Quand j'ai pris le vapeur de Rangoon à Mandalay, j'ai rencontré de jeunes soldats qui m'ont parlé de Mae Lwin. Sur le moment je restais assez sceptique, mais je sais maintenant que tout était vrai. Le soleil brille très fort. Des brises fraîches s'élèvent du fleuve. L'air est plein de l'odeur du nectar, de celle des épices qu'on met dans les aliments. Quant aux sons, ah, quels sons inouïs ! Les branches du saule pendent si bas que j'aperçois à peine la rivière. J'entends des rires. Si je pouvais traduire le rire des enfants par les vibrations d'une corde, ou les fixer sur le papier ! Mais la musique est impuissante, comme les mots. Je pense à ceux dont nous disposons pour décrire la musique, et à ceux qui manquent pour rendre les tons dans leur diversité infinie. La musique dit beaucoup de choses. Nous n'avons toujours pas trouvé de langage pour transcrire les autres sons, nous ne savons pas les mettre en partitions. Comment me faire comprendre ? A ma gauche, trois garçons jouent sur les bancs de sable avec un ballon qui ne cesse de tomber à l'eau, une jeune Chan lave du linge – peut-être leur mère ou leur sœur –, elle les gronde quand ils partent à la nage chercher leur ballon. Le manège continue entre le ballon qui se sauve et les gosses qui plongent, il y a là une qualité de rire qui ne ressemble à rien d'autre. Voilà des sons qu'on ne peut transcrire pour le piano par des notes et des mesures.

Katherine, comme j'aimerais que tu les entendes, toi aussi. Non, plutôt je voudrais te les rapporter, ne rien oublier. A l'instant, je sens en moi à la fois une tristesse immense et une joie, un désir lancinant, quelque chose qui surgit des tréfonds, une forme d'extase. Je pèse mes mots, c'est vraiment ce que j'éprouve, cela monte en moi, telle l'eau qui sourd d'un puits et mes yeux se remplissent de larmes, comme si j'allais déborder. Je ne sais pas de quoi il s'agit exactement. Mais je n'aurais jamais cru que je pouvais tant recevoir de la pluie qui tombe ou d'enfants qui jouent.

Je me rends compte que ma lettre te paraîtra bizarre. Elle est déjà longue et je ne t'ai presque rien dit de ce que j'ai fait et vu. Je babille comme un enfant. Quelque chose a changé en moi, tu dois t'en apercevoir dans mes phrases. Hier soir, j'ai joué du piano devant un public, et pas n'importe lequel. Ce pourrait être cet événement qui marque le début du changement, mais non. L'évolution s'est faite plus lentement, elle a peut-être même commencé quand j'étais encore en Angleterre. Ce que cela signifie, je n'en sais rien, tout comme je n'arrive pas à déterminer si je suis plus heureux ou plus triste que d'habitude. Le temps perd son sens : ainsi mon retour ne sera pas fixé par le calendrier, mais par le sentiment qu'un certain vide se trouvera rempli. Je rentrerai, bien sûr, car tu es ce que j'ai de plus cher au monde. Mais c'est maintenant seulement que je comprends pourquoi tu tenais à ce que je parte, je me rappelle ce que tu m'as dit avant mon départ. Tout cela a un sens, tu avais raison, bien que j'ignore lequel, et si j'ai ou non accompli ma mission. Pour le moment, je dois rester ici. Oui, je rentrerai, bientôt, demain peut-être. Mais je veux que tu saches pourquoi je suis encore ici. Tu me comprendras, chère âme, je l'espère.

Le jour tombe, on commence même à sentir le froid, car

c'est l'hiver, si bizarre que cela paraisse. Je me demande ce que penserait quelqu'un qui lirait cette lettre. Car en apparence je suis semblable à moi-même, je ne crois pas que quiconque ait pu remarquer un changement en moi. C'est peut-être pour cela que tu me manques tant, tu m'as toujours dit que tu m'entendais, même quand je me taisais.

Je t'écrirai de nouveau, car il y a des choses que je n'ai pas dites, ne serait-ce que par manque de place, d'encre, de lumière.

Je suis, encore et toujours,
ton mari qui t'aime,
Edgar

Il fait encore jour. Il y a des choses qu'il n'a pas dites, Edgar le sait, mais sa plume tremble lorsqu'il l'approche de la page.

Khin Myo se tenait devant le saule, les traits tirés. « Monsieur Drake », dit-elle. Il leva les yeux. « Le Dr Carroll m'a envoyée vous chercher. Venez tout de suite, s'il vous plaît. Il dit que c'est important. »

19

Edgar plia la lettre et suivit Khin Myo, qui resta silencieuse, le quitta à la porte du QG et repartit en hâte. A l'intérieur, il trouva le médecin regardant par la fenêtre. Il se retourna. « Monsieur Drake, asseyez-vous, je vous prie. » Il désigna un siège et s'assit de l'autre côté du bureau où il avait pratiqué l'amputation. « Désolé de vous déranger ce matin, vous aviez l'air en paix au bord de l'eau. Et certes vous méritez plus que personne un moment de repos. Vous avez joué magnifiquement.

— C'était un morceau technique.

— Non, bien plus.

— Et le *sawbwa* ? demanda Edgar. J'espère qu'il a aimé aussi. » Le prince était reparti le matin même, somptueusement installé sur un trône à dos d'éléphant. Ses paillettes scintillaient dans la verdure de la jungle. Il était flanqué de cavaliers montés sur des poneys dont on avait teint la queue en rouge.

« Charmé. Il voulait vous entendre encore. Mais je lui ai expliqué qu'il se présenterait de meilleures occasions pour cela.

— Avez-vous obtenu le traité dans les termes que vous désiriez ?

— Je n'en sais rien. Je n'en ai pas encore fait la demande. Avec les princes, on ne procède pas de manière directe. Je lui ai simplement exposé notre position, nous avons partagé un repas et vous avez joué. Pour l'acte suivant, si l'on peut dire, on devra attendre l'approbation des autres princes. Avec le soutien du *sawbwa*, nos chances sont meilleures. » Le médecin se pencha. « Je vous ai fait appeler ici pour vous demander encore un service.

— Mon Dieu, docteur, pas un autre concert...

— Non, non, rien à voir avec les pianos, il s'agit purement de guerre. Demain soir, une rencontre est prévue entre les princes Chan à Mongpu, au nord. Je veux que vous m'y accompagniez.

— Vous accompagner ? Mais à quel titre ?

— Pour me tenir compagnie, voilà tout. C'est à une demi-journée d'ici. La réunion ne devrait durer qu'un jour ou une nuit, suivant l'heure où elle commencera. Nous irons là-bas à cheval. Faites au moins le voyage avec nous – c'est l'un des parcours les plus spectaculaires des Etats Chan. »

Le médecin ne lui laissa pas le temps de refuser. « Nous partirons cet après-midi. » Une fois dehors, Edgar se rendit compte que Carroll ne l'avait pas invité à sortir du camp une seule fois depuis leur excursion dans le ravin qui chantait.

Il passa le reste de la matinée au bord de l'eau à réfléchir ; la soudaineté du départ et l'urgence qu'il avait sentie dans la voix du médecin le perturbaient. Il pensa à Khin Myo et à leur promenade sous la pluie. Peut-être ne veut-il pas nous laisser seuls ensemble. Edgar chassa aussitôt cette pensée. Non, il y a autre chose. Mais rien qu'il puisse me reprocher.

Les nuages apparurent. Dans la Salouen, les femmes battaient toujours le linge contre les rochers.

Ils partirent au début de l'après-midi. Pour la première fois depuis l'arrivée d'Edgar, le médecin portait son uniforme d'officier : une veste écarlate à brandebourgs noirs, sur laquelle un insigne en or indiquait son grade. Il avait fière allure, les cheveux bien coiffés, huilés. Khin Myo vint leur dire au revoir, Edgar ne la quitta pas des yeux pendant qu'elle parlait au médecin dans un mélange de birman et d'anglais. Carroll l'écouta, puis il prit la boîte de sardines dans sa poche de poitrine et choisit un petit cigare. Khin Myo se retourna vers Edgar avec un regard sans expression, comme si elle ne le voyait pas. Les poneys étaient brossés et pansés, mais on avait enlevé les fleurs de leurs crinières.

Ils sortirent du camp accompagnés de Nok Lek et de quatre autres Chan montés eux aussi sur des poneys. Tous portaient des carabines. Ils suivirent la piste principale jusqu'à la crête, puis bifurquèrent vers le nord. C'était une belle journée, rafraîchie par les pluies récentes. Le médecin avait posé son casque colonial sur sa selle et il fumait pensivement au rythme de la marche.

Edgar, silencieux, réfléchissait à sa lettre pour Katherine, rangée dans un coin de sa malle.

« Vous êtes bien muet aujourd'hui, monsieur Drake, dit le médecin.

— Je rêvasse. J'ai écrit à ma femme pour la première fois depuis mon arrivée à Mae Lwin. Je lui ai parlé du concert, du piano.

— C'est bizarre, murmura Carroll.

— Qu'est-ce qui est bizarre ?

— Votre passion pour l'Erard. Vous êtes le premier Anglais qui ne m'ait pas demandé pourquoi je voulais avoir un piano à Mae Lwin. »

Edgar se redressa. « Pourquoi ? Oh, pour moi, ça n'a jamais été un mystère. Je ne connais pas un endroit qui soit plus digne de ce piano. » Il retomba dans le silence. « Non, reprit-il. Ce qui m'étonne davantage, c'est la raison pour laquelle moi je suis ici. »

Le médecin lui lança un regard de côté. « Je croyais que le piano et vous, vous étiez inséparables. » Il rit, imité par Edgar.

« Non, non... Mais je comprends qu'on puisse le penser. N'empêche que, soyons sérieux... voilà des jours que j'ai terminé ma mission. Est-ce que je n'aurais pas déjà dû repartir ?

— C'est à vous de répondre à cette question. » Le médecin tapota les cendres de son cigare. « Je ne vous ai pas retenu.

— Non. Mais vous ne m'avez pas non plus encouragé à repartir. Je m'attendais que vous me donniez congé dès que le piano serait accordé. Rappelez-vous que ma présence représente "un risque certain" – je crois que ce sont vos propres termes.

— J'apprécie votre compagnie, monsieur Drake. Le risque en vaut la peine.

— Pour parler musique ? Vous m'en voyez flatté, mais est-ce bien la raison ? Et puis il y a d'autres personnes qui connaissent la musique bien mieux que moi. En Inde, à Calcutta, même en Birmanie. Si c'est simplement pour le plaisir de la conversation, vous avez des naturalistes, des anthropologues. Pourquoi moi ? Tant d'autres feraient l'affaire.

— Il y en a eu.

— Vous voulez dire des visiteurs ?

— Depuis douze ans que je suis ici, j'ai reçu des naturalistes, et des anthropologues, comme vous dites. Ils ne sont jamais restés, sinon le temps de recueillir des spécimens ou de prendre des croquis, de discuter telle ou telle théorie, d'assimiler la biologie, la culture ou l'histoire des Etats Chan. Bien vite ils rentraient chez eux.

— J'ai peine à le croire. Un endroit aussi enchanteur...

— Vous répondez vous-même à votre question, monsieur Drake. »

Ils s'arrêtèrent en haut d'une colline pour observer un vol d'oiseaux.

« Il y a un accordeur de piano à Rangoon, un missionnaire, dit Carroll lorsqu'ils eurent repris leur marche. Je le savais bien avant de vous faire venir. L'armée ignore qu'il accorde les pianos, mais moi j'ai fait sa connaissance il y a longtemps. Il serait venu si je le lui avais demandé.

— Ce qui aurait épargné bien des efforts à tout le monde !

— Exact. Il serait venu, il serait reparti aussitôt. Je préférais quelqu'un pour qui ce serait une expérience nouvelle. Ne vous méprenez pas : ce n'était pas là mon intention première.» Il agita son cigare. « Non, je voulais d'abord que mon piano soit accordé par le meilleur accordeur de pianos Erard de Londres. Cette demande, je le prévoyais, obligerait l'armée à reconnaître combien elle dépend de moi. Je la forçais ainsi délibérément à admettre que mes méthodes marchent et qu'on peut obtenir la paix grâce à la musique aussi bien que par la force. De plus, la personne qui se donnerait la peine d'entreprendre le voyage jusqu'ici serait à coup sûr quelqu'un qui partagerait ma foi dans la musique.

— Et si j'avais refusé ? Vous ne me connaissiez pas, vous ne pouviez être sûr de rien.

— Quelqu'un d'autre se serait présenté, un visiteur, peut-être le missionnaire de Rangoon. Et ils seraient rentrés chez eux au bout de quelques jours.»

Le médecin porta le regard au loin. « Vous n'avez jamais pensé à rentrer chez vous ? demanda Edgar.

— Moi ? Si, bien sûr. Je pense toujours à l'Angleterre avec beaucoup d'affection.

— Vraiment ?

— Mais oui. C'est mon pays.

— Pourtant, vous restez ici.

— Trop de choses m'y retiennent, des projets, des expériences, toutes sortes d'entreprises. Je ne l'avais pas prévu ainsi. J'étais venu pour travailler. L'idée de faire autre chose m'avait à peine effleuré. Ou peut-être, plus simplement, je ne pars pas parce que j'appréhende de passer la main à quelqu'un d'autre. On risquerait... le coup de force.» Il marqua un temps, puis enleva son cigare de sa bouche, suivit des yeux la fumée qui s'en échappait. « A certains moments, le doute me saisit.

— A quel sujet ? Au sujet de la guerre ?

— Non, je m'exprime mal. Je ne remets pas en question ce que j'ai fait ici. Je sais que j'ai eu raison. Mais j'ai peur d'avoir raté quelque chose. » Il roula son cigare entre ses doigts. « Je vous écoute, j'écoute la façon dont vous parlez de votre femme. J'ai eu une femme, moi aussi. Et une fille – un bébé que je n'ai gardé qu'un jour. Selon un adage Chan, lorsque les gens meurent, c'est qu'ils ont accompli ce qu'ils avaient à faire. Ils sont devenus trop bons pour ce monde. C'est à elles que je pense quand je l'entends citer.

— Je suis désolé, dit Edgar. Le colonel m'avait renseigné. Mais je ne me sentais pas le droit de vous demander...

— Vous êtes très délicat. Excusez-moi. Ces tristes pensées remontent bien loin. » Il se redressa sur sa selle. « Vous m'avez demandé pourquoi je reste ici. C'est une question difficile. Et si les raisons que je vous ai données n'étaient que des prétextes ? Je reste peut-être tout simplement parce que je ne peux pas partir. » Carroll replaça son cigare entre ses lèvres. « Une fois, j'ai essayé. Peu après mon installation à l'hôpital de Rangoon, un autre médecin militaire est arrivé avec son bataillon pour un séjour d'un an avant de se rendre dans le Nord. Je n'étais pas retourné en Angleterre depuis des années, et on m'a proposé un congé de quelques mois. J'ai loué une couchette sur un vapeur de Rangoon à Calcutta, où j'ai pris le train pour Bombay.

— C'est le trajet que j'ai fait moi-même.

— Alors vous savez comme c'est magnifique. Ce voyage-là fut des plus fabuleux. Nous n'étions pas à cinquante kilomètres de Delhi que le train s'arrêta devant un petit dépôt d'approvisionnement. Je vis un nuage de poussière s'élever au-dessus du désert. C'était une caravane de cavaliers en qui je reconnus des bergers du Rajasthan. Les femmes étaient vêtues de voiles chatoyants qui, malgré la poussière, jetaient des éclats de pourpre. Ils étaient sans doute poussés par la curiosité à venir voir le train de plus près. Ils montraient du doigt les roues, la locomotive, les passagers s'exprimaient dans une langue que je ne comprenais pas. Fasciné par toutes ces couleurs, absorbé par mes pensées, je pris le vapeur pour l'Angleterre. Mais quand le bateau atteignit Aden, je débarquai et sautai dans le premier vapeur qui retournait à Bombay, et de là, dans le premier train pour Calcutta. Une semaine plus tard, j'avais repris mon poste à Pegu. Je ne sais toujours pas exactement pourquoi la vue de cette caravane m'a fait rebrousser chemin. Mais l'idée de retrouver les rues sombres de Londres m'a paru tout bonnement insupportable. Je ne voulais surtout pas faire partie de ces anciens combattants qui rasent tout le monde avec leurs interminables histoires de contrées exotiques.» Carroll aspira une grande bouffée. «Je vous ai dit que je traduisais l'*Odyssée*. J'ai toujours lu cette œuvre comme le récit tragique des efforts d'Ulysse pour rentrer chez lui. Maintenant, je comprends de mieux en mieux l'interprétation de Dante et de Tennyson : Ulysse n'était pas perdu, mais après toutes les merveilles qu'il avait vues, il n'avait plus envie de revenir chez lui.

— Ce que vous dites me rappelle une histoire que j'ai entendue récemment, dit Edgar.

— Oui ?

— Il y a environ trois mois, quand j'ai quitté l'Angleterre, j'ai rencontré un homme sur le bateau qui traversait la mer Rouge. Un vieil Arabe.

— L'Homme-d'un-seul-récit.

— Vous le connaissez ?

— Bien sûr. Je l'ai connu lorsque j'étais à Aden. J'ai entendu beaucoup de gens évoquer son récit. Une histoire de guerre, un soldat s'en souvient toujours.

— Une histoire de guerre ?

— Pendant des années, on m'a répété la même histoire. Je pourrais presque vous la réciter, tant les images de Grèce se sont imprimées dans mon esprit. Il se trouve que l'histoire est vraie. Son frère et lui étaient encore enfants lorsque leurs parents furent tués par les Ottomans, et ils ont travaillé comme espions pendant la guerre d'indépendance. J'ai rencontré un ancien combattant qui avait entendu parler des deux frères, de leur bravoure. Tout le monde réclame cette histoire. On pense qu'elle porte bonheur, qu'elle rend vaillant au combat. »

Edgar interrogea le médecin du regard. « La Grèce, dites-vous... ?

— Oui, pourquoi ?

— Vous êtes certain qu'il s'agissait de la guerre d'indépendance des Grecs ?

— Bien sûr. Vous vous étonnez que je m'en souvienne après tant d'années ?

— Non, non, pas du tout. Moi aussi je m'en souviens comme si c'était hier. Moi aussi, je pourrais presque la réciter par cœur.

— Alors, qu'est-ce qui vous dérange ?

— Rien, répondit Edgar pensivement. Je repensais à cette histoire, voilà tout. » Mais, intérieurement, il se demandait si le récit avait été différent pour lui spécialement. Je ne peux pas l'avoir rêvé de bout en bout.

Le groupe traversa un bosquet d'arbres qui portaient de longues cosses produisant un bruit de crécelle. Le médecin reprit la parole. « Vous me disiez que l'Homme-d'un-seul-récit vous rappelait quelque chose...

— Oh... » Edgar se pencha pour ramasser une cosse. Il la fit craquer et les graines sèches s'éparpillèrent dans ses mains. « C'est sans importance. Ce n'est qu'une histoire, en somme.

— Oui, monsieur Drake. » Il posa sur l'accordeur un regard interrogateur... « Rien que des histoires... »

Le soleil était presque à son coucher lorsqu'ils arrivèrent en haut d'une colline, en vue d'un groupe de cabanes. « Mongpu », annonça le médecin. Ils s'arrêtèrent près d'un sanctuaire poussiéreux. Edgar regarda Carroll descendre de sa monture et déposer une pièce de monnaie au pied d'une niche qui contenait l'icône d'un esprit.

Ils entamèrent la descente. Les sabots des poneys pataugeaient dans la boue. Les moustiques firent leur apparition, des nuées de moustiques, comme des ombres qui inlassablement se fragmentaient et se reformaient.

« Quelles affreuses bêtes », s'écria le médecin en agitant le bras pour les chasser. Il sortit une fois de plus la boîte de sardines de sa poche. « Je vous recommande un cigare, monsieur Drake. La fumée les tiendra à distance. » Encore sous le coup de son attaque de malaria, Edgar accepta. Le médecin alluma lui-même le cigare et le lui tendit. Il avait un goût troublant, enivrant.

« Il faut sans doute que je vous explique un peu en quoi consiste cette rencontre, dit Carroll lorsqu'ils reprirent leur progression. Comme vous l'avez lu, depuis l'annexion de Mandalay, une résistance active s'est organisée sous le nom de confédération de Limbin.

— Nous en avons parlé lors de la visite du *sawbwa* de Mongnai.

— En effet. Mais il reste un point. Depuis deux ans, je suis en pourparlers suivis avec les *sawbwas* de la confédération. »

Edgar ôta son cigare de sa bouche. « Vous avez écrit que personne ne les avait rencontrés...

— Je sais ce que j'ai écrit et ce que je vous ai dit. Mais j'avais mes raisons. Comme vous le savez probablement, à l'époque où votre bateau faisait route quelque part dans l'océan Indien, des troupes ont été rassemblées à Hlaing-det sous les ordres du colonel Stedman : des compagnies du régiment du Hampshire, une compagnie de gurkhas, des sapeurs de Bombay, conseillés par George Scott, ce qui m'a donné l'espoir qu'on éviterait la guerre proprement dite ; c'est un ami proche, et je ne connais personne d'aussi sensible que lui aux problèmes locaux. Mais depuis janvier, nos forces combattent activement près de Yawnghwe. Le préfet de police est convaincu que la force seule nous assurera le contrôle des Etats Chan. Mais je pense, moi, grâce aux ouvertures du *sawbwa* de Mongnai, qu'on peut parvenir à la paix par la négociation.

— Est-ce que l'armée est au courant de cette rencontre ?

— Non, monsieur Drake, et c'est ce que je vous demande de comprendre. Elle y serait très hostile, car elle ne fait pas confiance aux princes. Je vais exprimer les choses brutalement : nous contrevenons très directement – vous, maintenant, et moi – aux ordres militaires. » Il laissa les mots faire leur effet. « Je dois encore ajouter quelque chose. Nous avons brièvement parlé d'un dacoit Chan, un prince du nom de Twet Nga Lu, connu sous le nom de Chef des bandits. Il a commencé par s'emparer de l'Etat de Mongnai, mais il se contente maintenant de terroriser les villages que dirige le vrai *sawbwa* de Mongnai. Rares sont ceux, dit-on, qui l'ont vu en personne. Ce qu'on ne vous a pas dit car on l'ignore, c'est que j'ai rencontré personnellement le Chef des bandits à plusieurs reprises. »

Il écarta de la main un essaim de moustiques. « Il y a quelques années, avant la révolte, Twet Nga Lu a été mordu par un serpent. Un de ses frères, qui commerce de temps en temps à Mae Lwin, savait que nous n'étions qu'à quelques heures par la rivière. Il m'a amené le malade, je lui ai administré un cataplasme d'herbes locales que je tenais d'un guérisseur du village. Il était presque inconscient lorsqu'il est arrivé, et à son réveil, voyant mon visage, il s'est cru prisonnier. Sa colère a été telle que son frère a dû le retenir et lui expliquer que je lui avais sauvé la vie. Il a fini par se calmer. Intrigué par le microscope, il a demandé à quoi ça servait. Il n'a pas cru à mes explications. Alors j'ai glissé une plaque préparée pour examiner une goutte d'eau prélevée dans une mare, et je l'ai invité à regarder. Au début, il était tout embarrassé, il fermait le bon œil, ouvrait l'autre, tant et si bien qu'il était prêt à jeter le microscope par terre. C'est alors que le miroir incliné, réfléchissant la lumière du soleil, lui présenta l'image de ces minuscules bestioles que tout écolier anglais connaît. L'effet fut foudroyant. Il réintégra aussitôt son lit, en marmottant que j'avais sûrement des pouvoirs magiques puisque je pouvais faire apparaître des monstres surgis de l'eau d'une mare. Qu'est-ce qui allait se passer s'il me prenait l'idée de les laisser sortir de l'instrument ! De ce moment, il me crut détenteur d'une sorte de puissance, que les Chan ne pensaient appartenir qu'à leurs amulettes.

« Je me garde bien de le détromper. Depuis, il est revenu plusieurs fois me rendre visite, demandant à voir le microscope. Il est très intelligent et fait des progrès rapides en anglais, comme s'il avait compris qui est son nouvel ennemi. Même si je ne peux pas encore lui faire confiance, il semble maintenant admettre que je ne nourris pas de desseins hostiles à Kengtawng. Au mois d'août, l'année dernière, comme il semblait de plus en plus perturbé, il m'a demandé si je pouvais d'une façon ou d'une autre bloquer la signature d'un traité avec la confédération de Limbin. Puis il a disparu pendant trois mois. J'ai de nouveau entendu parler de lui au cours d'une réunion des services de renseignements concernant l'attaque d'un fort près du lac Inle.

— A la suite de quoi il a attaqué Mae Lwin, continua Edgar. On me l'a raconté à Mandalay. »

Il y eut un long silence. « Non, non, il n'a pas attaqué Mae Lwin, reprit Carroll posément. Le jour de l'assaut, j'étais avec Twet Nga Lu – ce que Mandalay ignore. D'après les villageois, il s'agissait des Karen, une autre tribu. Je n'en ai pas fait état, car l'armée n'aurait pas manqué d'envoyer ses troupes, et c'était bien la dernière chose que nous voulions. » Le débit de Carroll s'accéléra. « Je vous ai informé à titre strictement confidentiel, et maintenant, je dois vous demander votre aide. Nous serons bientôt à Mongpu. La rencontre entre Twet Nga Lu et le *sawbwa* de Mongnai est la première depuis longtemps. S'ils ne parviennent pas à régler leur différend, leur combat ne cessera qu'à la mort de l'un d'entre eux, et nous serons forcés de faire intervenir l'armée. Certes, au ministère de la Guerre, beaucoup se lassent de la paix qui règne depuis l'annexion et ne rêvent que de reprendre les armes. Ils saboteront la moindre chance de paix. Jusqu'à la signature du traité, personne ne doit connaître ma présence ici.

— Je ne vous ai jamais entendu parler de la guerre avec une telle franchise.

— Je sais. Mais il y a des raisons. Pour la confédération de Limbin, j'obéis aux ordres de mes supérieurs dans l'armée anglaise. S'ils me savent seul, ils n'auront plus peur de moi. Voilà pourquoi aujourd'hui, si on vous pose la question, vous êtres le lieutenant-colonel Daly, officier civil de la colonne Chan du nord, en poste à Maymyo, et vous représentez M. Hildebrand, intendant militaire des Etats Chan.

— Mais le *sawbwa* de Mongnai m'a vu jouer du piano.

— Il est au courant et d'accord pour garder le secret. Ce sont les autres que je dois convaincre.

— Vous ne m'avez pas prévenu avant de partir, protesta Edgar qui sentait la colère monter.

— Vous ne seriez pas venu.

— Je suis désolé, docteur. Je ne peux pas accepter.

— Monsieur Drake...

— Docteur, je ne peux pas accepter. M. Hildebrand est...

— M. Hildebrand n'en saura jamais rien. Vous n'aurez rien à faire, rien à dire.

— Mais je ne peux pas. C'est de l'insoumission. C'est...

— Monsieur Drake, j'espérais qu'au bout de près de trois mois passés à Mae Lwin, vous comprendriez. Que vous m'aideriez. Que vous n'étiez pas comme les autres.

— Docteur, compter sur un piano pour instaurer la paix est une chose. Une autre est de signer des traités sans autorisation, d'usurper l'identité d'un officier, de braver les ordres de la reine. Il y a des règles, des lois...

— Monsieur Drake, vous avez commencé à les enfreindre en venant à Mae Lwin sans autorisation. Vous êtes maintenant considéré comme manquant à l'appel, peut-être déjà comme suspect.

— Suspect ! Mais de quoi...

— A votre avis ?

— Je refuse de jouer à vos devinettes. Je compte retourner à Mandalay d'un jour à l'autre. » Il ajusta fermement ses rênes.

« De là où nous sommes ? Vous ne pouvez pas revenir sur vos pas. D'ailleurs, je le sais aussi bien que vous, vous n'envisagez pas de retourner à Mandalay. »

Edgar secoua la tête avec colère. « C'est dans ce but que vous m'avez appelé à Mae Lwin ? » La nuit était tombée et Edgar scrutait le visage du médecin, éclairé par le rougeoiement de son cigare.

« Non, monsieur Drake, je vous ai appelé pour accorder un piano. Mais les situations évoluent. Ne l'oubliez pas, nous sommes en guerre.

— Et je marche au combat totalement désarmé.

— Désarmé ? Loin de là, mon ami. Vous êtes avec moi. Ne sous-estimez pas mon importance. »

Le poney d'Edgar agita les oreilles pour chasser les moustiques qui vrombissaient autour de sa tête. Sa crinière frémit.

Une voix s'éleva, un peu plus loin sur la route. Un homme à cheval s'approcha d'eux.

« Bo Naw, mon ami ! » s'écria Carroll.

Sur sa selle, l'homme s'inclina légèrement. « Docteur Carroll, les princes sont tous là, avec leurs armées. On n'attend plus que vous. »

Carroll regarda l'accordeur, qui lui rendit son regard. L'ombre d'un sourire passa sur les lèvres du médecin. Edgar reprit ses rênes en main, le visage impassible.

Carroll cala sur sa tête son casque colonial, dont il serra la jugulaire comme un militaire. Il lança son cigare en l'air, où il décrivit avant de tomber une trajectoire dorée. Puis il siffla.

D'abord, Edgar ne bougea pas. Puis, poussant un profond soupir, à son tour il jeta son cigare par terre.

Dans une obscurité presque totale, ils galopèrent sur une piste bordée de pierres. Au loin Edgar aperçut la lueur de torches. Ils traversèrent un barrage rudimentaire, passèrent devant la silhouette estompée des gardes. Bientôt ils gravirent une côte qui les mena jusqu'à un fort masqué par un bouquet d'arbres, masse sombre dans le noir.

Le fort était un bâtiment en longueur, peu élevé, entouré par une palissade de bambous taillés en pointe. Plusieurs éléphants étaient attachés au mur. Des gardes armés saluèrent les cavaliers qui s'arrêtèrent à l'entrée de la palissade. Une sentinelle émergea dans la lumière des torches et scruta les visiteurs d'un œil soupçonneux. Edgar examina le fort. Des hommes étaient postés tout le long de l'allée qui menait au bâtiment. Edgar vit vaguement briller des lances, des coutelas, des carabines. « Qu'est-ce que c'est ? murmura-t-il.

— Leurs armées. Chaque *sawbwa* a amené ses propres troupes. »

Bo Naw prononça quelques mots en chan. Le garde s'approcha et prit les rênes des poneys. Les Anglais mirent pied à terre, franchirent la palissade.

Tandis qu'ils avançaient à l'intérieur de l'enceinte, Edgar devinait des mouvements autour d'eux et, l'espace d'un instant, il se demanda s'ils n'étaient pas tombés dans un piège. Mais les hommes se prosternèrent les uns après les autres devant le médecin, comme une vague qui roule. Les dos étaient luisants de sueur, les armes cliquetaient.

Carroll avançait d'un pas vif et Edgar le rattrapa à la porte. Au milieu des marches, il se retourna pour saisir d'un coup d'œil le dos des guerriers, la palissade hérissée et la forêt au-delà. Les grillons stridulaient. Dans son esprit résonnait maintenant l'écho d'un seul mot. A l'entrée la sentinelle avait salué Carroll non du titre de « docteur », ou de « major », mais par celui de « Bo », le terme Chan réservé aux chefs militaires. Carroll glissa son casque sous son bras. Ils pénétrèrent à l'intérieur du fort.

Plongés dans une obscurité quasi totale, il leur fallut un moment pour distinguer les silhouettes mouvantes des princes, assis en demi-cercle, vêtus des plus somptueux habits qu'Edgar ait jamais vus en Birmanie, des costumes aussi chamarrés que ceux des marionnettes du *yôkthe pwè* : vestes ornées de paillettes, épaulettes de brocart, couronnes en forme de pagodes. A leur entrée, les conversations s'interrompirent. Dans un profond silence, Carroll conduisit Edgar devant deux coussins libres. Derrière chacun des princes, des hommes se tenaient debout, à peine éclairés par la lueur dansante de petites torches. L'un des princes, un homme d'un certain âge à la moustache soignée, rompit le silence en se lançant dans un assez long discours. Lorsqu'il eut terminé, Carroll lui répondit. A un moment, il désigna du doigt l'accordeur de piano qui distingua les mots : « Daly », « lieutenant-colonel », « Hildebrand », sans comprendre l'ensemble de la phrase.

Après l'intervention de Carroll, un autre prince prit la parole. Le médecin se tourna vers Edgar. « Tout va bien, colonel. Votre présence est acceptée. »

La réunion proprement dite commença. Plongé dans ce monde nocturne où se mêlaient les robes somptueuses, la lueur des bougies et une litanie de langues étranges, Edgar se sentit bientôt gagné par un demi-sommeil, où la scène prenait le caractère d'un rêve. Un rêve dans un rêve, se disait-il tandis que ses paupières s'alourdissaient. Au fond, peut-être que je rêve depuis Aden. Autour de lui, les princes semblaient flotter sur un coussin d'air. Carroll s'adressait à lui lors de brefs intervalles dans la conversation. « L'homme qui parle est Chao Weng, le *sawbwa* de Lawksawk ; à côté, se trouve Chao Khun Kyi, le *sawbwa* de Mongnai, que vous reconnaissez, je suppose. Ensuite, vous avez Chao Kawng Tai de Kengtung, venu de fort loin pour être avec nous aujourd'hui. Puis Chao Khun Ti, de Mongpawn. Et enfin Twet Nga Lu. »

Edgar répéta, incrédule : « Twet Nga Lu ? » Mais Carroll était déjà repris par la conversation, laissant Edgar ébahi, les yeux ronds devant cet homme dont il entendait parler depuis son voyage en vapeur. Cet homme dont on disait même qu'il n'existait pas, qui avait échappé à des centaines d'attaques de la part des Anglais. Cet homme qui était peut-être l'un des derniers à opposer une résistance à l'impérialisme de l'Angleterre. Fasciné, Edgar ne le quittait pas des yeux. Il y avait chez le Chef des bandits quelque chose qu'il reconnaissait sans pouvoir le définir. C'était un homme de petite taille, avec un visage aux traits pleins, même dans la lumière des bougies qui accusait les angles. Edgar ne remarqua sur lui aucun tatouage ou talisman. L'homme s'exprimait avec une assurance intimidante, un demi-sourire qui contenait comme une menace. Il parlait peu, mais dès qu'il ouvrait la bouche, le silence se faisait. Edgar comprit soudain ce qui lui était familier dans cet homme, ou, sinon dans l'homme lui-même, dans son autorité tranquille, son côté insaisissable. Il avait observé la même chose chez Anthony Carroll.

Ainsi, dans son rêve peuplé de princes Chan, un nouveau personnage surgissait, un homme qu'Edgar croyait reconnaître mais qui lui semblait en même temps tout aussi impénétrable que les *sawbwas* en cercle devant lui, ces hommes qui parlaient une langue étrange et tenaient dans la crainte et le respect les tribus de tout le pays. Edgar se retourna vers le médecin, cherchant à retrouver en lui le pianiste, le botaniste passionné de fleurs inconnues, le lecteur d'Homère dans le texte. Mais il n'entendait qu'une langue aux tonalités indéfinissables, que même un homme qui maîtrisait la complexité des notes de musique ne pouvait comprendre. Et pendant un bref instant terrifiant, à la lueur vacillante des bougies qui animait son visage, Edgar crut discerner chez le médecin les pommettes hautes, le front étroit et l'intensité de regard qui distinguent les Chan parmi toutes les autres tribus.

Cette vision ne dura que l'espace de quelques secondes et, aussi vite qu'elle était venue, elle s'évanouit. Anthony Carroll était toujours Anthony Carroll. Il se pencha vers son compagnon, le perçant du regard. « Vous tenez le coup, mon vieux ? Quelque chose ne va pas ?

— Oui, je tiens le coup, répondit Edgar. Tout va très bien. »

La réunion se prolongea jusqu'à l'aube, à l'heure où des rais de soleil commencèrent à s'infiltrer à travers les chevrons. Edgar se demanda s'il avait dormi lorsqu'il prit conscience qu'on bougeait autour de lui. Il vit un prince, puis un autre se lever et sortir en s'inclinant au passage devant les Anglais. Tandis que le reste de l'assemblée se dispersait, il y eut encore divers échanges de politesses, et Edgar nota que la lumière du jour transformait les costumes en déguisements risibles, d'une grandiloquence qui semblait parodier la noblesse et la dignité de ceux qui les portaient. Imitant Carroll, il se leva et suivit les princes. Une voix derrière lui l'arrêta. Il se retourna pour se trouver face à Twet Nga Lu.

« Je sais qui vous êtes, monsieur Drake », dit le Chef des bandits Chan dans un anglais appliqué avec une ombre de sourire. Il ajouta quelque chose en chan et leva ses deux paumes ouvertes. Edgar recula d'un pas, brusquement pris de peur. Twet Nga Lu, qui s'était mis à rire franchement, baissa les mains et fit avec ses doigts le geste de pianoter.

Edgar jeta un coup d'œil de côté pour voir si Carroll avait suivi la scène, mais le médecin était en pleine conversation avec un autre prince. Quand Twet Nga Lu passa près de lui, Edgar vit les deux hommes s'affronter du regard. Ce fut un échange fort bref, puis Twet Nga Lu sortit, aussitôt suivi d'un groupe de guerriers Chan qui fermaient le ban.

Sur le chemin du retour, les deux hommes parlèrent peu. Le médecin gardait les yeux fixés au loin sur la brume qui enveloppait la route. Edgar, l'esprit troublé, alourdi de fatigue, aurait voulu poser des questions sur la réunion, mais le médecin semblait inaccessible. Il ne s'arrêta que quelques secondes pour montrer du doigt un groupe de fleurs rouges au bord de la piste. Pendant tout le reste du voyage il resta silencieux. Le ciel s'assombrissait, le vent qui se levait frappait de plein fouet les rochers isolés autour de la route plate. Ce n'est que lorsqu'ils gravirent la côte qui surplombait Mae Lwin que Carroll s'adressa à l'accordeur :

« Vous ne m'avez pas demandé ce qui s'était passé à la réunion.

— Excusez-moi, dit Edgar prudemment. Je suis un peu fatigué, voilà tout.

— Cette nuit, j'ai reçu la reddition conditionnelle à la fois de la confédération de Limbin et de Twet Nga Lu. Ils ont promis de mettre fin à leur résistance au gouvernement britannique dans un délai d'un mois si en retour Sa Majesté la reine leur garantit l'autonomie. La révolte est terminée. »

20

Ils atteignirent le camp peu après midi. Quelques boys venus à leur rencontre se chargèrent des poneys. Le camp était plongé dans un silence presque angoissant. Edgar s'attendait à des proclamations, de l'agitation, quelque chose qui témoigne de l'événement qu'il ressentait, lui, comme un moment historique. Troublé, il dut pourtant constater qu'on ne procédait qu'aux salutations habituelles. Le médecin disparut et Edgar regagna sa chambre. Il s'endormit sans avoir enlevé ses habits de voyage.

Il se réveilla à minuit, en sueur, désorienté, rêvant qu'il était encore à cheval, de retour de Mongpu. Peu à peu il reconnut les murs de sa chambre, la moustiquaire, sa sacoche, la pile de papiers, ses outils d'accordeur, et enfin son cœur reprit un rythme normal.

Impossible de se rendormir. Etait-ce la pensée du médecin qui l'obsédait, ou ce rêve d'un voyage sans fin, ou seulement qu'il avait dormi depuis le début de l'après-midi ? Il avait chaud, il se sentait sale, oppressé, il mourait de soif. Je suis peut-être de nouveau malade. Il repoussa la moustiquaire et courut jusqu'à la porte. Dehors, l'air était frais, il respira profondément et s'efforça de retrouver son calme.

C'était une nuit tranquille. Un fin croissant de lune passait entre d'incertains nuages de pluie. En bas, la Salouen charriait ses flots noirs. Edgar descendit les marches, traversa le camp silencieux. Même la sentinelle de garde était endormie, assise devant sa guérite, la tête rejetée en arrière et appuyée contre le mur.

Edgar sentait la terre rouler sous ses pieds nus. Il contourna le massif de fleurs et, sur la plage, accéléra le pas, sans s'arrêter il arracha sa chemise, toucha l'eau du bout des pieds et plongea.

L'eau était fraîche, adoucie par l'argile en suspension. Edgar émergea et fit la planche. En amont, des rochers barraient le courant, provoquant des remous qui battaient contre le rivage. Edgar se laissa porter au fil de l'eau.

Il finit par sortir et, debout sur la berge, remit ses vêtements sur son corps mouillé, s'aventura au milieu des rochers et atteignit la grande pierre plate d'où les pêcheurs jetaient leurs filets. Il s'allongea sur le dos. La pierre conservait un peu de la tiédeur du jour.

Il avait dû s'endormir, car sans avoir entendu personne arriver, il perçut un clapotis. Qui pouvait bien se rendre en pèlerinage au bord de l'eau à cette heure de la nuit ? Peut-être le jeune couple que j'ai surpris l'autre jour, se dit-il. Doucement, sans bruit pour ne pas révéler sa présence, il se tourna sur le côté et observa la berge.

Une femme aux longs cheveux noués sur le sommet de la tête, à genoux, se lavait les bras, recueillant l'eau dans ses mains pour la faire couler sur sa peau. Elle portait sa *hta main* : même dans la solitude, son bain restait pudique, comme si elle craignait le regard lubrique des chouettes. La *hta main* mouillée par l'eau de la rivière moulait son corps jusqu'à la courbe des hanches.

Il savait déjà qui elle était avant qu'elle se retourne et le voie. Ils s'immobilisèrent, conscients tous deux de cette mutuelle violation de leur intimité, saisis par la sensualité de la rivière et de la nuit. Elle ramassa prestement ses vêtements, son savon, et fila d'un trait par le sentier.

Les nuages bougèrent. La lune reparut. Edgar revint sur la berge. Sur le sable luisait un peigne d'ivoire.

Tandis que le docteur Carroll repartait pour une autre « mission diplomatique », Edgar reprit le travail sur le piano. Avec l'arrivée des pluies, la table d'harmonie avait gonflé. Changement imperceptible, sauf pour un accordeur.

Pendant deux jours, Edgar garda le peigne. Lorsqu'il était seul, il le sortait et l'examinait, passant les doigts sur les quelques cheveux noirs restés pris dans les dents d'ivoire. Il savait qu'il devait le lui rendre, mais il retardait ce moment, incapable de se décider, attendant il ne savait quoi. Et plus il prolongeait son silence, plus poignant était le sentiment d'intimité qu'il ressentait à chaque bref échange de conversation avec elle quand, inévitablement, ils se croisaient sur les sentiers.

Et c'est ainsi qu'il garda le peigne. Le jour, il repoussait le moment fatal sous prétexte qu'il travaillait ; le soir, il préférait attendre jusqu'au lendemain matin : je ne peux pas la déranger en pleine nuit. Le premier soir, il travailla tard, affinant l'accordage avec de plus en plus de précision. Le deuxième soir, tandis qu'il jouait quelques notes, il entendit frapper à la porte.

Il savait qui était là avant que la porte s'ouvre. Peut-être était-ce le heurt délicat, patient, bien distinct de la façon directe et franche du médecin, ou de la manière plus hésitante du domestique. Peut-être que le vent avait tourné, apportant de la montagne des effluves de terre mouillée et se chargeant au passage de son parfum. Peut-être était-ce le rythme des coups frappés selon une tradition ancestrale...

Du seuil parvint la voix à l'intonation fluide : « Hello...

— Ma Khin Myo, dit-il.

— Je peux entrer ?

— Mais... bien sûr. »

Elle referma doucement la porte. « Je vous interromps ?

— Non, pas du tout... Pourquoi ? »

Elle pencha légèrement la tête. « Vous semblez préoccupé. Quelque chose ne va pas ?

— Non, non. » Sa voix tremblait, il fit un sourire contraint. « Je m'occupe, voilà tout. »

Immobile près de la porte, les mains jointes, elle portait la même blouse légère que le jour où ils s'étaient rencontrés au bord de la rivière. Elle avait peint son visage récemment, et il remarqua l'incongruité de ce détail. Il n'y a pas de soleil, aucune raison de porter du *thanaka*, mais c'est beau.

« Vous savez, dit-elle, pendant le temps où je fréquentais des amis anglais, j'ai souvent entendu jouer du piano. J'adore. Je me suis dit que vous pourriez peut-être... me montrer comment vous travaillez.

— Bien sûr. Mais il est un peu tard. Est-ce que vous ne devriez pas être auprès du... » Il hésitait.

« Du Dr Carroll ? Il n'est pas à Mae Lwin. » Derrière elle, son ombre se projetait sur le mur, tout en courbes sur les lignes droites des bambous.

« Bien sûr, bien sûr. Où avais-je la tête... » Il enleva ses lunettes, les essuya sur sa chemise, respira à fond. « Je suis là depuis ce matin. Tant d'heures au piano peuvent vous rendre un peu... fou. Je suis désolé. J'aurais dû vous demander de vous joindre à moi.

— Vous ne m'avez même pas encore proposé de m'asseoir. »

La franchise de cette remarque le fit sursauter. Il lui désigna une place sur la banquette. « Je vous en prie. »

Elle traversa lentement la pièce, suivie de son ombre étirée contre le mur. Ramassant ses jupes, elle s'assit à côté de lui. Pendant un moment, il la regarda tandis qu'elle fixait les touches. La fleur piquée dans ses cheveux était parfumée, fraîchement cueillie. Il distinguait de minuscules grains de pollen qui poudraient ses cheveux. Elle se tourna vers lui.

« Pardon si j'ai l'air distrait, dit-il. J'ai toujours du mal à m'extraire de l'espèce de transe où me met mon travail. Je suis sur une autre planète. Cela me désoriente toujours un peu d'être interrompu par des... visiteurs... c'est difficile à expliquer.

317

— Comme un rêve interrompu.

— Peut-être. Mais je suis éveillé, plongé dans le monde des sons. C'est plutôt comme si je retombais dans un rêve... » Elle ne répondit rien et il ajouta : « Ça doit vous paraître bizarre.

— Non. » Elle secoua la tête. « Parfois nous confondons le réel et le rêve. »

Il y eut un silence. Khin Myo leva les mains et les posa sur le clavier.

« Vous avez déjà joué ? demanda-t-il.

— Non, bien que j'en aie toujours eu envie, depuis mon enfance.

— Allez-y, ce sera plus amusant que de me regarder accorder.

— Oh, non, je n'ose pas. Je ne sais pas jouer.

— Ça n'a pas d'importance. Essayez. Appuyez sur les touches.

— N'importe laquelle ?

— Commencez par celle où votre doigt est posé. C'est la première note du prélude en *fa* mineur, dans le *Clavier bien tempéré* que j'ai joué pour le *sawbwa*. »

Elle appuya sur la touche. La note résonna jusqu'au fond de la pièce et leur revint en écho.

« Vous voyez, dit Edgar. Vous venez de jouer du Bach. »

Khin Myo ne bougea pas. Edgar vit ses yeux se plisser un peu et l'ombre d'un sourire effleurer ses lèvres. « Ça ne fait pas le même son quand on est assis là.

— Oui, c'est incomparable. Continuons, je vais vous apprendre la suite.

— Oh, je ne voudrais pas vous déranger. En fait, vous avez raison : il se fait tard. Je n'avais pas l'intention d'interrompre votre travail.

— Allons donc ! D'abord, vous êtes là.

— Mais je ne sais pas jouer.

— J'insiste. Le motif est bref, mais chargé de sens. Je vous en prie, maintenant que nous avons commencé, je ne peux pas vous laisser repartir. La note suivante, c'est celle-ci, frappez-la avec votre index. »

Elle l'interrogea du regard.

« Allez-y, jouez », insista-t-il en lui montrant la touche. Elle appuya. Dans les profondeurs du piano, le marteau frappa la corde.

« Maintenant, celle de gauche, puis celle du dessus. De nouveau, la première. Oui, celle-là, avec laquelle vous avez commencé. Encore la deuxième, celle-ci. Et au-dessus. Voilà, nous y sommes. Maintenant, reprenez le tout, plus vite cette fois. » Khin Myo s'appliqua de son mieux.

« Le résultat n'est pas brillant, dit-elle.

— Mais si, c'est très bien. Encore une fois.

— Je ne sais pas... Vous, plutôt.

— Non, vous jouez à merveille. Ce sera beaucoup plus facile quand vous vous servirez de la main gauche pour les notes basses.

— Je ne saurai pas, je crois. Vous pouvez me montrer ? »

Leurs visages se rapprochèrent. Le cœur d'Edgar se mit à battre très fort, et, l'espace d'un instant, il craignit qu'elle l'entende. Mais la musique lui donnait de l'audace. Il se leva, passa derrière elle et avança les bras. « Mettez vos mains sur les miennes », dit-il.

Lentement, Khin Myo leva ses mains qui restèrent suspendues un instant, en attente, puis elle les posa doucement. Ils restèrent un moment sans bouger, chacun sentant les mains de l'autre. Le reste de leurs corps se réduisait à l'état de simples contours. Edgar voyait leur reflet dans l'acajou laqué du panneau vertical dressé au-dessus du clavier. Les doigts de Khin Myo étaient moins longs que ceux d'Edgar.

Le morceau commença lentement, avec hésitation. La fugue en *fa* mineur, deuxième livre du *Clavier bien tempéré*, lui évoquait toujours des fleurs qui s'ouvrent, des amants qui se retrouvent. C'était pour lui le chant des commencements. Il ne l'avait pas joué le soir de la visite du *sawbwa*, il s'était arrêté avant, au vingt-quatrième morceau. C'est pourquoi ses mains manquaient d'assurance. Puis, soutenu par le poids léger de ses doigts à elle, il affirma son jeu de mesure en mesure et, à l'intérieur du piano, les mécaniques répondirent à la pression des touches, se dressant et retombant des échappements, laissant les cordes toutes vibrantes – des rangées et des rangées de petits morceaux de métal, de bois, de son, imbriqués les uns dans les autres. Sur le coffre, les bougies tremblaient.

Une mèche de cheveux de Khin Myo, retenue par la fleur, se détacha et chatouilla la lèvre d'Edgar. Il ne recula pas mais ferma les yeux et rapprocha son visage : la mèche lui caressa la joue, puis encore les lèvres, puis les cils.

La musique s'envola d'un mouvement plus vif et retomba tout en douceur. C'était fini.

Leurs mains restèrent jointes sur le clavier. Khin Myo tourna légèrement la tête, les yeux clos, et murmura son nom dans un souffle.

Il demanda : « Est-ce pour cela que vous êtes venue ce soir ? »

Après un silence, elle répondit : « Non, monsieur Drake. » Sa voix chuchotait maintenant. « Je suis là depuis toujours. »

Edgar posa ses lèvres sur sa peau, fraîche et en même temps moite de sueur. Il se laissa imprégner par le parfum de ses cheveux, la douceur salée de sa nuque. Lentement elle bougea les mains, ses doigts se mêlèrent à ceux d'Edgar.

A cet instant, tout s'arrêta, sauf la chaleur de ses doigts, leur douceur sur la peau rude de sa main à lui, la lumière mouvante de la bougie sur sa joue, interrompue par l'ombre de la fleur. Plusieurs secondes passèrent, ou davantage. Seuls les grillons marquaient la cadence.

C'est elle qui rompit leur étreinte. Doucement elle dégagea ses doigts. Les mains d'Edgar restèrent sur le clavier. Elle glissa une caresse le long de ses bras. Il faut que je parte. Il ferma les yeux, respira une dernière fois son parfum et la laissa partir.

21

Il passa la nuit près du piano dans une alternance de sommeil et de veille. Il faisait encore nuit lorsqu'il entendit la porte grincer, puis un bruit de pas. Alors qu'il s'attendait à voir les enfants, il se trouva face à une vieille femme qui le fixait. « Docteur vouloir vous. Vite », dit-elle. Son haleine empestait le vieux poisson.

« Pardon ? » Il se redressa, encore tout embrumé de sommeil.

« Dr Carroll vouloir vous. Vite. »

Il se leva, ajusta sa tenue. Brusquement lui revint le souvenir de la soirée avec Khin Myo. Existait-il un rapport avec l'appel du médecin ?

Le jour se levait à peine, le soleil était encore loin d'apparaître au-dessus de la montagne et il faisait froid. La vieille femme le conduisit jusqu'à la porte du QG, où, avec un sourire qui montra ses dents rougies de bétel, elle le quitta. Edgar trouva le médecin en train d'examiner des cartes étalées sur son bureau. « Vous m'avez demandé ? » dit-il.

Le médecin garda un moment le regard fixé sur ses cartes avant de lever les yeux. « Oui, bonjour monsieur Drake, asseyez-vous, je vous prie. » Il désigna une chaise.

Edgar patienta pendant que le médecin consultait ses cartes d'un air affairé, traçait des lignes sur le papier d'une main et se massait la nuque de l'autre. Enfin, il enleva son pince-nez. « Excusez-moi de vous avoir réveillé si tôt.

— Aucune importance, je...

— C'est assez urgent, coupa Carroll. Je rentre de Mongpan. Nous nous sommes hâtés autant que possible.» Sa voix avait changé, elle était lointaine, froide, dépourvue de son habituel ton amical. Il portait toujours sa culotte de cheval couverte de boue et un pistolet à la ceinture. Edgar éprouva un brusque sentiment de culpabilité. Il ne s'agit pas de Khin Myo.

«Monsieur Drake, je n'irai pas par quatre chemins.

— Naturellement, mais...

— Mae Lwin va être attaqué.»

Edgar redoubla d'attention. «Pardonnez-moi, je ne comprends pas. Attaqué?

— Peut-être cette nuit.»

Un moment, Edgar pensa qu'il s'agissait d'une plaisanterie ou d'un mystérieux projet de Carroll, qu'il n'allait pas tarder à lui expliquer. Comment comprendre le pistolet, la chemise salie de boue, les yeux cernés et rougis de fatigue de Carroll? «Vous êtes sérieux? dit-il comme se parlant à lui-même. Je croyais que nous avions signé un traité. Vous aviez dit...

— Le traité n'est pas en cause. La confédération de Limbin n'y est pour rien.

— Qui donc, alors?

— J'ai des ennemis. Des retournements d'alliance sont possibles venant d'hommes que je considérais comme des amis mais dont j'ai aujourd'hui des raisons de mettre en doute la loyauté.» Il revint à la carte. «Je voudrais pouvoir vous en dire davantage, mais d'abord nous devons nous tenir prêts...» Il réfléchit un moment. «Voici tout ce que je peux vous dire. Un mois avant votre arrivée, nous avons été attaqués – vous le savez, vous avez été retenu à Mandalay. Plusieurs des attaquants ont été capturés mais ils ont refusé, même sous la torture, de révéler à qui ils obéissaient. Pour certains, ce n'étaient que des petits malfaiteurs, mais je n'ai jamais vu de petits malfaiteurs aussi bien armés. En outre, certains d'entre eux disposaient de fusils anglais, c'est-à-dire d'armes volées. Ou bien ces hommes étaient d'anciens alliés devenus des traîtres.

— Et aujourd'hui ?

— Il y a deux jours, je suis allé à Mongpan discuter de la construction d'une route pour Mae Lwin. Quelques heures seulement après mon arrivée, un jeune Chan a surgi chez le prince. Il était en train de pêcher sur l'un des petits affluents de la Salouen lorsqu'il a repéré des hommes qui campaient dans la forêt. En cachette, il a écouté leurs conversations. Il n'a pas tout compris, mais il a retenu leur projet d'attaquer Mongpan et ensuite Mae Lwin. Là encore, on trouve des fusils anglais, et cette fois il s'agit d'un groupe beaucoup plus important. Si ce garçon a raison, je me demande pourquoi des dacoits s'aventureraient aussi loin sur le plateau pour nous attaquer. Plusieurs hypothèses sont possibles, mais je n'ai pas le temps d'en discuter avec vous. S'ils sont déjà à Mongpan, ils arriveront ici dès cette nuit. »

Edgar attendait une suite, mais le médecin resta silencieux. Aussi hasarda-t-il : « Que comptez-vous faire ?

— D'après ce qu'on m'a décrit, il s'agit d'un groupe trop important pour que nous soyons en mesure de défendre nous-mêmes nos positions. J'ai envoyé des cavaliers en estafette pour demander des renforts auprès de tribus fidèles. Elles m'enverront des hommes, j'espère qu'ils arriveront à temps. De Mongpan, de Monghang, de... » Il regarda de nouveau la carte pour compléter la liste des villages, mais Edgar n'écoutait plus. Il avait en tête l'image de cavaliers descendant des montagnes sur Mae Lwin. Il voyait les hommes se faufilant habilement à travers les défilés de karst, traversant le plateau, bannières au vent, les queues de leurs poneys teintes en rouge. Il imaginait les armées rassemblées dans le camp, les femmes cherchant refuge, il pensa à Khin Myo. Il revit la rencontre avec la confédération des princes. Le médecin portait le même uniforme, il avait le même regard lointain. Edgar ouvrit la bouche. « Moi qui...

— J'ai besoin de votre aide, monsieur Drake.

— Comment ? Je ne sais pas tirer, mais...

— Non, plus important. Même avec des renforts, Mae Lwin risque de tomber et, même si nous parvenons à repousser une attaque, les pertes seront considérables. Ce n'est qu'un petit village.

— Mais avec des hommes en plus...

— Peut-être. A moins qu'ils incendient le camp. Je dois tout envisager. Je ne veux pas gâcher ce que j'ai réalisé depuis douze ans. L'armée reconstruira Mae Lwin, c'est tout ce que je peux attendre d'elle. J'ai déjà fait le nécessaire pour mettre en lieu sûr mon équipement médical, mes microscopes, mes collections de plantes. Mais il reste...

— L'Erard.

— Je ne fais pas confiance à mes hommes pour le transporter seuls. Ils ne mesurent pas à quel point il est fragile.

— Le transporter où ?

— Par le fleuve. Vous partirez par radeau dès ce matin. Nous ne sommes qu'à quelques jours des forts britanniques du pays Karen. Là vous retrouverez des militaires qui vous escorteront jusqu'à Rangoon.

— Rangoon ?

— Le temps de savoir ce qui se passe. Mae Lwin n'est plus sûr pour un civil. Cette époque est derrière nous. »

Edgar secoua la tête. « Vous allez trop vite pour moi, docteur. Je peux peut-être rester sur place... ou transporter le piano dans les montagnes. C'est insupportable... » Sa phrase resta inachevée. « Et Khin Myo ? » demanda-t-il brusquement. C'est une question que je peux maintenant poser, ajouta-t-il intérieurement, Khin Myo est liée aux événements, inextricablement. Elle n'appartient plus seulement à mes pensées.

La voix du médecin résonna, sévère soudain. « Elle reste avec moi.

— Si je posais la question, c'est que...

— Elle sera plus en sûreté ici, monsieur Drake.

— Mais...

— Désolé, mon cher, je ne peux plus poursuivre cette conversation. Nous devons nous occuper des préparatifs du départ.

— On doit pouvoir trouver un moyen pour que je reste. » Edgar s'efforçait de contrôler le tremblement de sa voix.

« Monsieur Drake, dit le médecin d'une voix lente, nous perdons notre temps. Je ne vous donne pas le choix. »

Edgar affronta son regard. « Je ne suis pas un de vos soldats. »

Un silence tomba. Le médecin se massa vivement la nuque. Peu à peu, son visage s'adoucit. « Croyez-moi, je suis désolé que les choses aient tourné de cette façon. Ce que ces événements représentent pour vous, je le sais mieux que vous ne croyez. Mais je n'ai pas le choix. Un jour vous comprendrez. »

Edgar sortit en vacillant et s'arrêta, essayant de retrouver son calme. Autour de lui le camp s'agitait comme une ruche. Les hommes installaient des sacs de sable ou couraient jusqu'au fleuve, portant des fusils et des munitions. D'autres coupaient des bambous et en dressaient des barricades aux pointes acérées. Des femmes et des enfants, en chaîne, remplissaient d'eau des seaux, des récipients de terre, des casseroles.

« Monsieur Drake. » Celui qui l'interpellait était l'enfant qui portait sa sacoche. « J'emporte votre sac à la rivière. » L'accordeur se contenta d'acquiescer de la tête.

Il suivit des yeux un groupe qui s'affairait plus haut. La façade de la salle de musique avait entièrement disparu. Il vit des hommes qui travaillaient à l'intérieur, torse nu, affairés autour d'une poulie de bambou et de corde. Au-dessous, une foule de curieux s'était rassemblée. Tous portaient des fusils et des seaux d'eau. Il entendit des cris. Plus loin sur la piste, des hommes tiraient sur une corde. Edgar vit le piano s'élever en l'air, de façon d'abord hésitante, mais de l'intérieur de la salle les hommes rétablirent l'équilibre. Ils approchèrent un traîneau fait de longs morceaux de bambou attachés les uns aux autres. Les hommes qui tiraient sur la corde ahanèrent, le piano se balança sur la poulie, puis descendit lentement à travers les airs, en tintant quand les hommes laissaient filer la corde qui leur brûlait les mains. Le piano suspendu mit longtemps à descendre centimètre par centimètre le long du bambou, puis enfin il toucha terre. Un autre groupe d'hommes se précipita pour le saisir, et Edgar put enfin respirer.

Le piano, posé sur un coin de terre sèche avec le camp pour toile de fond, avait l'air tout petit dans la lumière éclatante.

Il y eut encore des cris, des gens qui couraient. Edgar voyait autour de lui des corps flous se déplacer. Il revit l'après-midi où il avait quitté Londres sur le vapeur, le brouillard qui tournoyait, il se rappela le silence qui s'était fait peu à peu, tandis qu'il se retrouvait seul. Une présence près de lui le tira de ses méditations.

« Vous partez, dit-elle.

— Oui. Vous le savez ?

— Il me l'a dit.

— Je voulais rester, mais...

— Il faut que vous partiez. C'est dangereux. » Elle regardait par terre. Elle se tenait si près de lui qu'il voyait le haut de sa tête et la tige d'une seule fleur violette qui s'enfonçait en vrille dans la masse sombre de ses cheveux.

« Venez avec moi, dit-il brusquement.

— Vous savez bien que je ne peux pas.

— Dès ce soir je serai à des kilomètres, demain matin vous serez peut-être morts, le Dr Carroll et vous, et je ne saurai jamais...

— Ne dites pas ces choses-là.

— Je... ce n'est pas ce que j'avais prévu. Il reste tant de choses que je... Je ne vous reverrai peut-être jamais. C'est dur de le dire, mais...

— Monsieur Drake. » Elle commença une phrase, s'interrompit, les yeux humides. « Je suis désolée.

— Je vous en prie, venez avec moi.

— Il faut que je reste avec Anthony », dit-elle.

Anthony, pensa-t-il, je n'ai jamais entendu personne prononcer son prénom. « C'est à cause de vous que je suis venu ici, reprit-il, mais déjà ses mots sonnaient creux.

— Non, vous êtes venu pour autre chose », dit-elle. Et de la rivière parvint un appel.

22

Ils transportèrent le piano à travers les taillis en fleurs jusqu'à la lisière du camp, puis le descendirent à la rivière. Là, un radeau les attendait, un assemblage assez grossier de rondins à peu près trois fois plus long que le piano. Les hommes sautèrent à l'eau pour arrimer le piano sur le radeau. Ils coincèrent les pieds de l'instrument dans l'espace entre les rondins. Ils travaillaient vite, comme s'ils avaient l'habitude. Pour finir ils placèrent un coffre à l'autre bout du radeau et l'amarrèrent de la même façon. « Vos affaires », indiqua le médecin.

Edgar ignorait combien d'hommes l'accompagneraient, parmi tous ceux qui pataugeaient dans l'eau, tordaient les cordes, serraient les nœuds, équilibraient l'ensemble. Une fois l'opération terminée, deux boys remontèrent sur la berge, prirent chacun deux fusils et retournèrent au radeau.

« Voici Seing To et Tint Naing, précisa le médecin. Deux frères, bateliers expérimentés, qui parlent birman. Ils vous accompagneront dans la descente du fleuve. Nok Lek vous accompagne aussi dans une pirogue pour repérer les rapides. Vous irez par radeau jusqu'au pays Karen, ou peut-être jusqu'à Moulmein. Comptez cinq ou six jours. Là vous serez en plein territoire anglais, et donc en sécurité.

— Une fois là, qu'est-ce que je fais ? Quand dois-je revenir ?

— Revenir ? Je ne sais pas, monsieur Drake... » Le médecin lui tendit un morceau de papier plié, scellé à la cire. « Prenez ceci.

— Qu'est-ce que c'est ? » s'étonna Edgar.

Le médecin sembla chercher une réponse... « C'est vous qui déciderez. Ne l'ouvrez pas tout de suite. » L'un des boys intervint : « Nous sommes prêts, monsieur Drake, il faut partir. »

Edgar prit le papier et le glissa dans la poche de sa chemise. « Merci », dit-il simplement avant de monter sur le radeau. On les poussa loin du rivage. Alors, se retournant vers la berge, il la vit au milieu des fleurs, à demi cachée par les taillis. Derrière elle, le village s'élevait jusqu'à la montagne en rangées superposées de maisons de bambou dont l'une, sans façade, s'ouvrait nue au regard.

Le radeau pris par le courant commença sa descente au fil de l'eau.

Les pluies avaient considérablement gonflé les eaux depuis la première fois qu'il avait descendu la rivière, plusieurs mois plus tôt. Il se revoyait, la nuit où ils étaient arrivés, avançant en silence dans le noir. Comme ce monde lui avait alors semblé différent de celui dans lequel il voyageait aujourd'hui, avec ses rives boisées noyées de soleil, dans le scintillement des feuillages bigarrés. A l'approche du radeau, un couple d'oiseaux s'envola du rivage, battant lourdement des ailes sous le poids de la lumière jusqu'au moment où pris par un courant ascendant il plana porté par l'air. Des huppes, *Upupa epops*. Peut-être les mêmes que le jour de mon arrivée, songea-t-il, étonné de se rappeler leur nom. Le bateau suivait les oiseaux, la lumière du soleil se réfléchissait sur la caisse du piano.

Personne ne parlait. Nok Lek pagayait, chantant une chanson douce. L'un des deux frères était assis sur le coffre à l'arrière du radeau, une pagaie à la main, ses muscles souples contractés contre le courant. L'autre, à l'avant, regardait l'eau couler. Au milieu, Edgar suivait la rive des yeux, pris par un sentiment d'irréalité. Le radeau dépassait à peine le ras de l'eau, et parfois une vague inondait les rondins, léchant les pieds d'Edgar. En même temps, le soleil giclait sur les vagues, jetant sur le radeau une fine couche lumineuse. Edgar avait l'impression qu'ils marchaient sur l'eau. Les oiseaux plongeaient, puis rattrapaient un courant ascendant, faisant la course avec le fleuve. Edgar regrettait la présence du médecin. Il pensait aux préparatifs là-bas à Mae Lwin. Que faisait Carroll à cet instant ? Prendrait-il lui-même les armes en cas d'attaque ? Il apercevait Khin Myo au milieu des fleurs. Que se diraient-ils ? Que savait le médecin ? Il ne s'était pas écoulé plus de douze heures depuis qu'Edgar avait posé ses lèvres sur la nuque tiède de Khin Myo.

Soudain, il eut la vision du vieil accordeur dont il avait été jadis l'apprenti, celui qui sortait en catimini une bouteille de vin d'un petit buffet lorsqu'ils avaient terminé leur travail, l'après-midi. Voilà un souvenir qui remonte loin, se dit-il. Pourquoi réapparaissait-il en ce moment précis ? Il revit la pièce mal chauffée où il avait appris son métier, où le vieil homme discourait des après-midi entiers avec enthousiasme sur le rôle de l'accordeur. Edgar l'écoutait sans le prendre au sérieux : pour le jeune homme qu'il était, ces propos paraissaient bien sentimentaux. Pourquoi veux-tu devenir accordeur ? avait demandé son maître. Parce que je suis adroit de mes mains et que j'aime la musique, avait répondu le jeune garçon, et le vieil homme avait ri. Ah bon, c'est ça ? Quoi d'autre ? s'était étonné Edgar. Quoi d'autre ? Le vieil homme avait levé son verre en souriant. Tu ne sais donc pas, avait-il dit, que chaque piano possède un chant secret, caché à l'intérieur ? Le garçon avait secoué la tête. Tu vas peut-être penser que je raconte des histoires, mais vois-tu, un pianiste fait bouger ses doigts de façon purement mécanique, ce ne sont que des muscles et des tendons qui suivent des règles simples d'allure et de rythme. Notre rôle est d'accorder les pianos pour que des choses aussi ordinaires que des muscles et des tendons, des touches, du fil de fer et du bois donnent naissance à de la musique. Comment s'appelle le chant caché dans ce vieux piano ? avait demandé le garçon en montrant un piano droit tout poussiéreux. Un chant n'a pas de nom, c'est un chant, tout simplement. Et le garçon avait ri, car il n'avait jamais entendu parler d'un chant qui n'ait pas de nom, et le vieil homme avait ri lui aussi, parce qu'il était un peu ivre et heureux.

Parfois, dans les remous, les touches et les marteaux frémissaient, un tintement léger s'élevait de l'instrument. Alors Edgar entendit un chant qui n'avait pas de nom, un chant fait de notes mais dépourvu de mélodie, un chant qui se répétait sans fin, chaque nouveau son faisant écho au précédent. C'était un chant qui provenait du piano lui-même, car il n'y avait pas d'autre musicien que la rivière. Il repensa au concert de Mae Lwin, au *Clavier bien tempéré*. Une composition qui obéit aux règles très strictes du contrepoint, comme toutes les fugues. La musique n'est que l'élaboration d'une mélodie très simple, notre destin c'est de suivre les règles établies dès les toutes premières mesures.

Ils descendaient toujours. L'après-midi, leur progression fut ralentie par des rapides qui les obligèrent à recourir au portage.

Le fleuve s'élargit. Nok Lek attacha sa pirogue à l'arrière du radeau.

Au début de la soirée, ils firent halte en bordure d'un village désert. Nok Lek pagaya jusqu'au rivage, les deux autres boys sautèrent à l'eau et tirèrent sur le radeau en s'éclaboussant copieusement. Le radeau commença par opposer de la résistance, mais peu à peu ils parvinrent à le faire sortir du courant et à l'attirer dans un remous. Ils le fixèrent à un tronc d'arbre qui gisait sur la plage. Edgar les aida à détacher le piano, à le soulever et à le porter sur la berge, où ils le déposèrent sur le sable. Comme le ciel était couvert, ils dressèrent un abri et recouvrirent l'instrument de nattes tressées.

Les boys, qui avaient trouvé une vieille balle de *chinlon* devant une des maisons, se mirent à jouer sur le sable mouillé. Leur gaieté parut incongrue à Edgar, en qui mille pensées se bousculaient. Où se trouvent à cette heure le médecin et Khin Myo ? Les combats ont-ils commencé ? Peut-être la bataille est-elle déjà terminée. Sensation étrange : ici, pas la moindre fumée, ni coups de feu ni hurlements. La rivière était calme, le ciel dégagé, seule un peu de brume montait du sol.

Edgar s'éloigna le long de la rive. Ses pieds laissaient une trace sèche sur le sable humide. Curieux de savoir pourquoi les habitants avaient disparu, il suivit le chemin qui montait jusqu'au centre du village. Il n'eut pas à aller loin, car comme Mae Lwin, il était proche du fleuve. A destination, il s'arrêta.

C'était, ou ç'avait été, un village Chan typique, un ensemble de cabanes entassées pêle-mêle comme s'assemblerait une bande d'oiseaux. Derrière, la jungle débordait de partout, insinuant entre les cabanes ses lianes et ses plantes grimpantes. Edgar sentit avant de le voir que le village avait brûlé : une humidité qui n'avait rien à voir avec la pluie, une odeur nauséabonde de suie émanant du bambou calciné et de la boue. Depuis quand le village était-il abandonné ? L'odeur était-elle récente ou ravivée par la pluie ? L'humidité tue le son, remarqua-t-il, mais elle accentue les odeurs.

A bien observer, certains détails émergeaient peu à peu de la suie et des cendres.

La plupart des cabanes avaient presque entièrement brûlé, il n'en restait que la carcasse nue, sans le toit. Dans d'autres cas, les murs s'étaient effondrés, et les toits de feuillages tressés se balançaient en équilibre instable. Des morceaux de bambou calcinés gisaient ici et là. Au niveau des premières maisons, un rat courait au milieu des débris, on entendait son trottinement dans le silence. Nul autre signe de vie. Comme à Mae Lwin, pensa-t-il. Moins les poulets qui picoraient les graines tombées sur le chemin. Moins les enfants.

Il traversa lentement le village, examinant les pièces brûlées, abandonnées, pillées, vides. A la lisière de la jungle, les plantes grimpantes avaient commencé à se faufiler dans les fissures des murs, entre les lattes de bois du plancher. Le village est sans doute abandonné depuis longtemps, se dit-il, mais dans ces régions la végétation pousse vite et tout pourrit vite aussi.

La brume qui montait du fleuve s'infiltrait dans les carcasses calcinées. Soudain Edgar trouva le silence inquiétant, angoissant. Il ne s'était pas tellement éloigné, mais il ne savait plus quelle direction prendre pour retrouver le fleuve. Pris de peur, il pressa le pas. Les maisons avaient soudain l'air menaçant, les portes ressemblaient à des bouches brûlées, squelettiques, grimaçantes. La brume se condensait sur les toits en gouttelettes, puis en filets d'eau qui coulaient. Les maisons pleurent, se dit Edgar, et, à travers les lattes de bois d'une cabane, il vit des flammes qui éclairaient la brume et dessinaient des ombres dansantes sur le flanc de la colline.

Quand Edgar retrouva enfin le radeau, il vit les boys groupés autour d'un feu.

« Monsieur Drake, dit Nok Lek, on a cru que vous vous étiez perdu.

— Oui, d'une certaine façon c'était la vérité, dit Edgar en rejetant les cheveux qui lui tombaient sur les yeux. Ce village, depuis quand est-il abandonné ?

— Ce village ? » répéta Nok Lek. Il se retourna vers les autres boys, accroupis près des paniers ouverts et qui roulaient entre leurs doigts de petites boules de nourriture. Ils échangèrent quelques mots.

« Je ne sais pas. Eux non plus. Peut-être plusieurs mois. Regardez la jungle, comme elle est revenue.

— Vous savez qui habitait là ?

— Ce sont des maisons Chan.

— Pourquoi sont-ils partis ? »

Nok Lek fit signe qu'il l'ignorait et posa la question aux deux frères qui répondirent de même. L'un des deux s'expliqua plus longuement.

« On ne sait pas, résuma Nok Lek.

— Qu'est-ce qu'il a dit au juste ? demanda Edgar en désignant celui qui venait de parler.

— Il demande pourquoi ça vous intéresse. »

Edgar s'assit dans le sable à côté des garçons. « Pour rien. Simple curiosité. C'est terriblement vide.

— Il y a beaucoup de villages abandonnés comme celui-ci. Peut-être à cause des dacoits, ou bien des soldats anglais. Ce n'est pas grave, les gens s'en vont et ils reconstruisent ailleurs. C'est comme ça depuis longtemps. » Il passa à Edgar un petit panier de riz et de poisson au curry. « J'espère que vous savez manger avec les doigts. »

Ils prirent quelques bouchées en silence. Puis un des frères formula une question. Nok Lek tourna la tête vers Edgar. « Seing To me dit de vous demander où vous irez quand nous nous trouverons en territoire anglais.

— Où j'irai ? répéta Edgar, surpris par la question. A vrai dire, je n'en sais rien. »

Nok Lek transmit la réponse au garçon, qui se mit à rire. « Il dit que c'est très étrange. Vous allez rentrer chez vous, bien sûr, c'est ce que vous devez répondre, sauf si vous avez oublié le chemin. Il trouve ça très drôle. » Les deux garçons poussaient de petits gloussements en se couvrant les dents de leur main. L'un saisit l'autre par le bras et lui murmura quelque chose. L'autre hocha la tête en enfournant une boulette de riz.

« C'est possible, dit Edgar qui s'amusait à son tour. Et Seing To, où compte-t-il aller ?

— Rentrer à Mae Lwin, bien sûr. Nous repartirons tous à Mae Lwin.

— Je parie que vous ne vous perdrez pas.

— Nous perdre ? Sûrement pas. » Nok Lek leur adressa la parole en chan, et les trois garçons se remirent à pouffer. « Seing To dit qu'il retrouvera son chemin grâce à l'odeur des cheveux de sa petite amie. Il dit qu'il la sent d'ici. Il demande si vous avez aussi une petite amie. Tint Naing prétend que oui, que c'est Khin Myo, et que donc vous allez revenir à Mae Lwin. »

Edgar protesta malgré le trouble qui l'avait saisi. C'est terrible, les vérités qui sortent parfois de la bouche des enfants. « Non, non... enfin, je veux dire, oui, j'ai une petite amie, j'ai une femme, elle est à Londres, en Angleterre. Khin Myo n'est pas ma petite amie, dis à Tint Naing de se sortir bien vite cette idée stupide de la tête. »

Les deux frères ne cessaient de rire. L'un passa son bras autour des épaules de l'autre et se mit à chuchoter. « Arrêtez ! dit Edgar sans conviction, à son tour gagné par le rire.

— Seing To dit qu'il veut une femme anglaise, lui aussi. S'il vient en Angleterre avec vous, vous pourrez lui en trouver une ?

— Je suis sûr qu'il y a plein de filles charmantes à qui il plairait, dit Edgar, entrant dans le jeu.

— Il demande s'il faut connaître les pianos pour avoir une belle femme, en Angleterre.

— Quoi ? S'il faut connaître les pianos ? »

Nok Lek hocha la tête. « Ne l'écoutez pas, c'est encore un enfant.

— Non, non, il a raison de poser la question. Réponds-lui que non, il n'est pas nécessaire de réparer les pianos pour avoir une belle femme. Encore que... ça ne puisse pas faire de mal. » Il sourit, amusé. « D'autres hommes, même des soldats, se trouvent de belles femmes. »

Nok Lek traduisit. « Il regrette de devoir rejoindre sa petite amie à Mae Lwin.

— Eh oui, dommage. Ma femme a beaucoup d'amies.

— Comme il ne la rencontrera jamais, il veut que vous la décriviez. Est-ce qu'elle a les cheveux jaunes, et ses amies aussi ? »

Bêtise pour bêtise... pensa Edgar. Mais, comme Katherine occupait maintenant ses pensées, il prit la question au sérieux. « Oui, Katherine, c'est comme ça qu'elle s'appelle, a les cheveux jaunes, avec maintenant quelques mèches grises, mais elle est encore très jolie. Elle a les yeux bleus, et pas de lunettes, alors on les voit bien. Elle aussi joue de la musique, bien mieux que moi, je crois que tu aimerais beaucoup l'entendre. Ses amies ne sont pas aussi belles qu'elle, mais tu serais tout de même très content. »

Nok Lek traduisit pour les deux garçons qui cessèrent de rire, captivés par la description. Seing To hocha la tête avec gravité et parla sans plaisanter, cette fois.

« Qu'est-ce qu'il dit ? demanda Edgar, une fois de plus. Encore des questions sur ma femme, je suppose.

— Non. Il vous propose d'entendre une histoire, mais je lui ai conseillé de ne pas vous ennuyer avec ça. »

Edgar marqua sa surprise. « Pas du tout, ça m'intéres serait. De quoi s'agit-il ?

— Oh, rien, je ne sais pas pourquoi il insiste tant.

— Allez, raconte. Je suis curieux maintenant.

— Peut-être que vous la connaissez, elle est très célèbre. Il s'agit du *leip-bya* – un mot birman. C'est d'ailleurs une histoire birmane, Seing To la connaît mieux que moi : sa mère est birmane. Le *leip-bya* est une espèce d'esprit muni d'ailes comme un papillon, qui ne vole que la nuit.

— Un papillon de nuit, en somme. » Quelque chose le troublait, il avait une impression de déjà entendu. « Non, ça ne me dit pas grand-chose, prétendit-il.

— En vérité, c'est plutôt une croyance. On dit en Birmanie que la vie d'un homme est enfermée dans un esprit, comme un papillon de nuit. Cet esprit est dans son corps, un homme ne peut pas vivre sans lui. C'est le *leip-bya* la cause des rêves. Quand un homme dort, le *leip-bya* s'envole par sa bouche, il se promène partout, il voit des tas de choses, ce sont les rêves. Le *leip-bya* doit toujours être rentré avant le matin. Raison pour laquelle les Birmans ne veulent pas réveiller les gens qui dorment. Peut-être que le *leip-bya* est parti très loin et qu'il n'aura pas le temps de rentrer.

— Et alors ?

— Si le *leip-bya* se perd en route, ou s'il se fait prendre et manger par un *bilu* – comment dites-vous ? un mauvais génie –, l'homme connaîtra son dernier sommeil. »

Le garçon se pencha et ranima le feu avec un bâton. Des étincelles volèrent en tous sens.

« C'est ça, l'histoire ?

— Je vous ai averti, c'est juste une croyance, mais il tenait à ce que je vous la raconte. Il est bizarre, parfois. »

Bien qu'il fît chaud près du feu, Edgar soudain frissonna. Surgirent de sa mémoire des images de l'Inde, un parcours en train, un garçon qui tombe, l'éclair d'un bâton d'agent de police dans la nuit.

« Un wallah de poésie, dit doucement l'accordeur.

— Pardon ?

— Oh... rien, rien du tout. Dis-lui que son histoire me fait réfléchir. Peut-être qu'il devrait devenir conteur, un jour. »

Pendant que Nok Lek traduisait, Edgar fixait du regard, de l'autre côté du feu, le jeune garçon que son frère entourait de son bras. Il souriait sans rien dire, à peine visible derrière la fumée du feu.

Les flammes baissèrent et Nok Lek s'éloigna dans le noir avant de revenir avec du bois. De l'autre côté du feu, les deux frères s'étaient endormis dans les bras l'un de l'autre. Il se mit à bruiner, Nok Lek et Edgar se levèrent et éteignirent le brasier. Ils réveillèrent les garçons qui les suivirent en marmonnant jusqu'à l'abri. Il plut à plusieurs reprises au cours de la nuit, Edgar entendit tambouriner les gouttes sur les nattes qui couvraient la caisse du piano.

Le matin, ils levèrent le camp sous un ciel couvert. Sur le radeau, ils n'enlevèrent pas les nattes qui protégeaient le piano. En fin de matinée, les nuages de pluie s'estompèrent, le ciel se dégagea. La rivière, gonflée de ses affluents, coulait plus vite. Au début de l'après-midi, Nok Lek annonça à Edgar qu'ils venaient de pénétrer dans un territoire contrôlé par la principauté de Mawkmai, et que dans deux jours ils entreraient dans le pays Karen. Les Anglais avaient là des postes-frontières sur la rive du fleuve qui touchait au Siam du Nord, ils pourraient faire halte sans avoir besoin d'effectuer tout le voyage jusqu'à Moulmein.

Tout sera bientôt terminé, se dit Edgar. Plus qu'un

souvenir. Il ôta les nattes et se mit devant le piano, se demandant quoi jouer. Un *finale*, car si demain nous quittons la rivière, ce sera la fin du rêve et le pianiste redeviendra un accordeur. Le radeau flottait en douceur au fil du courant, les cordes résonnaient suivant le balancement des marteaux. A l'avant du radeau, un des deux frères se retourna.

Edgar ne savait pas quoi choisir. Mais il suffisait de commencer, et le chant viendrait tout seul. Il pensa d'abord opter de nouveau pour Bach, mais quel morceau ? Non, ce n'était pas ce qu'il fallait. Il ferma les yeux, à l'écoute. Et dans la vibration des cordes il entendit un chant qui s'était élevé dans le ciel des semaines plus tôt, une nuit sur l'Irrawaddy, et puis lors de cette soirée au clair de lune à Mandalay, où il s'était arrêté pour regarder le *yôkthe pwè*. Un chant de deuil, le *ngo-gyin*. Edgar pensa que le genre convenait pour la circonstance. Il posa les doigts sur le clavier et, tandis qu'il commençait, le chant descendit de là où il s'était jadis élevé, un air qu'aucun accordeur n'aurait pu inventer, un air étranger, neuf, sans dièses ni bémols, car un Erard n'a pas été construit pour qu'on en joue sur une rivière ni pour jouer le *ngo-gyin*.

Tandis qu'Edgar Drake jouait, soudain des coups de fusil crépitèrent, suivis d'un bruit de chute dans l'eau, puis d'un autre, puis d'une autre chute. C'est alors seulement qu'il ouvrit les yeux et vit deux de ses compagnons qui flottaient, et le troisième sur le dos, silencieux sur le pont du radeau.

Il se dressa debout devant le piano. Le radeau tournoyait paresseusement sous la poussée des corps tombés. La rivière était calme. Edgar ignorait d'où provenaient les coups de feu. Les arbres sur la rive frémissaient au vent. Des nuages de pluie passaient lentement dans le ciel. Un perroquet poussa un cri et s'envola de l'autre rive. Les doigts d'Edgar restèrent suspendus sans bouger au-dessus du clavier.

Puis, venu de la rive droite, un bruissement signala

deux pirogues poussées de la berge, qui s'avançaient droit sur le radeau en aval. L'accordeur, qui ne savait pas manœuvrer le radeau, ne pouvait rien faire sinon attendre, pétrifié, comme si on lui avait tiré dessus à lui aussi. Les pirogues qui transportaient chacune deux hommes gagnaient rapidement du terrain. A une centaine de mètres environ, Edgar reconnut qu'ils étaient birmans et qu'ils portaient des uniformes de l'armée indienne.

Les pirogues se rangèrent le long du radeau sans un mot des piroguiers. Deux hommes, un par pirogue, grimpèrent sur les rondins. L'arrestation se fit en un instant. Edgar ne protesta pas, il se contenta de fermer le couvercle sur le clavier. On attacha le radeau aux pirogues par un cordage et on pagaya jusqu'au rivage.

Sur la berge, attendaient un Birman et deux Indiens. Ils escortèrent Edgar par un long sentier jusqu'à une clairière où se dressait un poste de garde, sur lequel flottait le drapeau anglais. Ils se dirigèrent vers une cabane de bambou. Au milieu de la pièce, une chaise. « Asseyez-vous », dit l'un des Indiens. Edgar s'assit. Les hommes sortirent et refermèrent la porte. On apercevait de la lumière à travers les lattes. Dehors, deux hommes montaient la garde. Il y eut un bruit de pas, la porte s'ouvrit, et un lieutenant anglais entra.

Edgar se leva de sa chaise. « Lieutenant, qu'est-ce qui se passe ?

— Asseyez-vous, monsieur Drake. » La voix de l'homme était sévère. Il portait un uniforme repassé de frais, amidonné, aux plis nets.

« Lieutenant, on a abattu ces garçons. Qu'est-ce qui... ?

— J'ai dit : asseyez-vous.

— Vous ne comprenez pas. Il y a eu un affreux quiproquo.

— C'est la dernière fois que je vous le demande.

— Je...

— Monsieur Drake. » Le lieutenant avança d'un pas. Edgar le regarda droit dans les yeux. « J'exige de savoir ce qui se passe. » Il sentait la colère monter en lui, succédant à son état premier de stupeur.

« Je vous demande de vous asseoir, encore une fois.

— Je refuse. Pas avant que vous m'ayez dit pourquoi je suis ici. Vous n'avez pas d'ordres à me donner.

— Monsieur Drake ! »

La gifle partit à toute volée. Edgar entendit craquer les os de la main qui lui souffletait la figure. Il retomba sur sa chaise. Il porta les doigts sur ses tempes endolories et les ramena poissés de sang.

Le lieutenant ne fit pas de commentaire, se contentant de surveiller Edgar de près. L'accordeur couvrit sa joue de sa main et à son tour toisa le lieutenant. Celui-ci tira une chaise de la pénombre, s'assit face à Edgar et laissa passer quelques minutes.

Puis il commença : « Edgar Drake, vous êtes en état d'arrestation par ordre de la haute autorité militaire de Mandalay. Dans ces documents se trouve consignée la nature de vos crimes. » Il souleva une liasse posée sur ses genoux. « Vous serez détenu ici en attente d'une escorte en provenance de Yawnghwe. De là vous serez transféré à Mandalay, puis à Rangoon pour y être jugé. »

Edgar secoua la tête. « Il doit y avoir erreur.

— Je ne vous ai pas autorisé à parler.

— Je n'ai pas besoin d'autorisation. » Il se leva de sa chaise et le lieutenant en fit autant. Les deux hommes se toisèrent.

« Je... » Edgar fut interrompu par un autre soufflet. Ses lunettes tombèrent. Il recula en trébuchant, bouscula sa chaise. Il se raccrocha au dossier.

« Monsieur Drake, tout sera beaucoup plus facile si vous vous montrez coopératif. »

Tremblant, Edgar se baissa pour ramasser ses lunettes et les remit sur son nez. Il regarda le lieutenant de derrière ses verres d'un air incrédule. « Vous assassinez mes amis. Vous me frappez et vous me demandez de me montrer coopératif. N'oubliez pas que je suis au service de Sa Majesté.

— Vous ne l'êtes plus. Les traîtres ne méritent pas le respect.

— Traître ? » La tête lui tournait. Il se laissa tomber sur la chaise, abasourdi. « C'est insensé.

— Jouer au plus fin ne vous mènera nulle part.

— Je ne suis au courant de rien. Traître ! Sur quoi repose cette accusation ?

— Vous êtes inculpé pour complicité avec le médecin-major Anthony Carroll, lui-même espion et traître à la Couronne.

— Anthony Carroll ? »

Le lieutenant ne répondit pas.

Edgar crut deviner un rictus méprisant. Il insista pourtant : « Le Dr Anthony Carroll ? Anthony Carroll est le meilleur soldat de toute la Birmanie. Je ne comprends rien à ce que vous me racontez. »

Les deux hommes se défiaient du regard.

On frappa à la porte. « Entrez », dit le lieutenant.

La porte s'ouvrit sur le capitaine Nash-Burnham. Edgar eut au premier abord du mal à reconnaître l'homme jovial et bon vivant avec qui il avait passé à Mandalay une soirée à voir des *pwè*. Il portait un uniforme sale et fripé. Il n'était pas rasé. Il avait des poches sous les yeux.

« Capitaine ! s'écria Edgar, bondissant de sa chaise. Qu'est-ce qui se passe ? »

Le capitaine balaya la scène du regard. « Lieutenant, vous avez informé M. Drake des charges qui pèsent contre lui ?

— Brièvement, mon capitaine.

— Capitaine, pouvez-vous me dire ce qui se passe ? » répéta Edgar.

Nash-Burnham se tourna vers lui. « Asseyez-vous, monsieur Drake.

— Capitaine, j'exige de savoir !

— Bon Dieu ! Asseyez-vous, nom d'un chien ! »

La dureté du capitaine blessa davantage Edgar que les soufflets du lieutenant. Il se rassit, vaincu.

Le lieutenant céda sa place à Nash-Burnham, mais resta en faction derrière lui.

Le capitaine commença posément : « Monsieur Drake, il existe des chefs d'accusation extrêmement sérieux contre vous et contre le médecin-major Carroll. Croyez-moi, il est de votre intérêt de vous montrer coopératif. Cette situation est aussi difficile pour moi que pour vous. »

Le capitaine se retourna vers l'homme qui se tenait derrière lui pour lui donner la parole.

« Lieutenant ?

— Monsieur Drake, je serai bref. Il y a trois mois, lors d'un contrôle de routine des dossiers du ministère de l'Intérieur à Londres, on a trouvé une note rédigée en russe au dos d'un document classé secret. On a pu établir qu'elle provenait du colonel Fitzgerald, l'officier chargé en Angleterre de la correspondance avec Carroll, celui-là même qui avait pris contact avec vous. On a fouillé son bureau et on y a trouvé d'autres correspondances. Il a été arrêté pour espionnage.

— En russe ? Je ne vois pas ce que cela a à voir avec...

— Monsieur Drake, je vous en prie. Vous n'êtes pas sans savoir que depuis plusieurs dizaines d'années nous nous battons contre la Russie pour établir des bases en Asie centrale. Nous avons toujours cru peu probable que la Russie s'intéresse à un territoire aussi éloigné de ses frontières que la Birmanie. Pourtant, en 1878, à Paris, eut lieu une rencontre entre le consul honoraire de Birmanie et un diplomate pour le moins inattendu, le grand chimiste russe Dmitri Mendeleiev. Les services de renseignements anglais à Paris prirent note de l'événement, sans en saisir les implications. On oublia bientôt la chose, la mettant au compte de l'une de ces ouvertures diplomatiques restées sans lendemain.

— Je ne vois pas en quoi cela concerne le Dr Carroll ou moi-même ou...

— Monsieur Drake... interrompit le lieutenant avec impatience.

— C'est absurde. Vous venez de tuer...

— Monsieur Drake, reprit Nash-Burnham, nous ne sommes pas obligés de vous donner toutes ces précisions. Si vous ne vous montrez pas coopératif, nous pouvons vous envoyer directement à Rangoon. »

Edgar ferma les yeux, serra les dents et s'adossa à sa chaise, les tempes battantes.

Le lieutenant reprit : « L'arrestation du colonel nous a amenés à poursuivre notre enquête auprès des personnels sous son commandement. Nos efforts n'ont pas abouti à grand-chose, à part une lettre de 1879 adressée par le médecin-major Carroll à Dmitri Mendeleiev, portant l'intitulé : "Propriétés astringentes de l'extrait de *Dendrobium* de haute Birmanie"... Même si rien dans la lettre ne pouvait suggérer des activités d'espionnage, elle provoqua certains soupçons. La présence de nombreuses formules chimiques pouvait faire soupçonner un langage codé, ainsi que l'abondance de partitions musicales réclamées au ministère par le médecin-major Carroll à Mae Lwin. Ces mêmes partitions que vous avez transportées là-bas, monsieur Drake. Quand nous avons examiné de plus près les partitions que Carroll avait, de son côté, expédiées, nous avons été dans l'incapacité d'en déchiffrer la plupart, ce qui semblerait indiquer qu'il s'agissait non de musique, mais d'un mode de communication déguisé.

— C'est ridicule, protesta Edgar. J'ai entendu jouer cette musique, c'est de la musique Chan, qui n'a pas du tout les mêmes gammes que les nôtres. Bien sûr, cela sonne bizarrement sur des instruments occidentaux, mais il ne s'agit absolument pas d'un code.

— Naturellement, nous hésitions à porter des accusations contre l'un de nos officiers les plus efficaces en Birmanie. Il nous fallait d'autres preuves. Il y a quelques jours, nous avons reçu de nos agents de renseignements une information selon laquelle Carroll et vous-même aviez rencontré à Mongpu à la fois les représentants de la confédération de Limbin et le Chef des bandits, le prince Twet Nga Lu.

— C'est vrai. J'y étais. Mais...

— Au cours de cette rencontre, Carroll a fait alliance avec la confédération de Limbin pour repousser les forces anglaises de Yawnghwe et rétablir l'autonomie des Chan.

— C'est absurde ! » Edgar se redressa sur sa chaise. « J'étais là. Carroll a agi sans autorisation, mais il ne pouvait pas faire autrement. Il a convaincu la confédération de se soumettre à un traité de paix.

— C'est ce qu'il vous a dit ? » Nash-Burnham regarda le lieutenant.

« Oui, mais j'étais là. J'ai tout vu.

— Dites-moi, monsieur Drake, quel est exactement le niveau de vos connaissances en langue Chan ? »

Edgar resta un moment silencieux. Puis il secoua la tête. « Tout cela est absurde. J'ai passé près de trois mois à Mae Lwin, et pas une seule fois je n'ai vu le médecin montrer le moindre signe d'insubordination contre la Couronne. C'est un homme de principe, un savant, un amoureux des arts et de la culture...

— Justement, parlons-en, d'art et de culture, lança le lieutenant.

— Que voulez-vous dire ?

— Pourquoi êtes-vous allé à Mae Lwin, monsieur Drake ?

— Vous le savez parfaitement. J'avais un ordre de mission de l'armée pour aller accorder un piano à queue Erard.

— Ce même piano qui flotte à l'heure actuelle en bas du camp ?

— C'est exact.

— Et comment vous êtes-vous rendu à Mae Lwin, je vous prie ? Y êtes-vous allé sous escorte, comme il était précisé dans votre ordre de mission ?

— Le Dr Carroll m'a envoyé chercher.

— Vous avez donc enfreint les ordres ?

— Je suis venu en Birmanie pour accorder un piano. Voilà mes ordres. Je ne pouvais pas retourner à Rangoon.

Quand j'ai reçu la lettre de Carroll, je suis parti. Je suis un civil. Il n'y a pas d'insubordination là-dedans.

— Donc vous vous êtes rendu à Mae Lwin.

— Oui.

— Quel type de piano deviez-vous accorder, s'il vous plaît ?

— Un piano à queue Erard. Vous le savez parfaitement. Je ne vois pas le rapport avec ce qui nous occupe.

— Erard, c'est spécial, comme nom. De quel genre de piano s'agit-il ?

— C'est un piano français. Sébastien Erard était d'origine allemande, mais il est venu vivre en France. Je...

— Français ? Comme ces Français qui construisent des forts militaires en Indochine ?

— C'est ridicule. Vous n'allez tout de même pas penser que... ?

— Certes, il peut s'agir d'une coïncidence, ou d'une question de goût. Mais il existe d'excellents pianos anglais. »

Edgar regarda Nash-Burnham droit dans les yeux. « Capitaine, je n'en crois pas mes oreilles. Les pianos ne signent pas de traités d'alliance...

— Répondez aux questions, se contenta de dire sèchement Nash-Burnham.

— Combien de temps faut-il pour accorder un piano ? demanda le lieutenant.

— Tout dépend.

— Donnez-nous une idée approximative. En Angleterre, quel est le temps le plus long que vous ayez mis pour accorder un piano ?

— Pour l'accorder seulement ?

— Oui.

— Deux jours, mais...

— Deux jours. Ah bon ! Vous avez dit vous-même que vous avez passé près de trois mois à Mae Lwin. S'il faut deux jours pour accorder un piano, pourquoi n'êtes-vous pas rentré chez vous ?

Edgar se taisait, pris de vertige, d'une sensation d'anéantissement.

Les minutes passèrent.

Finalement, le capitaine Nash-Burnham se racla la gorge. « Pourrez-vous répondre aux accusations qui pèsent sur vous et témoigner contre le médecin-major Carroll ? »

L'accordeur de piano lui répondit lentement. « Capitaine, ce que vous affirmez ne peut pas être exact. J'étais moi-même à Mongpu, j'ai assisté à l'entretien. J'ai parlé avec Twet Nga Lu. Le Dr Carroll négociait pour la paix. Vous verrez. J'ai confiance en lui. C'est un homme excentrique, mais un génie, capable de conquérir les cœurs par la musique et la science. Attendez un peu, et quand la confédération de Limbin présentera ses propositions à la Couronne, vous me croirez.

— Monsieur Drake, dit le lieutenant, deux jours après la rencontre de Mongpu, les forces de Limbin, menées par le *sawbwa* de Lawksawk, et avec le soutien de troupes envoyées, pensons-nous, par Carroll, ont attaqué nos positions au cours d'une offensive qui compte parmi les plus sévères de toute la campagne. Ce n'est que par la grâce de Dieu que nous avons pu les repousser jusqu'à Lawksawk, et là nous avons brûlé leur ville. »

Edgar, stupéfait, balbutia : « Vous avez détruit Lawksawk ?

— Monsieur Drake, nous avons détruit Mae Lwin. »

23

Il faisait nuit maintenant. Depuis la déclaration du capitaine, Edgar n'avait pas ouvert la bouche, prostré sur la chaise au milieu de la pièce. Le lieutenant et le capitaine Nash-Burnham étaient partis, claquant la porte derrière eux. Edgar entendit le raclement d'une chaîne qu'on passait sur le châssis de bambou et le grincement d'une clé. Il entendit les hommes s'éloigner, il vit le jour tomber et entendit les bruits du camp s'atténuer tandis que le chant des insectes gagnait en force. Il toucha l'intérieur de ses paumes et passa les doigts sur ses cals. Cela, Katherine, est directement causé par le marteau d'accordeur, c'est ce qui arrive quand on refuse de lâcher ce qu'on tient.

La voix des insectes s'enflait, et à travers les lattes du mur s'infiltrait un air lourd, chargé de brume et de murmures de pluie. L'esprit d'Edgar vagabondait... le mouvement de la rivière, les berges ombragées..., il les remontait à contre-courant. Les pensées n'obéissent pas aux mêmes lois que l'eau qui coule. Il se tenait au bord de la rivière à Mae Lwin, devant les cabanes de bambou, elles brûlaient, il voyait les flammes danser, consumer tout, puis bondir jusqu'aux arbres, il voyait les branches dégoutter de feu. Il entendit des cris et leva les yeux, pensant aux bruits de la jungle, au cri des coléoptères. La chaîne racla contre le bambou.

La porte s'ouvrit sur une forme flottante, une ombre aussi sombre que la nuit sans lune. Salut, Edgar.

L'accordeur de piano resta muet. Je peux entrer ? demanda l'ombre. La porte tourna doucement sur ses gonds. Je ne suis pas censé être là, dit l'ombre, et l'accordeur répondit : Moi non plus, capitaine.

Un long moment de silence s'étira, puis la voix émergea de nouveau de la nuit. Il faut que je vous parle. Je pense que nous nous sommes tout dit. Je vous en prie, je suis déjà suspect moi-même. Si l'on découvre que je suis ici, on m'arrêtera aussi. On m'a interrogé. Vous dites ça pour me mettre du baume au cœur ? Ce n'est pas facile, Edgar, rien de tout cela n'est facile, je veux seulement parler avec vous. Eh bien, allez-y, parlez. Je veux parler avec vous comme nous parlions avant. Avant que vous ayez tué ces garçons. Je n'ai tué personne, Edgar. Vraiment, pourtant trois de mes compagnons sont morts. Je ne leur ai pas tiré dessus, j'ai demandé qu'on ne tue personne, mais on m'a suspendu de mon commandement. Nok Lek avait quinze ans, dit Edgar, les deux autres étaient des enfants.

Le concert des insectes un instant prit le dessus. Edgar écouta le bruit strident. Dire qu'un son si puissant est l'œuvre d'élytres si minuscules...

Edgar, je risque gros en venant vous parler.

J'entends des sons qui proviennent de l'interaction de tons inégaux, des sons nés de la discordance, c'est curieux, je n'en avais jamais pris conscience.

Il faut que je vous parle, pensez à votre femme.

Des sons nés de la discordance, pensa-t-il, et il répondit : Vous ne m'avez pas posé de question.

Nous avons besoin de vous pour nous aider à le retrouver, dit l'ombre.

Le chant des insectes resta en suspens, l'accordeur leva la tête. Je croyais que vous vous étiez emparés de Mae Lwin. C'est vrai, mais pas de Carroll. Et Khin Myo ? Ils se sont échappés tous les deux, nous ne savons pas où ils sont.

Silence.

Edgar, nous voulons seulement la vérité.

Vous semblez loin du compte.

Peut-être que vous pouvez me parler, nous mettrons fin à cette situation sans autre effusion de sang, et vous rentrerez chez vous.

Je vous ai dit ce que je savais, le Dr Carroll est un homme remarquable.

Dans des moments comme celui-ci, ce sont des mots qui sonnent creux. Pour vous peut-être, capitaine, c'est même sans doute ce qui fait toute la différence. Ce que je veux, ce sont des faits, ensuite nous pourrons décider quel genre d'homme c'était. Parlez pour vous, en ce qui me concerne, mon opinion est faite. Je n'en suis pas si sûr. Il y a bien des mobiles possibles pour disparaître dans les montagnes, pour transporter des pianos dans la jungle, pour négocier des traités. De nombreuses hypothèses sont envisageables.

Il aimait la musique.

En voilà une. Il y en a d'autres. Est-ce trop vous demander que de l'admettre ? Admettre, d'accord, mais pas douter, je n'ai jamais douté de lui. Ce n'est pas vrai, nous avons vos lettres. Ne mentez pas. Ce n'est dans l'intérêt de personne.

Mes lettres ?

Tout ce que vous avez écrit depuis que vous avez quitté Mandalay.

C'était destiné à ma femme. Ce sont mes pensées. Je n'ai pas...

Vous ne pensiez pas que nous chercherions à nous renseigner sur un homme disparu ?

Elle ne les a jamais lues.

Parlez-moi de Carroll, Edgar.

Silence.

Edgar.

Capitaine, je me suis posé des questions sur ses intentions, je n'ai jamais mis sa loyauté en doute. Cela, vous l'admettez. Oui, parfaitement, mais les intentions et la loyauté, ce n'est pas la même chose. Il n'y a pas de mal à se poser des questions. Nous ne devons pas détruire tout ce que nous ne comprenons pas. Eh bien, posez-les, ces questions. Mes questions. Vos questions, Edgar. Je me demande pourquoi il a réclamé un piano. Vous vous le demandez. Bien sûr, je me suis posé la question tous les jours depuis mon départ d'Angleterre. Et vous avez trouvé la réponse ? Non, il faudrait ? Quelle importance, la raison pour laquelle il a réclamé un piano, pourquoi il m'a réclamé moi. Peut-être que c'était vital pour sa stratégie. Peut-être que tout simplement la musique lui manquait et qu'il se sentait seul. Laquelle des deux hypothèses à votre avis ? Peu importe, même si j'ai mes idées là-dessus. Moi aussi. Dites-les-moi, capitaine.

L'ombre se déplaça légèrement. Anthony Carroll est un agent au service de la Russie. C'est un nationaliste Chan. C'est un espion français. Anthony Carroll veut bâtir son propre royaume dans les jungles de Birmanie. Des hypothèses, admettez au moins que ce sont des hypothèses. Nous avons signé un traité. Vous ne parlez pas chan. J'ai tout vu, j'ai vu des dizaines, non, des centaines de guerriers Chan s'incliner devant lui. Et ça ne vous a pas étonné ? Non. J'ai peine à vous croire. J'ai pu me poser la question. Et maintenant ? Il m'a donné sa parole. Et là-dessus la confédération de Limbin a attaqué nos troupes. Peut-être qu'il a été trahi, lui.

Ils se turent tous deux et, dans le vide ainsi créé, les bruits de la forêt prirent toute la place.

Moi aussi j'ai cru en lui jadis, Edgar, peut-être plus que vous. Dans cette guerre cruelle aux motifs incertains, j'ai cru qu'il représentait ce que l'Angleterre a de meilleur. C'est à cause de lui que je suis resté ici. Je ne sais pas si je peux encore vous croire. Je ne vous le demande pas, je vous demande seulement

de dissocier ce qu'il a été de ce que nous voulions qu'il soit, ce qu'*elle* a été de ce que vous vouliez qu'*elle* soit.
Vous ne savez rien d'elle.
Vous non plus, Edgar. Son sourire, pensez-vous que c'était un simple geste d'hospitalité ?
Je ne crois pas.
Alors croyez-vous qu'il l'a chargée de vous témoigner de l'affection, de vous séduire pour vous faire rester ? Croyez-vous qu'il n'était pas au courant ?
Il n'y avait rien à savoir, il n'y a pas eu de transgression. Ou alors il avait pleine confiance en elle. Pleine confiance en quoi ? Simples hypothèses Réfléchissez, Edgar, en dehors de quelques regards surpris par vous, vous ne saviez même pas ce qu'elle était pour lui.
Vous ignorez de quoi vous parlez.
Je vous avais prévenu, ne tombez pas amoureux.
Je vous ai écouté.
Peut-être, ou peut-être pas. Mais elle reste mêlée à tout cela.
Je ne vous comprends pas.
Nous allons et venons – armées, pianos, belles intentions –, elle seule demeure, et vous, vous croyez que, si vous parvenez à la comprendre, tout ira bien. Réfléchissez. Serait-elle aussi une créature créée par vous ? Et si vous n'arriviez pas à la comprendre, n'est-ce pas que vos propres fantasmes vous échappaient ? Est-il impossible que même nos rêves nous échappent ?
De nouveau le silence.
Vous ne savez même pas ce que tout cela a représenté pour *elle*, quel effet on peut ressentir à être le fantasme de quelqu'un. Pourquoi me dites-vous tout cela ? Parce que vous êtes différent aujourd'hui de la dernière fois où je vous ai vu. Quelle importance, ce n'est pas de moi que nous parlons, capitaine. La dernière fois que je vous ai vu, vous m'avez dit que vous ne saviez pas jouer du piano. C'est encore vrai. Et pourtant vous avez joué devant le *sawbwa* Chan.
Ça, vous n'en savez rien.

Vous avez joué devant le *sawbwa* de Mongnai, et vous avez joué le *Clavier bien tempéré*, mais seulement jusqu'à la vingt-quatrième fugue.

Je vous l'ai dit, vous ne pouvez pas le savoir, je ne vous en ai pas parlé.

Vous avez commencé par le prélude et fugue numéro 4, c'est malheureux, le numéro 2 est tellement beau. Vous pensiez que votre musique pouvait apporter la paix. Vous ne voulez pas admettre qu'Anthony Carroll est un traître, parce que c'est la négation de tout ce que vous avez accompli ici.

Ma musique, vous ne la connaissez pas.

J'en sais bien plus que vous ne croyez.

Vous n'êtes pas là.

Edgar, ne détruisez pas ce que vous n'arrivez pas à comprendre, ce sont vos propres paroles.

Vous n'êtes pas là, je n'entends rien, c'est seulement le cri-cri des grillons, vous êtes le fruit de mon imagination. Peut-être, ou peut-être seulement un rêve. Peut-être ne suis-je que la nuit qui vous joue des tours. Peut-être que vous avez vous-même crocheté la serrure de la porte. Hypothèses... Peut-être que quatre coups ont été tirés de la rive, et pas trois. Peut-être suis-je venu ici non pour vous poser des questions, mais pour me les poser à moi-même.

Et maintenant.

La porte est ouverte. Partez, je ne vous en empêche pas. Vous prenez seul la fuite.

Est-ce pour cela que vous êtes venu ?

Je n'en savais rien jusqu'à cet instant.

Je voudrais vous serrer contre moi, mais cela me donnerait la réponse à une question que je ne veux pas encore me poser.

Vous voulez savoir si j'existe pour de vrai ou si je ne suis qu'un fantôme.

Et vous voulez me donner la réponse.

Nous sommes des fantômes depuis que toute cette histoire a commencé, répondit l'ombre.

Adieu, dit Edgar Drake. Il sortit par la porte ouverte et s'enfonça dans la nuit.

Le camp était vide, les gardes tous endormis. Edgar marchait sans bruit en direction du nord, ne songeant qu'à mettre le plus de distance possible entre le camp et lui. De lourds nuages orageux masquaient la lune, dans le ciel noir. Edgar marchait.

Il se mit à courir.

24

Quelques minutes plus tard, la pluie apparut. Edgar était déjà hors d'haleine quand les premières gouttes d'eau le surprirent, une, deux, trois pointes légères sur sa peau échauffée. D'un seul coup, le ciel s'ouvrit tout grand. Comme une digue qui cède, les nuages crevèrent à grand fracas. La pluie tombait comme des écheveaux de fil qui se déroulent. Tout en courant, Edgar essayait de se représenter une carte du cours d'eau, mais ses souvenirs étaient flous. Bien qu'ils aient voyagé pendant près de deux jours, ralentis par le piano ils n'avaient pas dû parcourir beaucoup plus de trente kilomètres. Vu les larges méandres de la rivière, le trajet jusqu'à Mae Lwin était peut-être plus court par voie de terre. Il tenta de se remémorer les particularités du terrain, mais la distance paraissait soudain un problème moins crucial que celui de la direction. Il accéléra sa course, faisant gicler la boue à chaque pas.

Et soudain il s'arrêta net.

Le piano. Edgar était arrivé dans une clairière. La pluie lui martelait le corps, plus drue maintenant, elle inondait ses cheveux, ruisselait sur ses joues. Il ferma les yeux. Il vit l'Erard flottant au bord du rivage, là où les soldats l'avaient laissé, ballotté par le courant. Il vit les hommes le récupérer, tirer dessus, s'y agripper, le tripoter de leurs mains pleines de graisse à fusil. Il le vit en bonne place dans un élégant salon, reverni, réaccordé ; à l'intérieur, le

morceau de bambou remplacé par du pin de Hongrie.
Edgar ne bougeait plus. A chaque inspiration, il inhalait
la vapeur de pluie. Il rouvrit les yeux, fit volte-face. Direction la rivière.

Les bords envahis par la végétation rendaient la marche
presque impossible. Il se glissa dans l'eau martelée par la
pluie et se laissa porter par le courant. Il n'eut pas loin à
aller. En s'aidant des branches de saule, il escalada la rive.
L'eau lui cinglait le visage. Tant bien que mal, il se hissa
sur la berge.

Autour de lui, la pluie se déversait par seaux sur les
arbres, poussée par le vent qui fouettait furieusement les
branches. Le radeau toujours attaché à son arbre tirait sur
ses amarres et l'eau écumante qui venait laper ses flancs
menaçait à chaque instant de l'entraîner dans le courant.
Le piano se trouvait encore sur le pont, sans protection,
et la pluie tambourinait sur l'acajou.

Edgar réfléchit. Le courant tourbillonnait autour de ses
jambes, l'eau le mordait à travers sa chemise. Le ciel était
sans lune. Filtré par l'écran mobile de la pluie, l'Erard
apparaissait et disparaissait, souligné par les gouttelettes
qui se fracassaient contre le bois sombre, ses pieds comme
raidis pour résister aux secousses du radeau.

On va bientôt, si ce n'est déjà fait, s'apercevoir de mon
absence, se disait Edgar avec une panique croissante.
Seule la pluie retardait ses poursuivants. Il pataugea pour
atteindre le radeau et tomba à genoux. Le cordage avait
déjà entamé l'écorce du tronc, mettant à nu la chair vive
de l'arbre. Edgar s'attaqua au nœud mais, à force de tirer
dessus, le radeau l'avait étroitement resserré et, avec ses
doigts gourds, il n'arrivait pas à le dénouer.

L'eau gargouillante qui par à-coups inondait les rondins risquait à tout moment de renverser le radeau. Le
gémissement de l'Erard semblait en annoncer l'immi-
nence. Les mouvements cahotiques projetaient les marteaux contre les cordes, les notes s'enflaient en même
temps que le rugissement de la rivière Edgar pensa soudain à la sacoche à outils qu'il avait emportée dans ses

bagages. Il se hissa jusqu'au radeau en s'aidant du cordage et retrouva le grand coffre. L'ayant ouvert non sans peine, il plongea le bras à l'intérieur. Ses doigts palpèrent le cuir durci de la sacoche. Nerveusement il l'ouvrit, farfouilla dedans et repéra le couteau de poche. Le chant du piano ne cessait de s'amplifier, toutes ses cordes résonnaient à la fois. Edgar jeta la sacoche à l'eau où elle flotta brièvement dans les remous qui cognaient contre le radeau. Il s'apprêtait à rejoindre la berge, perdit l'équilibre, tomba à genoux, s'agrippa *in extremis* au cordage. Le choc lui fit perdre ses lunettes qu'il eut la chance de rattraper dans l'eau. D'une main il agrippa le cordage, de l'autre se mit à scier, brin à brin, avec son couteau. Le chanvre s'effilochait peu à peu et les derniers filaments lâchèrent tout seuls brusquement. Le radeau, libéré d'un coup, accusa une grande secousse, le piano émit un chant, les touches se projetèrent ensemble en avant. Un instant immobile dans le courant, le radeau vira soudain sur place, brièvement retenu par les branches de saule dont les feuilles frôlèrent la surface du piano et, derrière le rideau de pluie, voilà le piano parti à la dérive.

Non sans mal, Edgar se hissa à terre. Il fourra le couteau dans sa poche et se remit à courir à travers les sous bois, repoussant les branches qui lui fouettaient la figure, traversant des clairières douchées par des trombes d'eau, obsédé par l'image du piano qui flottait, des rafales de pluie qui s'abattaient sur sa caisse, des bourrasques qui forçaient le couvercle à s'ouvrir, de la pluie et du vent qui en duo se disputaient le clavier. Il voyait l'écume et le courant le pousser toujours en aval, il le voyait longer village après village. Il voyait des enfants le montrer du doigt, des pêcheurs lâcher leurs filets pour se lancer à sa poursuite.

Un éclair, tout à coup, illumina un homme à lunettes, un homme aux vêtements déchirés, aux cheveux plaqués contre le front, qui courait à travers la forêt en direction du nord derrière un piano à queue en acajou noir flottant au fil du courant, un piano incrusté de nacre accrochant la lumière. Les deux images jaillirent comme spontanément de la nuit. Non loin de là, un chien de garde tira de toutes ses forces sur sa laisse et une patrouille de reconnaissance se précipita pour rassembler ses lanternes.

Ses pieds frappaient le sol, il s'éclaboussait de boue. Il suivait un sentier à travers un épais bosquet, s'enfonçant dans le noir, se cognant aux branches. Il trébucha, s'affala dans la boue. Il se releva, repartit, haletant.

Au bout d'une heure de course, il obliqua vers le fleuve. Il aurait préféré être plus près de Mae Lwin pour traverser, mais il avait peur que les chiens ne flairent son odeur.

Le courant gonflé par la pluie était rapide. Aveuglé par la nuit et les trombes d'eau, Edgar ne distinguait pas l'autre rive. Au bord de l'eau, il hésita, scrutant le fleuve. Ses lunettes étaient tout embuées. Il les enleva, les fourra dans sa poche. Il resta un moment au bord du fleuve qui roulait devant lui, ne voyant que la nuit, écoutant le roulement du courant. Et puis, au loin, retentit l'aboiement d'un chien. Il ferma les yeux et plongea.

Sous la surface de l'eau, c'était le calme et le silence. Pendant quelques secondes, il se sentit à l'abri. A chaque mouvement de bras, il fendait l'eau froide et sentait ses vêtements se déployer autour de lui. Malgré sa poitrine prête à exploser, il se força à continuer, luttant contre le besoin de remonter, nageant encore, et il fallut que la douleur lancinante devienne intolérable pour qu'il jaillisse d'un coup à la surface, au milieu de la pluie et du vent. Il se reposa un instant pour reprendre son souffle, entraîné par le courant, et la pensée lui traversa l'esprit que ce serait agréable de renoncer à tout et de se laisser tout simplement porter au fil de l'eau. Mais il y eut un nouvel éclair qui embrasa la rivière et il se remit à nager comme un fou. Au moment même où il n'avait plus la force de lever un bras, son genou frôla un rocher. Devant lui, il devina le rivage et une berge sablonneuse. Il se hissa et s'écroula, épuisé, sur le sable. La pluie tambourinait sur son corps. Il avait le souffle rapide, toussait, recrachait de l'eau de rivière. Un nouvel éclair le remit tant bien que mal sur ses pieds et il recommença à courir.

A travers la forêt, escaladant des troncs d'arbre qui lui barraient le chemin, fonçant à l'aveuglette, bras en avant au milieu des lianes, il fonçait dans une panique croissante, car il avait espéré trouver une piste qui longeait la rive sud du fleuve depuis Mae Lwin. Il ne l'avait jamais empruntée mais le médecin lui en avait parlé. Pourtant la forêt n'en finissait pas. Il dévala une pente et atteignit une petite rivière, affluent de la Salouen. Il glissa plusieurs fois dans la boue, mais réussit à dénicher un rondin avec lequel il traversa la rivière. De l'autre côté, il escalada la berge couverte de mottes de terre boueuse, culbuta, tomba, se releva, et puis ses pieds se prirent dans un fourré de ronces et il s'écroula à plat ventre dans les broussailles. La pluie ne cessait pas. Au moment où il se relevait, il perçut un grognement.

Il se retourna lentement, s'attendant à voir les bandes molletières de soldats anglais. Mais à quelques centimètres de lui, il y avait un chien tout seul, une bête souffreteuse, trempée, la mâchoire pleine de dents cassées. Edgar essaya de se dégager des ronces. L'animal poussa un nouveau grognement et s'avança menaçant, prêt à mordre. Une main sortit de l'obscurité, attrapa l'animal par la peau du cou, et le tira en arrière. La bête aboya rageusement. Edgar leva les yeux.

Devant lui se tenait un homme, vêtu seulement d'un pantalon Chan, relevé jusqu'aux genoux, qui laissait voir des jambes noueuses, ruisselantes d'eau. Edgar se pencha lentement pour libérer son pied coincé et se releva. Les deux hommes restèrent face à face un bref instant, se dévisageant. Chacun de nous est un fantôme pour l'autre, se dit Edgar. Dans un nouvel éclair, l'homme se matérialisa, émergeant de la nuit. Edgar vit son corps luisant, les tatouages qui s'enroulaient autour de son torse représentant des bêtes de la jungle aux formes fantastiques, vivantes, bougeant avec la pluie. Puis ce fut de nouveau la nuit et Edgar fit volte-face, bondissant à travers les taillis dans une végétation de plus en plus touffue. Enfin, il émergea soudain de la forêt, au bord d'une route. Il essuya la boue de ses yeux et prit la direction du nord. Il tombait des seaux d'eau qui le lessivaient.

L'est s'éclaircit et l'aube se leva. La pluie se calma, puis cessa bientôt. Epuisé, Edgar ralentit. La route était une ancienne piste pour chars à bœufs, envahie de mauvaises herbes, creusée de deux étroits sillons plus ou moins parallèles, tracés par les roues usées des charrettes. Personne à l'horizon. Plus loin, la route n'était plus bordée d'arbres mais de taillis ou d'herbe rare. L'air se réchauffait peu à peu.

Edgar marchait mécaniquement, l'esprit vide, guettant les repères qui le conduiraient jusqu'à Mae Lwin. La chaleur s'accentua rapidement et Edgar sentit des gouttes de sueur se mêler aux gouttes de pluie dans ses cheveux. Un vertige le saisit. Il remonta ses manches, ouvrit sa chemise et, ce faisant, sentit quelque chose dans sa poche : un morceau de papier plié. D'abord surpris, il se souvint des derniers moments passés avec le médecin sur le rivage et de la lettre que celui-ci lui avait donnée. Sans s'arrêter de marcher il déplia le feuillet mouillé.

C'était une page que le médecin avait arrachée à son exemplaire de l'*Odyssée* ; un texte imprimé annoté à l'encre indienne avec des paraphes en caractères Chan, et des lignes soulignées :

Mes hommes ont poursuivi leur route et bientôt ils ont rencontré les mangeurs de lotus. Ces mangeurs de lotus n'avaient pas l'intention de détruire nos compagnons, ils leur ont seulement fait goûter du lotus. Mais ceux d'entre eux qui goûtaient le fruit sucré du lotus n'avaient plus envie ni de servir de messagers ni de repartir ; ils voulaient rester avec les mangeurs de lotus, se nourrir de lotus, et ils ne pensaient plus à rentrer chez eux.

Par transparence à travers le papier mouillé, Edgar distingua quelque chose écrit au verso, et il retourna la feuille. À l'encre noire, le médecin avait griffonné : « Pour Edgar Drake, qui y a goûté. » Edgar relut ces mots et baissa lentement le bras. La page claqua au vent. Son pas ralentit, peut-être à cause de la fatigue. Au loin, la terre montait rejoindre le ciel, les deux se mêlant dans les couleurs d'aquarelle des orages. Edgar leva les yeux vers les nuages : ils semblaient en feu, des oreillers de coton se consumant jusqu'aux cendres. L'eau s'évaporait toute fumante de ses vêtements, elle le quittait comme un esprit quitte le corps.

Il franchit le haut d'une côte, s'attendant à découvrir le fleuve, ou peut-être Mae Lwin, mais seule une longue route s'étendait jusqu'à l'horizon, et il la suivit. Sur toute la plaine, à perte de vue, il n'aperçut qu'une aspérité et en s'approchant, il constata que c'était un petit sanctuaire. Il s'y arrêta. Drôle d'endroit pour déposer des offrandes, se dit-il. Il n'y a ni montagnes ni maisons. Personne. Il regarda les bols de riz, les fleurs fanées, les bâtons d'encens, les fruits qui se gâtaient. Dans la niche, une statuette en bois délavé représentait un esprit, avec un sourire triste et une main cassée. Avant de repartir, Edgar sortit le papier de sa poche, le relut encore une fois. Il le replia et le glissa à côté de la statuette. Je vous laisse une histoire, dit-il tout haut.

Il reprit sa route. Le ciel était clair, mais on ne voyait pas le soleil.

L'après-midi, il aperçut une femme au loin sur la route. Elle portait un parasol.

Elle se déplaçait lentement et il ne savait pas si elle se rapprochait de lui ou si elle s'en éloignait. Tout était calme aux alentours, et soudain resurgit dans sa mémoire le lointain écho d'un jour d'été en Angleterre, où il avait pris pour la première fois la main de Katherine dans la sienne et où ils avaient traversé Regent's Park. Ils avaient peu parlé, mais ils avaient regardé la foule, les voitures, les autres jeunes couples. Elle l'avait quitté en murmurant : Mes parents m'attendent, je vous reverrai bientôt, et elle avait disparu, traversant la grande pelouse sous un parasol blanc qui captait la lumière du soleil et dansait légèrement dans la brise.

Il revivait cet instant, la voix de Katherine se faisait plus nette, il se mit à marcher plus vite, puis à courir. Brusquement, derrière lui il crut entendre un bruit de sabots, puis une voix commandant : Halte, mais il ne se retourna pas.

De nouveau le cri : Halte, puis un bruit d'engin qu'on manipule, un cliquetis métallique, lointain. Encore un cri, un coup de feu – et Edgar Drake tombe.

Il gît par terre, quelque chose de tiède se répand sous lui. Il se retourne, fixe le soleil qui est revenu, car en 1887, d'après les récits, le plateau Chan connut une terrible sécheresse. Et si les récits ne parlent pas des pluies, ni de Mae Lwin ni d'un accordeur de piano, c'est pour une même et unique raison : ils vinrent et disparurent, et la terre retrouva sa sécheresse initiale.

La femme s'avance et pénètre dans un mirage, dans le reflet fantomatique de lumière et d'eau que les Birmans appellent *than hlat*. Autour d'elle, l'air vacille, tournoie, désintégrant son corps, l'éparpillant en éclats. Et elle disparaît aussi. Il ne reste plus que le soleil et le parasol.

Note de l'auteur

Un vieux moine Chan était absorbé par une discussion avec un ascète hindou.

Le moine expliquait que tous les Chan croient que, lorsqu'un homme meurt, son âme se rend au Fleuve de la Mort où une barque attend pour le faire traverser, et c'est pourquoi ses amis lui mettent une pièce de monnaie dans la bouche, pour payer le passeur qui l'amène sur l'autre rive.

Il y a un autre fleuve, disait l'hindou, qu'il faut traverser avant de gagner le ciel le plus haut. Chacun atteint tôt ou tard sa berge et doit trouver seul le moyen de le franchir. Pour certains, la traversée est facile et rapide, pour d'autres, c'est une lente et pénible entreprise, mais chacun finit par arriver au but.

D'après Leslie Milne,
Shans at Home (Les Chan chez eux), 1910.

Edgar Drake, Anthony Carroll et Khin Myo, le site de Mae Lwin et le transport d'un piano Erard sur la Salouen sont fictifs.

Toutefois, j'ai essayé de situer mon histoire dans un contexte historique réel, tâche facilitée par le fait que l'histoire et les personnages de la révolte Chan dépassent en pittoresque tout ce que l'imagination pourrait inventer. Tous les éléments historiques du récit, depuis l'histoire de la Birmanie jusqu'au piano Erard, comportent des aspects véridiques. La pacification des Etats Chan a représenté une période critique pour l'expansion de l'Empire britannique. Il a véritablement existé une confédération de Limbin qui opposa aux Anglais une résistance acharnée. Mon histoire se termine aux environs du mois d'avril 1887, au moment où la principauté de Lawkswak fut occupée par les forces anglaises. A la suite de cette victoire militaire, la soumission des Etats Chan du Sud fut obtenue rapidement. Le prince de Limbin se rendit le 13 mai, et le 22 juin, A.H. Hildebrand, intendant militaire des Etats Chan, pouvait annoncer que tous les Etats Chan du Sud avaient officiellement accepté de se soumettre.

Parmi les figures historiques réelles dont il est question dans cet ouvrage fictif, il faut mentionner celle de l'administrateur des Etats Chan, sir James George Scott, l'homme qui introduisit le football en Birmanie lorsqu'il était directeur de l'école St John à Rangoon, et qui m'initia à la Birmanie grâce à son ouvrage savant et d'une grande ouverture d'esprit, *The Burman* (« Les Birmans »). C'est le premier ouvrage scientifique que j'aie lu sur le pays, et je m'en suis inspiré pour tout l'arrière-plan culturel de mon récit. Les œuvres de Scott, depuis les descriptions méticuleuses du *yôkte pwè* dans *The Burman* et les articles encyclopédiques sur les légendes locales dans *The Gazetteer of Upper Burma and the Shan States* (« L'index géographique de la haute Birmanie et des Etats Chan »), jusqu'à sa correspondance dans *Scott of the Shan States* (« Scott, des Etats Chan ») ont été pour moi une précieuse source d'information ainsi qu'un immense plaisir de lecture.

Dmitri Mendeleiev, le père du tableau périodique, a bien rencontré le consul de Birmanie à Paris. On ignore à ce jour l'objet de leur discussion.

Maung Tha Zan était une star du *pwè* birman. Il n'était pas aussi virtuose que Maung Tha Byaw.

Belaidour, que les Berbères appellent *adil-ououchchn*, est connu par la science occidentale sous le nom d'*Atropa belladona*, et est utilisé principalement pour soigner les cœurs qui battent trop lentement. Son nom tient au fait que ses baies rendent les yeux des femmes immenses et noirs. Les soupçons d'Anthony Carroll concernant la propagation de la malaria étaient fondés. Dix ans plus tard, un autre Anglais, le Dr Ronald Ross, devait prouver que ce sont bien les moustiques qui transmettent la maladie. Ross travaillait lui aussi au Service médical indien, mais dans un autre hôpital, dans la ville de Secunderadab. Carroll se montre également un précurseur par son utilisation d'une « plante qui venait de Chine ». Le qinghao est utilisé de nos jours pour fabriquer l'artémisinine, puissant médicament antimalaria dont l'efficacité fut « redécouverte » en 1971.

Tous les *sawbwas* ont réellement existé et sont encore des héros locaux dans les Etats Chan. La rencontre de Mongpu est inventée.

Quant à Twet Nga Lu, le prince des bandits fut finalement capturé par les forces anglaises, et la description de sa mort par sir Charles Crosthwaite dans *The Pacification of Burma* (« La pacification de la Birmanie ») mérite d'être citée ici :

Ordre fut par conséquent donné à M. Hildebrand de renvoyer Twet Nga Lu à Mongnai pour qu'il soit jugé par le sawbwa. Pendant le trajet il tenta de s'enfuir et fut abattu par les gardes beloutchis qui l'escortaient. Les hommes retournèrent à Fort Stedman et expliquèrent ce qui s'était passé, disant qu'ils l'avaient enterré sur place.

Tout doute concernant ce point fut bientôt levé. La mort du brigand avait eu lieu dans les collines boisées qui bordent Mongpawn. Le lendemain du jour où il fut abattu, un groupe de Chan venus de Mongpawn déterrèrent, ou plutôt soulevèrent le cadavre de sa tombe superficielle et secouèrent la terre qui le recouvrait. La tête fut coupée, rasée et envoyée à Mongnai, puis exposée aux portes nord, sud, est et ouest de la ville pendant l'absence du commissaire adjoint de Fort Stedman. On arracha de son torse et de ses membres les divers talismans qu'il portait. Ces charmes sont généralement de petites pièces de monnaie ou des morceaux de métal insérés sous la peau. Ils possédaient une valeur supplémentaire du fait d'avoir été implantés dans la chair d'un chef aussi réputé, et furent probablement vendus à bon prix. On fit ensuite bouillir le corps, et on obtint une mixture connue des Chan sous le nom de *mahe si*, baume infaillible contre toutes sortes de blessures. Un « remède » aussi précieux ne resta pas longtemps entre les mains des pauvres et se retrouva bien vite dans les coffres de quelque prince... Telle fut la fin de Twet Nga Lu. Ce fut, en ce qui concerne son corps, une mort définitive.

Ou, comme devait l'écrire lady Scott dans sa préface à l'ouvrage *Scott of the Shan States* : « Telle fut la fin menée jusqu'aux dernières extrémités de cet homme remarquable. »

En ce qui concerne les mythes et la culture Chan, ainsi que la médecine locale et l'histoire naturelle, j'ai puisé mes informations en Birmanie et en Thaïlande, et dans les documents de l'époque. De cette documentation, on peut dire qu'elle est faite avec les meilleures intentions et a donné lieu à des recherches scrupuleuses. Mais elle est marquée par les préjugés et les erreurs d'interprétation courants dans l'Angleterre victorienne. Pour ce roman, il était plus important pour moi de tenir compte de ce que les Victoriens tenaient pour avéré au tournant du siècle que de nos connaissances actuelles. Qu'on m'excuse pour les incohérences qui pourraient résulter de ce choix. On en trouve un exemple dans le paragraphe que je viens de citer. Ainsi, quelle relation y a-t-il entre le *mahaw tsi* des Kachin dont se sert le Dr Carroll, remède qui, d'après le célèbre chasseur de plantes Frank Kingdon-Ward, était élaboré à partir d'une espèce d'*Euonymus*, et le *mahe si* de Crosthwaite dont l'étymologie est similaire ? Cette relation reste pour moi un mystère, mais un mystère passionnant.

J'ai puisé dans des sources innombrables. Parmi les ouvrages qui m'ont été indispensables, outre ceux de

Scott, Kingdon-Ward et Crosthwaite, mentionnons : *Burma's Struggle against British Imperialism, 1885-1895* (« La Résistance de la Birmanie à l'impérialisme anglais »), de Ni Ni Myint, pour sa présentation de la révolte des Chan d'un point de vue birman ; *Shans at Home* (« Les Chan chez eux ») de Mrs Leslie Milne, merveilleuse étude ethnographique des Chan publiée en 1910 ; et *The Illusion of Life : Burmese Marionettes* (*L'Illusion de la vie : les marionnettes birmanes*) de Ma Thanegi, pour ses descriptions du *yôkthe pwè*. *The Making of Modern Burma* (« La Formation de la Birmanie moderne ») de Thant Myint-U vaut d'être mentionné pour son analyse des guerres anglobirmanes qui offre des perspectives nouvelles par rapport aux opinions prévalant jusque-là chez les historiens aussi bien que chez les personnages de mon livre. Pour finir, je suis redevable au livre de William Braid White, *Piano Tuning and Allied Arts* (« L'art d'accorder les pianos, et tout ce qui s'y rattache ») pour ma présentation des compétences techniques d'Edgar Drake.

Je voudrais ajouter qu'après une année passée à étudier la malaria à la frontière sud du Thai-Myanmar, je me suis rendu au nord, jusqu'à la petite ville de Mae Sam Laep, où les eaux enflées de la Salouen longent la frontière, loin en aval du site imaginaire de Mae Lwin. Je voyageais sur une longue barge, le long de rivages boisés, silencieux, et nous faisions escale au bord de villages Karen cachés dans la forêt. Il faisait chaud cet après-midi-là et l'air était immobile et silencieux, mais lors d'un arrêt à un petit embarcadère enfoncé dans la vase, j'entendis soudain un son étrange s'élever des épais fourrés. C'était une mélodie et, avant qu'on ne lance le moteur pour s'éloigner du rivage, je reconnus que la musique provenait d'un piano.

C'était peut-être seulement un enregistrement, un disque éraillé sur un de ces vieux phonographes qu'on trouve encore dans ces marchés du bout du monde. Peut-être. Ce que je peux dire, c'est qu'il était terriblement faux.

Remerciements

Les recherches nécessaires à la rédaction de ce livre n'auraient pas été possibles sans l'aide du personnel des organisations suivantes : en Thaïlande, la Mahidol University Faculty of Tropical Medicine et le Ranong Provincial Hospital ; en Angleterre, la British Library, la Guidhall Library, la National Gallery et le Museum of London. Aux Etats-Unis, la Fondation Henry Luce, le Strybing Arboretum et les Jardins botaniques de San Francisco, ainsi que les bibliothèques de la Stanford University, de l'université de Californie à Berkeley et de l'université de Californie à San Francisco. Les noms des divers sites de Myanmar (Birmanie) qui ont inspiré cette histoire sont trop nombreux pour être mentionnés, mais sans l'accueil chaleureux que j'ai reçu un peu partout dans ces diverses régions, ce livre n'aurait jamais été écrit.

Je tiens à remercier individuellement pour leur soutien Aet Nwe, Guha Bala, Nicholas Blake, Liza Bolitzer, Mary Lee Bossert, William Bossert, Riley Bove, Charles Burnham, Michael Carlisle, Liz Cowen, Lauren Doctoroff, Ellen Feldman, Jeremy Fields, Tinker Green, David Grewal, Emma Grunebaum, Fumihiko Kawamoto, Elizabeth Kellogg, Khin Toe, Peter Kunstadter, Whitney Lee, Josh Lehrer-Graiwer, Jafi Lipson, Helen Loeser, Sornchai Looareesuwan, Mimi Margaretten, Feyza Marouf, Gene McAfee, Jill McCorkle, Kevin McGrath, EllisMcKenzie, Maureen Mitchell, Joshua Mooney, Karthik Muralidharan, Myo, Gregory Nagy, Naing, Keeratyia Nontabutra, Jintana Patarapotikul, Maninthorn Phanumaphorn, Wanpen Puangsudrug, Derek Purcell, Maxine Rodburg, Debbie Rosenberg, Nader Sanai, Sidhorn Sangdhano, Bonnie

367

Schiff-Glenn, Pawan Singh, Gavin Steckler, Suvanee Supavej, Parnpen Viriyavejakul, Meredith Warren, Suthera Watchara-cup, Nicholas White, Chansuda Wongsrichanalai, Annie Zatlin, et d'innombrables autres personnes dans le Myanmar et en Thaïlande qui m'ont raconté leur histoire mais dont je n'ai jamais su le nom.

Pour leurs conseils concernant la Birmanie, je suis tout particulièrement redevable à Wendy Law-Yone, Thant Myint-U et Tint Lwin. Deux accordeurs de piano ont contribué à l'apprentissage d'Edgar Drake : David Skolnik et Ben Treuhaft. L'expérience acquise par Ben en accordant des pianos à Cuba, et le temps passé par lui à réparer un Erard de 1840 sur lequel Liszt avait joué jadis faisaient de lui le conseiller idéal pour un autre piano à queue sous d'autres tropiques. Bien entendu, toutes les erreurs concernant la Birmanie, l'accordage des pianos ou toute autre question sont de ma seule responsabilité.

Enfin, plusieurs personnes ont accordé une attention toute particulière à ce livre. Ma plus profonde gratitude et mon affection vont à Christy Fletcher et Don Lamm pour leurs conseils éclairés sur toutes les questions, et à Maria Rejt, chez Picador, en Angleterre, pour m'avoir aidé à rendre Edgar Drake plus plausible en tant que Londonien. Robin Dresser, chez Knopf, a été une éditrice hors de pair. Ayant passé tant de jours avec elle à discuter sur le texte, je me trouve à court de mots pour exprimer l'étendue de ma reconnaissance pour ses commentaires lucides et pénétrants, son soutien constant, son sens de l'humour.

Depuis le premier jour où je leur ai parlé d'un piano près d'une rivière, mes parents, Robert et Naomi, et ma sœur, Ariana, ont accueilli Edgar Drake comme un membre de la famille et m'ont encouragé à m'élancer avec lui en imagination. Qu'ils reçoivent ici le témoignage de mon affection et de mon immense gratitude.

Cet ouvrage a été composé par Nord Compo
à Villeneuve-d'Ascq
Achevé d'imprimer en mars 2003
sur presse Cameron
par Bussière Camedan Imprimeries
à Saint-Amand-Montrond (Cher)

Nº d'édition : 19696. — Nº d'impression : 031379/1.
Dépôt légal : mars 2003.
Imprimé en France